Un cœur en flammes

Nora Roberts

Un cœur en flammes

*Traduit de l'anglais (États-Unis)
par Joëlle Touati*

Michel
LAFON

Titre original : *Chasing Fire*

© Nora Roberts, 2011
Tous droits réservés.

© Éditions Michel Lafon, 2012, pour la traduction française
7-13, boulevard Paul-Émile-Victor – Île de la Jatte
92521 Neuilly-sur-Seine Cedex
www.michel-lafon.com

À Bruce,
qui me connaît si bien,
et m'aime malgré tout.

PREMIÈRE ATTAQUE

Aussitôt brûlés qu'enflammés.

WILLIAM SHAKESPEARE

1

Pris dans les rafales au-dessus des Bitterroots, l'avion des pompiers maintenait tant bien que mal son assiette. À travers des colonnes de fumée, l'incendie qui faisait rage sur les flancs des montagnes dardait vers lui des langues de feu menaçantes.

Penchée vers le hublot, Rose Tripp observait le spectacle de dame Nature particulièrement en colère. Dans quelques minutes, elle serait au cœur du brasier. Armée d'une tronçonneuse, de son courage et de sa détermination, elle livrerait contre les flammes une guerre sans merci, une guerre qu'elle était résolue à gagner.

Les turbulences lui soulevaient le cœur, une sensation qu'elle avait appris à ignorer. Habituée dès sa plus tendre enfance à voler en avion, elle combattait les feux de forêt chaque été depuis son dix-huitième anniversaire, il y avait huit ans maintenant. Et depuis quatre ans elle avait rejoint les rangs des sapeurs paras.

Elle avait suivi une formation et un entraînement intensifs, elle avait souffert, elle avait pleuré, elle s'était brûlée et elle s'était blessée. Par la force de sa volonté, elle était devenue une Zulie, membre de l'unité d'élite des pompiers de l'air de Missoula.

Rose étira ses longues jambes entre les sièges et détendit ses épaules sous son sac harnais.

À côté d'elle, son partenaire de saut pianotait fébrilement sur ses cuisses.

– Ç'a l'air méchant, en bas.

– On sera encore plus méchants ! rétorqua Rose.

Il se tourna vers elle et esquissa un sourire.

– Pour ça, je te fais confiance.

Bientôt à la fin de sa première saison, Jim Brayner avait encore besoin de se doper le moral avant de sauter. Sans doute en serait-il ainsi tout au long de sa carrière. Certains gardaient toujours une appréhension, alors que d'autres parvenaient même à somnoler durant le vol d'approche.

Rose serait la première larguée ce jour-là, suivie de Jim. S'il avait besoin de motivation, elle en avait en rab. Elle lui donna un petit coup de coude amical.

– C'est pas toi qui te plaignais qu'on n'éteignait que des feux de paille ces derniers temps ?

– Non, c'était mon frangin, répondit-il, ses doigts martelant un rythme qui devait lui trotter dans la tête.

– Sacré Matt… Au fait, t'as pas un rendez-vous galant demain soir ?

– Si, avec un canon.

Rose n'en doutait pas. Chaque fois que l'équipe partait en virée en ville, Jim disparaissait avec une jolie fille. Il avait essayé de la draguer elle aussi mais ne lui tenait pas rigueur de l'avoir éconduit. Car la jeune femme s'était fixé une règle d'or : ne jamais mélanger vie professionnelle et vie privée.

Elle se l'avouait, elle aurait pu être tentée. Jim était un chic type, ouvert et sympathique. Elle aimait sa bonne bouille au sourire angélique et à l'œil pétillant. Pour le fun, elle en aurait volontiers fait son quatre-heures. Pour du sérieux, en revanche – de toute façon, elle ne voulait pas s'investir dans une relation sérieuse –, il n'aurait pas fait l'affaire. Bien qu'il fût du même âge qu'elle, il paraissait trop jeune, trop fraîchement débarqué de sa ferme du Nebraska, et peut-être encore un peu trop tendre sous sa frêle carapace.

– Puis-je savoir qui est ce canon, si ce n'est pas indiscret ?

– Lucille.

– La petite mignonne qui rigole tout le temps ?

Les doigts de Jim tambourinaient sans relâche.

– Elle ne fait pas que rigoler.

– Méfie-toi, le menaça Rose en riant, que Dolly n'apprenne pas que tu es allé batifoler ailleurs.

Ce n'était un secret pour personne : depuis le début de la saison, Jim fricotait avec Dolly, l'une des cuisinières de la base.

Tout finit par se savoir, pensa Rose, *voilà pourquoi les gens intelligents ne couchent pas avec leurs collègues de travail.*

Les doigts de Jim tapotaient à une cadence de plus en plus rapide. Elle posa une main sur la sienne afin de l'arrêter. Il continua à battre le tempo du pied.

– Tout va bien pour toi ? tenta-t-elle.

Il plongea ses yeux bleus dans les siens puis détourna le regard.

– Ouais, ouais. Disons que ça ira mieux quand on sera en bas.

– Oublie un peu les nanas, pour l'instant. Tu sais que, dans notre boulot, il ne faut pas avoir la tête ailleurs.

– Ne t'en fais pas, ma tête est bien plantée sur mes épaules. Regarde le feu, il nous nargue. Il ne connaît pas encore les Zulies, mais il va avoir affaire à nous. Et demain soir, à moi Lucille !

Pas si sûr, se dit Rose. Étant donné ce qu'elle apercevait par le hublot, elle estimait la durée de l'intervention à au moins deux bonnes journées. Dans le meilleur des cas.

Cards, le largueur, ainsi surnommé parce qu'il avait toujours un paquet de cartes sur lui, se fraya un passage entre les dix parachutistes et le matériel d'intervention. Rose prit son casque.

– Prépare-toi, dit-elle à Jim. Et n'oublie pas : concentration.

À l'arrière de l'appareil, Cards accrocha sa sangle d'ouverture automatique au câble. Puis il déverrouilla la porte. Une bourrasque s'engouffra dans l'avion, qui s'emplit d'une odeur de cendre et de kérosène. Rose mit son casque et ajusta sa visière de protection.

Cards lâcha les premiers sikis – les banderoles permettant de tester la direction du vent. Les longs rubans colorés dansèrent dans le ciel assombri par la fumée, tourbillonnèrent en spirale, remontèrent vers le haut puis fouettèrent la cime des arbres.

– Droite ! cria Cards dans son micro.

Le pilote vira. La deuxième série de sikis claqua dans le vent. Ils s'emmêlèrent puis se séparèrent et atterrirent dans une petite clairière, la zone d'atterrissage.

– Le vent va nous emporter de l'autre côté du ruisseau, pas loin des arbres, à la limite de la trouée, lança Rose à Jim.

Un troisième jeu de serpentins s'envola en tournoyant.

– Il est mauvais, ajouta-t-elle.

– Je vois.

Jim s'essuya la bouche du revers de la main avant d'attacher son casque et son masque.

– Monte à 3 000, ordonna Cards.

La hauteur de saut. Rose se leva et s'approcha de la portière.

– Il y a à peu près 300 mètres de dérive, hurla-t-elle à Jim. Mais fais gaffe au vent arrière.

– Je ne suis plus un bleu ! rétorqua-t-il.

Derrière la grille de sa visière, elle devinait son sourire, confiant, impatient, même. Ses yeux trahissaient néanmoins sa nervosité. Elle s'apprêtait à lui dire quelque chose lorsque Cards lui lança :

– Prête ?

– Prête.

Elle accrocha sa sangle.

– En position !

Elle s'assit au bord de l'avion, les jambes tendues dans le vide, le buste penché en arrière, le souffle du vent rugissant autour d'elle, le brasier rougeoyant sous ses pieds. Elle se vida l'esprit, se focalisa sur le vent, le feu, dans une exaltation mêlée de peur qui toujours, toujours, la prenait par surprise.

– Tu as vu les sikis ?

– Oui.

– Tu vois la zone de saut ?

Elle opina, le regard rivé sur la clairière et les bandes de couleur, contrôlant sa respiration, visualisant sa trajectoire jusqu'au point d'atterrissage.

Tandis que l'avion effectuait une deuxième ronde autour de la zone de saut, Rose procéda à une ultime vérification de son équipement. Cards rentra la tête dans l'appareil.

– Tiens-toi prête.

« Quand tu veux ! » résonna la voix de son père dans sa tête. Elle se cramponna de chaque côté de la porte, prit une profonde inspiration et, lorsque le largueur lui donna une tape sur l'épaule, elle s'élança dans le ciel.

Se jeter dans le vide. Elle ne connaissait rien de plus grisant. Elle commença à compter, un réflexe, et culbuta sur elle-même afin de voir l'avion au-dessus d'elle. Jim se propulsa dans les airs.

Luttant contre la force du vent, elle se retourna à l'horizontale. Avec une secousse et un tiraillement, son parachute se déploya. Elle aperçut de nouveau Jim, dont la corolle venait aussi de s'ouvrir. Dans un silence irréel, à présent loin du vrombissement de l'avion, encore hors de portée du rugissement du feu, elle agrippa les commandes.

Les rafales la poussaient vers le nord, obstinément. Avec la même obstination, elle résistait pour se maintenir dans la trajectoire qu'elle s'était tracée mentalement, les yeux au sol, manœuvrant contre le courant glacial qui s'acharnait sur sa voile et tentait de la déporter.

Des bourrasques lui cinglaient le visage, des bouffées de chaleur montaient de la forêt en feu. Si elle ne parvenait pas à surmonter le vent, il l'emporterait au-delà de la zone de saut et elle terminerait son vol dans les arbres. Ou, pis, il pouvait la faire dévier vers l'est, dans les flammes.

Elle tira de toutes ses forces sur la suspente. Du coin de l'œil, elle vit Jim partir en torche.

– À droite ! À droite ! cria-t-elle.

– Ça va ! C'est bon !

Horrifiée, Rose l'entrevit néanmoins tirer à gauche.

– À droite, bon sang !

À l'approche du sol, elle se prépara à l'atterrissage, dans un état de pure panique. Jim continuait à s'éloigner vers l'est, descendant comme une flèche vers la forêt en feu.

Rose toucha le sol des deux pieds, fit un roulé-boulé et se releva avant que son parachute lui retombe dessus.

Alors qu'elle se tenait à quelques pas de la fournaise, le hurlement de Jim lui glaça le sang.

Le cri résonnant à ses tympans, elle se redressa d'un bond dans son lit.

– Stop, stop, stop ! murmura-t-elle, pantelante, en posant la tête sur ses genoux repliés.

À quoi bon revivre le drame, en ressasser chaque détail, chaque instant ? À quoi bon se demander, encore et encore, si elle aurait pu faire quelque chose pour aider son partenaire, pourquoi Jim n'avait pas suivi sa trajectoire, pourquoi il avait tiré la mauvaise commande ? Car, elle en était sûre, il avait tiré la mauvaise commande. Et s'était précipité droit dans les branches des arbres en feu.

Plusieurs mois s'étaient écoulés depuis. Elle avait eu un long hiver pour se remettre du choc. Et elle pensait avoir surmonté le traumatisme.

Force lui était cependant de constater que le retour à la base avait rouvert la blessure. Elle se passa les mains sur le visage, puis dans ses cheveux qu'elle avait fait couper court juste avant le début de la saison, quelques jours plus tôt.

Il faisait encore nuit. Elle consulta sa montre. Plus que deux heures avant l'entraînement de remise en condition. En dépit des souvenirs, des regrets, du chagrin, elle devait dormir, au moins encore une heure, si elle voulait être en forme pour les cinq kilomètres de course.

D'ordinaire, Rose pouvait dormir n'importe où, n'importe quand. Dans une zone de repli sur les lieux d'un incendie, dans un avion secoué par les turbulences. Elle savait reprendre des forces lorsque l'opportunité se présentait.

Elle ferma les yeux et revit le sourire de Jim. Renonçant à retrouver le sommeil, elle se leva. Elle allait prendre une douche, un petit déjeuner, puis elle irait s'échauffer avant la rude épreuve sportive qui l'attendait.

Ses collègues s'étonnaient toujours qu'elle ne boive jamais de café, sauf quand elle n'avait pas le choix. Elle préférait le Coca, frais et sucré. Après s'être habillée, elle en décapsula une canette, prit une barre énergétique et sortit de sa chambre. Dehors, le ciel commençait à peine à s'éclaircir. L'air était vif en ce début de printemps, et les températures étaient encore fraîches dans l'ouest du Montana.

Dans le vaste ciel, les étoiles s'éteignaient une à une, telles de minuscules bougies que l'on aurait mouchées. La sérénité de l'aube naissante dissipa les dernières images de son cauchemar. D'ici à une heure, la base s'éveillerait et l'atmosphère se chargerait de testostérone.

Rose appréciait la compagnie des hommes, leurs conversations, leur esprit de camaraderie. Travailler dans un milieu majoritairement masculin ne la dérangeait pas. Elle aimait néanmoins la tranquillité, ces petits moments de calme si rares et si précieux. Finalement, elle ne regrettait pas de s'être éveillée aux aurores, avant d'attaquer cette dure journée de reprise.

L'épreuve de course ne l'inquiétait pas outre mesure. Elle s'était entraînée tout l'hiver, elle était prête. Toutefois, nul n'était à l'abri d'une entorse, d'une défaillance, d'une crampe paralysante.

Attitude positive ! s'ordonna-t-elle. Elle mangea sa barre de céréales, but son Coca ; et, tandis que la caféine opérait sur son organisme, elle contempla les premières lueurs du jour poindre au-dessus des sommets enneigés.

Quelques minutes plus tard, elle pénétrait dans la salle de gym. Son temps de solitude était terminé.

– Salut, Trigger ! lança-t-elle à son collègue, qui faisait des abdos, allongé sur un tapis. Qu'est-ce que t'en dis ?

– J'en dis qu'on est une bande de cinglés. Qu'est-ce que je fiche là, Rose ? J'ai quarante-trois balais, mince !

Elle déroula un tapis et commença une série d'étirements.

– Si tu n'étais pas cinglé, et si tu n'étais pas là, tu les aurais quand même, tes quarante-trois ans.

Tout juste à la limite de la taille réglementaire, avec son mètre quatre-vingt-quinze, Trigger Gulch avait gardé l'accent de son Texas natal et un faible pour les bottes de cow-boy. En expirant bruyamment, il effectua une série de demi-crunchs rapides.

– Je pourrais être en train de me faire dorer la pilule à Waikiki.

– Tu pourrais aussi être en train de vendre des villas à Amarillo.

– Parfaitement, répliqua-t-il en s'épongeant le front. Horaires de bureau pendant quinze ans, et une retraite pépère à Waikiki.

– Il y a trop de monde sur les plages de Waikiki. Tu ne trouverais même pas un coin où poser ta serviette.

– T'as raison. C'est ça, le problème.

Trigger se redressa en position assise. Toujours aussi svelte, tout en muscles, le charme des tempes grisonnantes. Une cicatrice lui barrait le genou gauche, souvenir d'une opération du ménisque. Rose lui rendit son sourire et s'allongea sur le dos puis ramena sa jambe droite vers son nez.

– T'as l'air en forme, Rose. Tu as passé un bon hiver ?

– J'ai bossé comme une dingue, répondit-elle en étirant l'autre jambe. J'avais hâte de revenir, ça me fait des vacances.

Trigger éclata de rire.

– Comment va ton père ?

– Nickel.

Elle bascula en avant et attrapa la pointe de ses pieds.

– Il a un peu le bourdon à cette période de l'année, ajouta-t-elle. Ça lui manque de ne pas reprendre avec nous. Heureusement, son paraclub ne lui laisse pas trop le temps de cafarder.

– Dire qu'il y a des gens qui sautent en parachute pour le plaisir…

Rose écarta les jambes, saisit la pointe de ses pieds et s'aplatit au centre du V ainsi formé.

– Et qui déboursent des sommes folles pour ça ! La semaine dernière, on a eu un couple qui fêtait ses noces d'or. Ils m'ont laissé une bouteille de champagne français en pourboire.

Trigger la regarda se relever et commencer une salutation au soleil.

– Tu donnes toujours des cours de gym hippie ?

Dans la posture du chien tête en bas, elle lui décocha un regard affligé.

– De yoga. Ouais, je fais toujours un peu de coaching personnel hors saison. Ça m'évite de trop grossir. Et toi ?

– Moi ? Je fais du gras. Comme ça, j'en ai plus à brûler quand les choses sérieuses redémarrent.

– Si cette saison est aussi molle que la dernière, on va tous devenir des gros lards. Tu as vu Cards ? Il a dû manger tous les jours au restau cet hiver.

– Il a une nouvelle copine, expliqua Trigger.

– C'est pas vrai ! s'exclama Rose.

– Il l'a rencontrée au supermarché en octobre et il s'est installé chez elle pour le jour de l'an. Elle a deux gosses, elle est instit'.

– Cards avec une maîtresse d'école mère de deux mômes ? Il doit être sacrément amoureux.

– Faut croire. Elle va peut-être venir passer le mois d'août dans la région, avec ses enfants.

– Eh ben, dis donc, ça a l'air sérieux. Enfin… si elle tient jusqu'à la fin de l'été. C'est une chose d'être avec un pompier parachutiste en hiver, c'en est une autre de l'attendre pendant qu'il part risquer sa vie au feu. Il faut avoir les nerfs solides.

Rose se mordit la langue. Matt Brayner venait d'entrer dans la salle de sport. Elle ne l'avait pas revu depuis l'enterrement de son frère, Jim, et, bien qu'elle eût parlé plusieurs fois au téléphone avec leur mère, elle n'était pas sûre qu'il reviendrait.

Il avait pris un coup de vieux, des rides au coin des yeux et de la bouche, des cheveux blancs. Le cœur serré, elle observa que la ressemblance avec son frère s'était accentuée.

– Salut, tout va bien ? leur lança-t-il en souriant.

Combien ce sourire devait lui coûter !

Rose se redressa et s'essuya les paumes sur son collant de sport.

– Ça va. On transpire un peu, histoire de se calmer les nerfs avant le test de rentrée.

– J'ai hésité à aller en ville m'enfiler une double ration de pancakes, avoua Matt.

– On ira tous ensemble après la course, promit Trigger en lui serrant la main. Ça fait plaisir de te revoir. Sur ce, je vais boire un café. À plus.

Tandis que Trigger quittait la salle, Matt prit un poids de dix kilos, puis le reposa sur le rack.

– Ça va être bizarre, pendant un certain temps au moins… Je crois que ma présence met tout le monde mal à l'aise.

– Personne n'a oublié, et personne n'oubliera jamais. C'est bien que tu sois revenu.

– Je ne sais pas… En tout cas, je ne voyais pas ce que je pouvais faire d'autre. Merci d'avoir pris régulièrement des nouvelles de ma mère. Ça l'a touchée.

– J'aimerais… Si seulement… Enfin, bref, avec des « si », on mettrait Las Vegas en bouteille. Je suis vraiment heureuse que tu sois de nouveau parmi nous. J'y vais, moi aussi. À tout'.

Rose comprenait ce que Matt ressentait. Tout le monde le comprenait, aussi bien les hommes que les quatre femmes de l'équipe. Elle monta dans l'un des minibus où il restait de la place. Janis Petrie s'installa à côté d'elle. Sa petite taille et sa silhouette menue, bien que musclée, lui avait valu le surnom d'Elfe. Toujours pleine d'entrain, elle ressemblait pourtant davantage à une pom-pom girl. Ce matin-là, elle avait les ongles vernis en rose fluo, une queue-de-cheval attachée par un chouchou orné de papillons. Malgré son look de Barbie, elle était capable de manier la tronçonneuse quatorze d'heures d'affilée.

– Prête à souffrir, Swede ?

Rose aussi avait son surnom : Swede, la Suédoise, en raison de ses cheveux blonds comme les blés et de ses yeux bleu glacier.

– Et à en baver. Je ne comprendrai jamais pourquoi tu te maquilles avant d'aller suer sang et eau.

Janis battit de ses longs cils.

– Pour que ces pauvres mecs aient quelque chose de joli à mater quand ils s'écrouleront derrière la ligne d'arrivée. Parce que je la franchirai avant eux, évidemment.

– Il va falloir que tu mettes le paquet.

– Petite mais costaude ! Tu as vu les nouveaux ?

– Pas encore.

– Il paraît qu'il y a six filles. On sera peut-être assez nombreuses, cette année, pour monter un club de couture. Ou un cercle littéraire.

– Et à la fin de la saison, on organisera une vente de gâteaux, répliqua Rose en riant.

– De cupcakes. J'adore les cupcakes. Quel paysage magnifique ! s'émerveilla Janis en regardant par la fenêtre. La région me manque quand je ne suis pas là. Toute l'année, je me demande pourquoi je m'embête en ville, à faire de la physiothérapie à des gros beaufs qui se sont fait un tennis-elbow dans leur country-club, soupira-t-elle. Et puis, je me demande ce que je fiche là en juillet, avec une monstrueuse carence en sommeil et des courbatures partout, alors que je pourrais me la couler douce au bord d'une piscine.

– Eh ouais… Missoula n'est pas San Diego.

– Au moins, toi, tu n'as pas ce décalage. Tu habites ici. Personnellement, et je parie que c'est pareil pour la plupart des collègues, je ne sais plus où je me sens vraiment chez moi. Enfin, bon, roule, ma poule ! conclut-elle tandis que le minibus s'arrêtait.

Rose en descendit et inspira une grande bouffée d'air printanier. Bientôt, les prairies reverdiraient et refleuriraient. Elle repéra les drapeaux jalonnant le parcours de la course. Michael Little Bear, le chef de la caserne, énonça les consignes.

Comme toujours lorsqu'il était au travail, Michael avait tressé ses longs cheveux noirs. Un paquet de bonbons dépassait de la poche de sa veste rouge. Rose savait qu'il avait arrêté de fumer pendant l'hiver : Little Bear et sa famille vivaient à un jet de pierre de la base, sa femme travaillant pour le père de Rose.

Tout le monde connaissait les règles de l'épreuve, qui se résumaient à courir cinq kilomètres en moins de vingt-deux minutes trente. Ceux qui n'y arriveraient pas auraient une seconde chance la semaine suivante. Mais ils devraient se trouver un autre job d'été s'ils échouaient encore.

Rose s'étira : les ischios, les quadriceps, les mollets.

– J'ai horreur de ce test à la noix, marmonna-t-elle.

– Ce ne sera pas trop dur pour toi, l'encouragea Michael. Pense qu'une mégapizza t'attend de l'autre côté de la ligne.

– Pizza de mes fesses, oui…, maugréa-t-elle en lui envoyant une bourrade dans le ventre.

– À ce propos, tu remplis bien ton pantalon, dis donc.

Ignorant sa remarque, elle se plaça sur le départ. Michael regagna l'un des minibus. Lorsqu'il démarra, les coureurs partirent. Rose lança le chronomètre de sa montre et se joignit au peloton. Elle connaissait chacun de ses camarades : elle avait travaillé avec eux, transpiré avec eux, risqué sa vie avec eux. Elle leur souhaita bonne chance à tous. Mais, pendant les vingt-deux minutes trente à venir, ce serait chacun pour soi.

Elle allongea la foulée, encourageant ou charriant ses collègues selon qu'elle les doublait ou les talonnait. À la fin du parcours, tout le monde aurait les genoux en compote, une enclume sur la poitrine et le cœur au bord des lèvres. Le test stimulerait la motivation de certains, d'autres n'en retireraient que souffrance et vexation.

Rose se focalisa sur le fanion du premier kilomètre et demi. En passant devant, elle jeta un coup d'œil à sa montre : 4' 12".

Elle avait trouvé son rythme. Janis la dépassa avec un rictus. Elle n'essaya pas de la rattraper. Inutile de risquer le claquage. La sueur lui dégoulinait dans le dos, entre les seins. Son cœur cognait contre ses côtes.

Elle aurait pu ralentir, elle était dans les temps, mais une force magnétique la poussait.

Passé le troisième kilomètre, Rose oublia ses muscles douloureux et la sueur. Encore deux kilomètres. Son pouls battait à ses tympans. Comme avant de s'élancer hors de l'avion, elle fixa son regard sur l'horizon – la terre et le ciel. L'amour qu'elle leur vouait lui donnait des ailes.

– Tripp, 15' 20", entendit-elle Michael crier quand elle franchit la ligne d'arrivée. Ses jambes ne s'arrêtèrent qu'une vingtaine de mètres plus loin.

Courbée en deux, les yeux fermés, elle reprit sa respiration en écoutant les temps des autres. Comme chaque année après le test de reprise, elle avait envie de pleurer. Pas à cause de l'effort. Elle était aguerrie. Mais parce que le stress venait enfin de la quitter : elle pouvait continuer à être ce qu'elle voulait être.

Lorsque Trigger arriva, elle lui tapa dans la main. Au fur et à mesure que les uns et les autres terminaient l'épreuve, ils se plaçaient en rang. De nouveau une équipe, tous souhaitant que chacun réussisse. Rose consulta sa montre. Les 22' 30" seraient bientôt écoulées et quatre de ses collègues n'étaient pas encore là.

Cards, Matt, Yangtree, qui avait fêté – ou noyé – ses cinquante ans le mois précédent, et Gibbons, ralenti par des problèmes de genou.

Hors d'haleine, Cards arriva trois secondes avant la fin du chrono, Yangtree sur ses talons. Gibbons boitait et grimaçait de douleur. Matt semblait à bout de forces. Rose croisa son regard et brandit le poing en signe d'encouragement.

Matt franchit la ligne à 22' 38". Gibbons s'effondra derrière lui une demi-seconde plus tard.

Un cri de joie s'éleva de l'équipe, le triomphe d'une nouvelle saison.

– Vous avez fait durer le suspense jusqu'au bout, tous les deux, plaisanta Michael. Bienvenue ! Prenez une minute pour retrouver votre souffle et on rentre à la base.

Et voilà, c'est reparti pour un tour, se dit Rose en esquissant un sourire.

2

Gulliver Curry s'extirpa de son sac de couchage. Il avait mal partout. Un coup d'œil hors de la tente lui révéla quelques centimètres de neige tombés pendant la nuit. Il enfila son pantalon. Son haleine s'échappait en nuages. S'habiller quand on avait des ampoules par-dessus des ampoules relevait… de l'expérience.

Qu'à cela ne tienne, il aimait les expériences.

La veille, avec les vingt-cinq autres nouvelles recrues, il avait passé quatorze heures à établir un pare-feu, corvée couronnée par un jogging dans les bois avec quarante kilos sur le dos.

Ils avaient tronçonné des arbres, marché, creusé, affûté des outils, pelleté, pioché, marché, escaladé des pins gigantesques, pelleté et pioché encore.

Un camp d'été pour masochistes, pensa-t-il. L'entraînement des aspirants pompiers parachutistes. Quatre d'entre eux avaient déjà jeté l'éponge, dont deux qui avaient raté le premier test sportif. Gulliver avait un avantage : sept ans à son actif de lutte contre le feu, dont quatre dans un corps forestier. Pour autant, il ne pouvait pas dire qu'il se sentait frais comme une rose.

Il se passa une main sur le visage. Ses joues n'avaient pas vu le rasoir depuis près d'une semaine. Ce soir, après une longue marche dans les Bitterroots, cette fois avec un sac de cinquante kilos, il savourerait le réconfort d'une douche chaude et d'une bière glacée.

Et demain, il apprendrait à voler. La main dans son épaisse tignasse brune, il se gratta le cuir chevelu et se glissa hors de la tente, dans le paysage enneigé et la lumière cristalline du petit jour.

Il leva les yeux vers le ciel et resta un instant à le scruter, silhouette imposante dans son pantalon de treillis beige et son T-shirt jaune canari.

Il évalua la hauteur du pin ponderosa se dressant à sa gauche. Deux mètres cinq, deux mètres sept. La veille, il était monté jusqu'à sa cime, et de là-haut, ses crampons plantés dans l'écorce, sanglé dans son baudrier, il avait contemplé la forêt. Une expérience…

Humant le parfum de la neige et des résineux, Gulliver se dirigea vers la tente cuisine. Le camp commençait à s'animer. Malgré les courbatures et les ampoules, il avait hâte d'attaquer cette nouvelle journée.

Jusqu'à midi, il tronçonna sans relâche en compagnie de son coéquipier, Dobie Karstain, un petit barbu aux cheveux drus, originaire du Kentucky. Dobie mesurait tout juste la taille réglementaire minimum d'un mètre soixante-huit, mais il était plus robuste et plus vigoureux qu'il ne le paraissait.

Gulliver l'aimait bien, en dépit de son côté bourru et brut de décoffrage ; une certaine amitié s'était déjà instaurée entre eux.

S'ils passaient tous deux toutes les épreuves de sélection, ils scieraient et creuseraient de nouveau côte à côte. Pas par un bel après-midi de printemps, mais au milieu des flammes, où la confiance et l'esprit de cohésion étaient aussi essentiels que le pulaski, l'outil à deux têtes, pioche et hache, dont les pompiers se servaient pour creuser des tranchées.

Dobie repoussa son casque en arrière et s'épongea le front.

– Je me la taperais bien, celle-là, avant qu'elle plie bagage.

Gulliver suivit le regard de son camarade en direction d'une des recrues féminines.

– Qu'est-ce qui te fait dire qu'elle ne restera pas ?

– Les gonzesses ne sont pas faites pour ce genre de boulot.

– Juste bonnes à pondre des mômes, c'est ça ? plaisanta Gulliver.

– Ce n'est pas moi qui ai dessiné le modèle, répondit Dobie en souriant dans sa barbe. Moi, je me contente d'en profiter.

Gulliver s'abstint de tout commentaire et observa la jeune femme en question. Blonde, dynamique, à peine deux ou trois centimètres de moins que Dobie. De son point de vue, elle tiendrait aussi bien le choc que la plupart des hommes. *Monitrice de ski dans le Colorado*, se remémora-t-il. *Libby*.

– Je te parie vingt dollars qu'elle reste.

– OK, opina Dobie, je suis sûr de gagner.

Ils se remirent au travail.

À la fin de la journée, tout le monde avait les mains à vif. En attendant que le dernier binôme ait terminé de débiter un pin, Gulliver et Dobie en profitèrent pour changer leurs pansements. *Encore une heure de marche*, se dit Gulliver, *et je pourrai enfin me doucher, me raser et siroter une bière fraîche.*

Il s'accroupit, épaula son sac, sortit un paquet de chewing-gums et en offrit une tablette à Dobie.

L'instructeur ouvrit la marche à un rythme soutenu sur le sentier rocailleux. En guise d'encouragements, la troupe se lançait des insultes amicales. Solide parce que solidaire. Dans quelques semaines, face au feu, la vie de chacun dépendrait des autres.

Un faucon poussa un cri. L'odeur de transpiration du groupe se mêlait à celle des pins.

– Qu'est-ce que tu fais dans le Kentucky ? demanda Gulliver à Dobie.

– Des petits boulots. Les trois derniers étés, j'ai éteint des incendies dans la forêt nationale. Un soir de beuverie, j'ai parié avec un pote que je deviendrais pompier parachutiste. J'ai postulé, et me voici.

– Tu as fait ça sur un coup de tête ? s'étonna Gulliver.

– Pour cent dollars. Et pour ma fierté. Tu as déjà sauté en parachute ?

– Ouais.

– Ça doit être génial.

– Ça l'est.

– Qu'est-ce qu'on ressent quand on tombe ?

– La même chose que quand une beauté te fait hurler de plaisir.

En grimaçant, Dobie ajusta son sac sur ses épaules.

– Je n'en attends pas moins. Cet entraînement de mes deux a intérêt à en valoir la peine.

– Libby tient le coup.

– Qui ?

– La petite blonde sur qui tu as parié vingt dollars, pas plus tard que tout à l'heure.

– La journée n'est pas finie, grommela Dobie en attaquant une montée.

Quand elle le fut, Gulliver prit sa douche, se rasa et parvint à trouver la force d'engloutir une bière avant de s'affaler à plat ventre sur son lit.

Rose se dirigeait vers la salle de gym lorsque Michael Little Bear l'interpella.

– Tu pourras t'occuper des nouveaux, ce matin ? Cards devait s'en charger, mais il est en train de dégobiller ses boyaux.

– Gueule de bois ?

– Non, grippe intestinale ou un truc dans le genre. Je voudrais que tu leur fasses faire le parcours du combattant. OK ?

– Pas de problème. Ils sont combien ?

– Il en reste vingt-cinq et ils ont l'air costauds. Un gars a battu le record de la base du mi-parcours : 6' 30" 9.

– On verra comment il s'en sort aujourd'hui.

Rose écourta de trente minutes sa séance d'exercice personnelle, d'ordinaire d'une heure et demie. Elle compenserait sur le parcours d'obstacles. Elle n'avait pas perdu au change, se dit-elle en enfilant ses bottes. Elle serait mieux au grand air qu'enfermée dans l'atelier à raccommoder des sacs.

Munie des fiches des nouvelles recrues, d'un carnet et d'une bouteille d'eau, elle se vissa une casquette sur le crâne et prit le chemin du terrain d'entraînement.

Le ciel était couvert, la température parfaite, ni trop élevée ni trop basse. La base vaquait à ses occupations matinales. Les pompiers allaient et venaient entre les bâtiments. Certains couraient sur la piste. D'autres déchargeaient des camions. Un avion décolla, emmenant un groupe pour un saut d'instruction.

La saison n'avait pas encore commencé, la sirène restait silencieuse, mais il y avait des milliers de choses à faire. Recoudre et empaqueter les parachutes, vérifier le matériel, le démonter, le remonter, s'entraîner.

Aux abords du stade, Rose croisa Matt et s'arrêta un instant.

– Qu'est-ce que tu fais, aujourd'hui ? lui demanda-t-il.

– Je m'occupe des bleus, Cards est malade. Et toi ?

– Je suis à la réserve. Tu veux échanger ?

– Hum… Non, merci, je préfère torturer les nouveaux plutôt que de faire du rangement.

Rose rejoignit les recrues rassemblées sur le stade. De retour d'une semaine de camping et de tranchée, ils avaient intérêt à avoir passé une bonne nuit de sommeil. Des éclats de rire montaient du groupe. Bon esprit. Primordial.

La course d'obstacles constituait une rude épreuve, et seulement le début d'une longue journée. En s'approchant des plates-formes de bois, Rose consulta sa montre puis but une gorgée d'eau et posa sa bouteille.

– En place ! cria-t-elle après avoir donné un coup de sifflet. Je m'appelle Rose Tripp, votre instructrice pour la promenade de santé de ce matin. Finis les chansons de feu de camp et les chamallows grillés de la semaine dernière. À partir de maintenant, les choses deviennent sérieuses.

Des grognements et des ricanements lui répondirent. Elle balaya le groupe du regard. Vingt et un hommes, quatre femmes, de tailles, de silhouettes, de couleurs et d'âges différents. Son rôle était de leur donner un objectif commun : dépasser leurs limites.

En se référant à la liste qu'elle avait emportée, elle procéda à l'appel.

– J'ai entendu dire que l'un d'entre vous avait pulvérisé le record du mi-parcours. De qui s'agit-il ?

– Gull l'Éclair ! s'exclama un petit barbu en décochant un coup de coude à son voisin.

Environ un mètre quatre-vingt-cinq, estima-t-elle à vue d'œil, *cheveux propres bien qu'en bataille, sourire enjôleur, attitude décontractée.*

– Gull Curry, se présenta-t-il. J'aime bien courir.

– Tant mieux. Mais la vitesse ne suffira pas, aujourd'hui. Bien, étirez-vous, messieurs-dames. Je ne veux entendre personne pleurnicher à cause d'un claquage.

Ils formaient déjà une équipe, constata-t-elle. Des liens d'amitié, sûrement aussi des petites rivalités, s'étaient créés entre eux. Deux bonnes choses.

– Cinquante pompes ! ordonna-t-elle, puis elle les regarda s'exécuter. Je vous suivrai tout au long du parcours, déclara-t-elle quand ils eurent terminé, en désignant d'un geste les murs d'escalade, les cordes à grimper, les trampolines et les poutres. Tous ces obstacles s'apparentent à ceux que vous rencontrerez au feu. Vous devez tous les franchir. Si vous calez, vous êtes cuits. L'épreuve est éliminatoire. Toi, l'Éclair, pars le premier. Les autres, suivez-le, en file indienne. Si jamais vous tombez, débrouillez-vous pour ne pas gêner les autres et recommencez du début.

Elle sortit un chronomètre de sa poche.

– Vous êtes prêts ?

Le groupe lui répondit à l'unisson.

– C'est parti !

Gull bondit comme un lièvre par-dessus les premières haies.

– Levez les genoux ! cria-t-elle. Du nerf, bon sang ! On dirait une bande de filles en balade.

– Eh ! je suis une fille ! rétorqua une blonde au regard d'acier.

Rose lui adressa un sourire.

– Ça ne t'empêche pas de lever les genoux. Fais comme si tu voulais filer un coup de pied au cul à tous ces mollassons.

Courant au même rythme que Gull, Rose s'écarta lorsqu'il se lança à l'assaut de la première rampe. Le petit barbu la surprit en la franchissant tel un boulet de canon.

La troupe escaladait, sautait, rampait. Michael avait raison : une sacrée bonne promo.

Le petit barbu – il faudrait qu'elle vérifie son nom – poussa un cri de guerre en prenant de l'élan. Toujours en tête, Gull monta à la corde tel un singe à une liane. La blonde le rejoignit, mais grimper ne semblait pas être son fort.

– Une main après l'autre ! lui cria Rose en secouant la corde. Allez, ma grande ! Tu retardes tout le monde. Tu veux retourner à la case départ ou quoi ?

– Non…

– Tu veux éteindre des feux ou rentrer chez toi faire du shopping ?

– Les deux !

– Allez, grimpe, punaise !

La jeune femme laissait des traces de sang sur la corde, elle devait souffrir le martyre.

– Vas-y, grimpe !

Elle se hissa laborieusement jusqu'au dernier des douze mètres.

– C'est bon, redescends. Allez, hop, cours !

En escaladant le mur suivant, la blonde le marqua d'une empreinte rouge. Elle arriva néanmoins au bout du parcours – comme tous ses camarades. Rose leur laissa quelques minutes pour reprendre leur souffle, gémir, masser leurs muscles endoloris.

– Pas mal, commenta-t-elle. La prochaine fois que vous aurez à grimper à une corde, à une échelle ou à un mur, c'est que le vent aura tourné et que vous aurez le feu aux fesses. Vous aurez intérêt à faire fissa. Mademoiselle Je-suis-une-fille, comment t'appelles-tu ?

– Libby. Libby Rydor, répondit la blonde, ses mains écorchées sur les genoux.

– Quand on arrive à grimper à la corde avec les mains en sang, c'est qu'on n'est pas mauvais, déclara Rose en ouvrant la trousse de premier secours. Viens voir par là, je vais m'occuper de toi. S'il y en a d'autres qui se sont fait des bobos, qu'ils se les soignent. Après, filez chercher votre matos pour l'entraînement à la sortie d'avion.

Gull la regarda désinfecter les paumes de Libby, puis lui bander les mains avec des gestes sûrs et compétents. Il n'entendait pas ce qu'elle lui disait, mais Libby riait alors que ses plaies mettraient probablement quelques jours à cicatriser et ajouteraient pour elle de la difficulté aux épreuves déjà bien assez dures qu'il leur restait à subir.

La jeune Zulie avait su stimuler le groupe par un habile mélange d'encouragements et de provocations. Elle avait soutenu ceux qui peinaient, trouvé les bons mots au bon moment. Elle avait joué son rôle avec brio. En outre, elle dégageait un charme auquel il n'était pas indifférent. Pour commencer, elle était bien roulée. Une plastique de statue, comme aurait dit son oncle, pensa Gull. Un corps de rêve, quoi, à la fois musclé et féminin. Et, pour ne rien gâcher, de grands yeux bleus aux paupières lourdes de sensualité, dans un visage qu'il ne se lassait pas de contempler. Bref, une fille superbe. Qui avait l'air d'avoir du caractère. Et Gull avait du mal à résister aux femmes de caractère. Il la suivit des yeux tandis qu'elle traversait le stade, puis il la rattrapa.

– Comment vont les mains de Libby ?

– Ça va, rien de grave. Tout le monde laisse quelques lambeaux de peau à ce petit jeu.

– « Si tu ne saignes pas, qui saura que tu es passé par là ? »

La tête légèrement inclinée, elle le dévisagea de ces yeux qui évoquaient pour Gull les glaces arctiques.

– D'où viens-tu, Shakespeare ? demanda-t-elle. J'ai lu *Henri V*, moi aussi.

– De Monterey.

– Il y a un bon escadron de pompiers de l'air en Californie du Nord.

– Exact. Je les connais pratiquement tous. J'ai bossé pendant cinq ans chez les forestiers de Redding.

– Ça ne m'étonne pas. Tu étais recherché par les flics californiens ? Tu es venu te planquer à Missoula ?

– Les charges ont été abandonnées, répliqua-t-il, la faisant sourire. Si je suis là, c'est à cause d'Iron Man Tripp. Je suppose que c'est ton père.

Rose s'arrêta de marcher.

– Oui. Tu le connais ?

– Qui ne le connaît pas ? Lucas « Iron Man » Tripp est une légende. Les Zulies ont combattu un incendie mémorable en 2000.

– En effet.

– J'étais encore étudiant à l'époque, je suis tombé par hasard sur une interview de lui à la télé. Il rentrait juste de quatre jours au feu avec son équipe. Il avait le visage noir de suie, les cheveux couverts de cendres, les yeux rouges. On aurait dit qu'il revenait de la guerre, ce qui n'était pas tout à fait faux. Le journaliste lui a posé des questions bateaux : « Qu'est-ce qu'on ressent ? », « Avez-vous eu peur ? », etc. Il a répondu avec patience, alors qu'il était clair qu'il tombait de fatigue. Et puis il lui a dit : « Pour résumer les choses simplement, le dragon a essayé de nous bouffer, mais on l'a terrassé. » Là-dessus, il est parti.

Rose se souvenait très bien de cette interview.

– Et c'est pour ça que tu es là aujourd'hui ? s'enquit-elle.

– Plus ou moins. Je pourrais t'expliquer mes motivations autour d'une bière.

– Tu n'auras guère de temps ici pour raconter ta vie en éclusant des bières. D'ailleurs, dépêche-toi, va chercher ton matériel.

– Je conçois que ma vie ne t'intéresse pas, mais je t'inviterais quand même volontiers à boire une bière, insista Gull.

Elle afficha un petit sourire narquois. Mais ô combien sexy…

– Laisse tomber, mon grand. Je ne fréquente pas les bleus, ni aucun de mes collègues, d'ailleurs. Quand j'ai le temps et que je suis d'humeur à… me détendre, je vais chercher dans le civil. Des mecs qui me tiennent compagnie pendant mes longues soirées d'hiver et que j'oublie lorsque revient la saison.

Oh oui, il aimait cette attitude…

– Toute règle a des exceptions.

– Tu perds ton temps.

Sourire aux lèvres, il la regarda s'éloigner, et se sentit plus déterminé que jamais à se faire admettre dans les rangs des Zulies.

Gull survécut au simulateur de saut. Suspendu à un câble, lâché d'une tour de quinze mètres de haut, ballotté tel un pantin désarticulé, les genoux et les chevilles s'entrechoquant, il apprit à se protéger la tête, à utiliser son corps pour se préserver. Et à quoi penser quand le sol se rapprochait à une vitesse vertigineuse.

– Ça va ? demanda-t-il à sa coéquipière.

– J'ai l'impression d'être tombée d'une montagne, mais ça ne va pas trop mal, lui répondit Libby. Et toi ?

– J'ai plutôt l'impression d'être tombé sur une montagne.

Rose le crocheta à la poulie.

– C'est aussi fun en vrai ? lui demanda-t-il.

– Encore plus, affirma-t-elle, sarcastique. Cette fois, votre point de chute est là-bas, indiqua-t-elle en désignant une colline de sciure à l'autre bout du stade. L'élan va vous faire prendre de la vitesse.

Tâchez d'amortir le choc. Dès que vous touchez le sol, rentrez la tête dans les épaules et roulez.

Il examina le monticule, qui lui paraissait minuscule de la plate-forme où il se tenait, à travers la grille de sa visière.

– Vous êtes prêts ?

Libby prit une profonde inspiration.

– *Yes*.

– En position.

Effectivement, ça allait vite ! Gull eut tout juste le temps de penser en voltigeant au-dessus du terrain, avant que le tas de sciure emplisse son champ de vision.

– Merde ! lâcha-t-il en rentrant la tête dans les épaules et en roulant sur lui-même, les mains de chaque côté de son casque.

Il jeta un coup d'œil à Libby.

– Ça va ?

– Ça secoue, mais j'adore les sensations fortes !

– Je crois que tu n'as pas fini d'en avoir…

Il se remit sur pied et lui tendit la main pour l'aider à se relever.

Après les simulations de saut, ils passèrent à la théorie. Dans une salle de classe, ils se penchèrent sur des cartes et des schémas, des manuels techniques. Pour Gull, la majeure partie de la leçon n'était que révision. Néanmoins, on avait toujours à apprendre.

Enfin vint l'heure de la détente. Ils n'étaient plus que vingt-deux, constata Gull, à compter leurs bleus et leurs bosses, à savourer un repas chaud ou à bavarder tranquillement.

La plupart ne tardèrent pas à aller se coucher. Gull hésitait, tenté de se joindre au petit groupe qui jouait au poker. Il allait d'abord prendre l'air, il aviserait ensuite.

– Prends une chaise ! lui lança Dobie alors qu'il passait près de la table. Viens te faire plumer, j'ai besoin d'un peu de pognon à placer sur mon compte épargne retraite.

– Atterris encore deux ou trois fois sur la tête et tu prendras ta retraite de bonne heure.

Dehors, il tombait une pluie fine et régulière. Gull enfonça les mains dans ses poches et se dirigea vers le hangar où les avions étaient garés. Les avions d'où il serait bientôt largué.

Il avait sauté trois fois avant de poser sa candidature chez les pompiers parachutistes, afin de s'assurer qu'il avait le cœur suffisamment bien accroché. Il avait hâte de retrouver ces sensations, de défier ses instincts naturels en plongeant dans le ciel.

Il avait aussi potassé des bouquins d'aviation, se documentant notamment sur le Twin Otter, le DC-9, l'avion qu'utilisaient en général les pompiers de l'air. Il envisageait même de prendre des cours de pilotage, hors saison, voire de passer son brevet. Ça ne pouvait pas faire de mal de savoir que l'on était capable de prendre les commandes, au cas où.

Une silhouette marchant à grands pas sous la pluie attira son attention. La belle Rose, sculpturale même dans la nuit. Il ralentit. Peut-être y avait-il mieux à faire, ce soir, que de jouer au poker.

– Belle soirée…

– Pour les otaries, répondit-elle. Tu prends le frais ?

Des gouttes de pluie tombaient de la visière de sa casquette.

– Je faisais juste un petit tour. Mais j'ai une voiture, si tu veux que je t'emmène quelque part.

– J'en ai une aussi, je te remercie, et je ne vais nulle part. Tu as bien assuré, aujourd'hui.

– Merci.

– Dommage que Doggett doive abandonner… Il s'est fracturé le front. Mais je mettrais ma main à couper qu'il reviendra l'année prochaine.

– Probable, acquiesça Gull. C'est un gars qui en veut. Comme moi.

Rose secoua la tête en riant.

– Ça t'arrive que les femmes te disent non ?

– Malheureusement, oui. Mais je ne baisse jamais les bras.

– Crois-moi, je ne suis pas un cadeau.

– Tu as un corps de déesse et un visage de reine nordique. Un sacré bel emballage.

– L'emballage ne garantit pas le contenu.

– Certes, mais je brûle d'envie de l'ouvrir et de découvrir ce qu'il recèle.

– Un caractère de cochon, un seuil de tolérance au ras des pâquerettes et une passion pour le feu. Dans ton intérêt, mon grand, je te conseille d'aller draguer quelqu'un d'autre.

– Je suis plutôt du genre borné, répliqua-t-il avec un sourire.

Elle hocha nonchalamment les épaules, l'observant néanmoins avec attention.

– Ça ne te dit pas, une petite balade avec moi sous la pluie ? insista-t-il.

– Ne me dis pas que tu as l'âme romantique.

– Peut-être bien…

– Fais gaffe à toi, alors ! Je pourrais profiter de tes faiblesses et briser ce cœur romantique.

– On va chez moi ou chez toi ?

Sur un petit rire provocateur, Rose reprit son chemin jusqu'au bâtiment des chambres, lui claquant métaphoriquement la porte au nez.

Gull était plutôt séduisant, elle devait l'admettre. Elle aimait les hommes sûrs d'eux. Il avait du culot et de la repartie, et il n'avait pas l'air idiot. Force lui était de reconnaître qu'il lui plaisait, avec cette façon qu'il avait de la regarder, tel un chat guettant une souris : avide et patient à la fois. Pour autant, elle ne dérogerait pas à sa règle.

Elle frappa à la porte de Cards. Un grognement lui répondit, qu'elle interpréta comme l'autorisation d'entrer. Assis sur son lit, un jeu de cartes étalé devant lui, pâle comme un linge, il leva vers elle un regard abattu.

– Comment vas-tu ?

– Mieux. Je ne sais pas ce que j'ai chopé, mais j'ai cru que je gerbais mes tripes, ce matin. Ça va, ce soir, j'ai réussi à garder mon dîner. Une bonne nuit de sommeil, et demain je serai de nouveau sur pied. Merci de m'avoir remplacé.

– Pas de quoi… Les nouveaux ne sont plus que vingt-deux. Il y en a un qui s'est blessé, mais je pense qu'on le reverra. Je venais juste prendre des nouvelles. Je te laisse te reposer. Allez, bonne nuit, à demain.

– Eh, tu veux que je te montre un tour de cartes ? proposa-t-il avant qu'elle ait pu se retirer.

Il avait passé la journée tout seul dans sa chambre, il avait besoin de compagnie. Par amitié, Rose prit place à côté de lui. Ses tours de cartes n'étaient jamais très impressionnants, mais au moins ils lui éviteraient de penser à Gulliver Curry avant de s'endormir.

3

Gull s'aligna devant la salle d'embarquement avec les autres recrues. Moteurs ronflants, l'avion d'où ils allaient effectuer leur premier saut les attendait sur la piste de décollage. Dans le rang, la nervosité était tangible tandis que les instructeurs faisaient l'inspection. Rose s'avança vers Gull, à sa plus grande joie.

– Tu as été vérifié ?

– Non.

Elle s'accroupit afin d'examiner ses bottes, ses genouillères, remonta le long de ses jambes – poches, cuissardes –, vérifia la date d'expiration de son parachute de secours, ses aiguilles de verrouillage.

– Tu sens bon, tu sens la pêche, lâcha-t-il.

Elle leva brièvement les yeux vers lui.

– Sangle de liaison inférieure gauche OK, répondit-elle, poursuivant son inspection sans autre commentaire. Sangle de liaison inférieure droite OK. Ne te dissipe pas, ajouta-t-elle en se redressant. La moindre erreur d'inattention et tu risques de t'écraser au sol comme une bouse. Casque, gants. Tu as ta corde de descente ?

– Affirmatif.

– C'est bon, tu peux y aller.

– Et toi ?

– J'ai été vérifiée, merci. Allez, embarque !

Elle passa à la recrue suivante. Gull monta dans l'avion et s'installa à côté de Dobie.

– Tu dragues la blonde ? lui demanda son camarade. Celle qu'ils appellent Swede ?

– Faut bien rêver ! Quant à toi, tu vas bientôt me devoir vingt dollars, rétorqua Gull, tandis que Libby pénétrait dans la carlingue.

– Elle n'a pas encore sauté. Je te parie dix dollars de plus qu'elle se dégonfle à la dernière minute.

– Tope là !

– Bienvenue à bord, dit Rose. Mesdames et messieurs, veuillez ramener le dossier de vos sièges en position verticale. Notre temps de vol aujourd'hui dépendra de vous. Si vous chialez devant la porte, on est là jusqu'à ce soir. Gibbons sera votre largueur. Soyez attentifs. Restez concentrés. Vous êtes prêts pour le grand plongeon ?

Une acclamation enthousiaste lui répondit.

– Bien, nous sommes partis.

L'avion démarra, prit de la vitesse et leva le nez. Lorsqu'il quitta le sol, Gull sentit son estomac se soulever. Plus sexy que jamais dans sa combinaison de saut, Rose haussa la voix pour couvrir le bruit des moteurs et énuméra, une fois de plus, les différentes séquences du largage.

Du cockpit, Gibbons lui tendit une feuille de papier.

– Voici votre zone de chute, indiqua-t-elle.

Toutes les recrues se penchèrent vers les hublots. Gull contempla la clairière, un paysage de tableau : une prairie de pins où sinuait un ruisseau scintillant. L'objectif serait d'atterrir dans l'herbe, d'éviter les arbres et le cours d'eau. En quelque sorte, il serait une flèche ; il devrait atteindre la cible.

Gibbons gagna la porte et l'ouvrit. Une bourrasque d'air printanier s'engouffra dans l'appareil.

– Putain de bordel de merde…, grommela Dobie entre ses dents. On y est, là. Ça ne rigole plus.

Gibbons passa la tête à l'extérieur et s'entretint, via son casque-micro, avec le pilote. L'avion vira sur la droite, bascula, puis se stabilisa.

– Regardez les sikis, cria Rose.

Les rubans colorés partirent en circonvolutions dans l'azur et disparurent entre les arbres.

Gull traça mentalement sa trajectoire, évaluant la dérive, et la rectifiant tout en observant celle d'une deuxième série de banderoles.

– Monte ! ordonna Gibbons.

Dobie prit une tablette de chewing-gum, enfila son casque et en offrit une à Gull, les yeux larges comme des soucoupes derrière la visière de son casque.

– J'ai la gerbe, nom de Dieu !

– Attends d'être en bas, lui conseilla Gull.

– Libby, tu sautes après moi, déclara Rose en mettant son casque. Tu me suis, d'accord ?

– D'accord.

Au signal de Gibbons, Rose s'assit à la porte. Tous les passagers de l'avion scandèrent le prénom de Libby et applaudirent de leurs mains gantées lorsque la jeune femme se leva et prit position derrière l'instructrice.

Gibbons tapa sur l'épaule de Rose, qui s'élança dans le vide, sous le regard fasciné de Gull. Avec un claquement, sa voile bleu et blanc se déploya, spectacle magnifique sur la toile de fond du ciel radieux et du panorama verdoyant.

Un vivat arracha Gull à sa contemplation. Il avait loupé le largage de Libby. Il vit néanmoins son parachute s'ouvrir et se déplaça légèrement sur son siège pour suivre le parcours des deux corolles.

– Tu me dois dix dollars.

Un sourire s'alluma dans les yeux de Dobie.

– Un pack de bières que je fais mieux qu'elle. Et mieux que toi.

L'avion effectua un deuxième passage autour de la zone de saut. Gibbons chercha le regard de Gull.

– Tu es prêt ?

– Prêt.

– Accroche-toi.

Gull s'avança et crocheta sa sangle.

– En position.

Il inspira, expira, et s'assit au bord du vide. Les jambes battant dans le vent, il écouta attentivement les consignes du largueur, puis procéda à une ultime vérification de son équipement, les yeux sur l'horizon.

– Tiens-toi prêt, recommanda Gibbons.

Gull l'était. Il avait enduré les bleus, les bosses et les ampoules des semaines précédentes en vue de ce moment. Lorsque la main de Gibbons s'abattit sur son épaule, il se jeta dans le ciel, lui-même épaté par son absence d'hésitation. La vitesse lui parcourait les veines telle une drogue. *Un… deux…*, commença-t-il à compter mentalement. Une pensée se forma dans son esprit : oui, pas de doute, il était né pour ça. Il rentra la tête de façon à voir le sol entre ses pieds.

Son parachute s'ouvrit avec une secousse qui le freina. Il tourna la tête à droite, à gauche, et aperçut Dobie. Le rire dément de son coéquipier lui parvenait malgré le mugissement du vent.

Un sourire jusqu'aux oreilles, il contempla l'étendue des montagnes et des forêts, le ciel, infini, les dentelles de neige s'effilochant sur les sommets, la vallée teintée de vert tendre, conscient de jouir d'un privilège exceptionnel. Il avait l'impression, tout en sachant que ce n'était qu'une illusion, de sentir le parfum de l'hiver et du printemps. Il flottait entre les deux.

Il manipula les suspentes, se fiant à son entraînement, attentif au moindre caprice du vent. Il apercevait Rose, à présent, solidement campée sur le sol, jambes écartées, les mains sur les hanches, la tête levée vers lui, le soleil jouant dans sa couronne blonde.

Il se visualisa à ses côtés, ajusta sa trajectoire. Dès l'instant où il sentit qu'il avait la bonne orientation, il garda sa position et se prépara à l'impact tout en contrôlant sa respiration.

Il jeta un coup d'œil à Dobie. Comme il était parti, son partenaire allait atterrir hors zone. Gull toucha le sol, rentra la tête dans les épaules et roula sur lui-même. Il se débarrassa de son harnais et entreprit de plier son parachute.

Avec un cri, Rose se rua vers la forêt. Gull se figea, puis se détendit en entendant Dobie lâcher une bordée de jurons.

Dans le ciel, l'avion inclina ses ailes et décrivit un cercle avant de larguer un nouveau binôme de parachutistes. Gull épaula son sac et se dirigea, sourire aux lèvres, vers le bosquet d'où son coéquipier émergeait en bougonnant :

– Saloperie de vent ! C'est lui qui m'a déporté. Mais c'était bon, sacré nom de nom, que c'était bon ! Sauf que j'ai avalé mon chewing-gum.

– Tu n'as rien de cassé, c'est l'essentiel, lui dit Rose en sortant des barres chocolatées de son sac. Félicitations.

– C'est vraiment le kif ! s'écria Libby, son visage rayonnant levé vers le ciel. Je viens de vivre le plus beau moment de ma vie !

– Tu n'as pas encore sauté au feu, répliqua Rose en s'allongeant dans l'herbe. C'est une autre paire de manches, crois-moi.

Elle scruta le ciel, guettant le retour de l'avion. Gull s'étendit près d'elle. Elle se tourna vers lui.

– Tu as atterri tout en douceur, bravo.

– Je t'ai prise pour cible. J'ai visé le soleil dans tes cheveux.

– Mais tu es vraiment un romantique !

Il la troublait, observa-t-il. Un bon point pour lui.

– Qu'est-ce que tu fais, à part ça ? demanda-t-il.

– Comme boulot ? Mon père a un centre de parachutisme. Je lui file un coup de main. Je saute en tandem avec des touristes en mal de sensations, je donne des cours à des amateurs. Et je fais un peu de coaching sportif.

Elle plia les bras et gonfla les biceps.

– Je parie que tu es un bon coach.

– Ça me rapporte un peu d'argent et ça me permet de garder la ligne pendant l'hiver. Et toi ?

– Je tiens une arcade de jeux, Fun World.

– Tu travailles dans une salle de jeux ?

Il croisa les bras derrière sa tête.

– Je m'amuse plus que je ne travaille.

– Je te vois mal surveiller des gamins et des machines toute la journée.

– J'aime bien les jeunes. Ils n'ont peur de rien et ils ont l'esprit ouvert. Des qualités qu'on a tendance à perdre en vieillissant. Tu passes tes journées à faire suer des grosses feignasses, ce n'est pas mieux.

– Tous mes clients ne sont pas des feignasses. Et quand ils sont avec moi, ils ont intérêt à se bouger. Ah, en voilà deux autres…

Rose se redressa pour surveiller leur atterrissage.

Quand tous eurent sauté, les recrues retournèrent à la base pour une nouvelle séance d'entraînement physique et un cours théorique avant le second saut de la journée.

Ils apprirent à sauter en combinaison ignifugée, étudièrent toutes les stratégies de lutte contre le feu, déchiffrèrent des cartes, exécutèrent d'innombrables séries de squats, de tractions, de pompes, et parcoururent des kilomètres et des kilomètres à la course. Quatre semaines plus tard, les effectifs s'étaient réduits à seize. Ceux qui avaient tenu le coup se mirent en rang devant le centre des opérations.

Lorsque Libby répondit présente à l'appel, leur dernier du stage, Dobie fourra un billet de vingt dollars entre les doigts de Gull. Et, alors qu'ils se serraient la main, une trombe d'eau glacée s'abattit sur eux.

– Pour vous laver de l'odeur des bleus ! cria quelqu'un.

Et, en sifflant et en huant, les femmes et les hommes rassemblés sur le toit renversèrent une deuxième vague de seaux.

– Vous faites maintenant partie des nôtres, déclara Michael Little Bear, hors de portée des éclaboussures, d'une voix couvrant les rires et les huées. Bienvenue parmi les meilleurs ! Allez vous changer et rendez-vous sur le parking. Ce soir, nous sommes de sortie, les amis.

Vous avez toute la nuit pour picoler, mais demain matin soyez sur pied, vous serez des parachutistes du feu, des vrais, des Zulies.

Gull fit mine d'essorer son billet de vingt. Dobie dut s'asseoir par terre tellement il riait.

– La première tournée sera pour moi, dit Gull. En l'honneur de Libby.

– Merci ! lui lança-t-elle.

En souriant, il glissa le billet trempé dans sa poche humide.

– Je vous dois bien ça à tous, ajouta-t-il.

Dans sa chambre, il se déshabilla, compta ses ecchymoses puis, pour la première fois depuis une semaine, prit le temps de se raser. Après avoir enfilé un pantalon et une chemise propres, il envoya un message à sa famille pour annoncer qu'il avait réussi. La nouvelle susciterait probablement des réactions mitigées. En sa présence, néanmoins, tout le monde feindrait d'être aussi content que lui.

Un cigare dans sa poche de poitrine, il rejoignit ses camarades. Retardé par la rédaction de son mail, il fut l'un des derniers à monter dans un minibus.

– Prêt à faire la fête, bleu ? lui demanda Trigger.

– Toujours prêt.

– Ce soir, c'est chacun pour sa pomme. Si tu n'es pas là quand on rentre à la base, tant pis pour toi. Si tu veux finir la nuit avec une femme, je te conseille d'en choisir une qui ait une bagnole.

– C'est noté.

– Tu danses ?

– Y a intérêt !

Trigger éclata d'un rire sonore.

– Je crois qu'on va bien s'entendre, toi et moi. Il y a une piste de danse, là où on va. Les filles adorent les bons danseurs. Si tu les fais danser, c'est dans la poche.

– Au fait… Rose aime danser ?

Trigger arqua les sourcils.

– Alors là, tu n'as aucune chance, mon pote, répliqua-t-il avec une claque sur l'épaule de Gull. Si tu as des vues sur elle, prépare-toi à passer l'été à tirer la langue. De toute façon, crois-en ma vieille expérience : quand on est couvert de cloques, le sport en chambre est beaucoup moins plaisant qu'il devrait l'être.

– J'ai passé cinq ans chez les forestiers, lui rappela Gull. Si l'été est trop long, je me débrouillerai pour penser à autre chose.

– Peut-être bien… Mais ça ne vaut pas une femme. Tu en as une, chez toi ?

– Non. Et toi ?

– J'en ai eu deux, dont une que j'ai épousée. Ça ne l'a pas empêchée de me plaquer. Matt en a une. Hein, Matt, que t'as une bonne amie dans le Nebraska ?

L'interpellé se retourna et jeta, par-dessus le dossier de son siège :

– Fais gaffe à ce que tu dis d'Annie, toi !

– Ils se sont connus au lycée, précisa Trigger. Comme quoi, il y a des couples qui durent.

– C'est chouette, commenta Gull.

Matt haussa les épaules.

– Si t'as pas quelqu'un, la vie est trop dure dans ce monde de brutes. Je ne pourrais pas faire ce métier si personne ne m'attendait à la maison.

– Ouais…, soupira Trigger. Enfin, bon, on fait ce qu'on peut avec ce qu'on a. Et moi, ce soir, je vais danser !

Le minibus se gara sur un parking déjà plein de camions et de voitures. Gull en descendit et contempla la longue bâtisse en rondins et son enseigne clignotante.

– La Corde au cou… Tu parles d'un nom…

– Une boîte de cow-boys, mec ! rétorqua Trigger en lui tapant dans le dos.

Une expérience de plus, pensa Gull, et il entra derrière Trigger, qui faisait claquer les talons de ses santiags en peau de serpent.

Amplis saturés, quatre musiciens aux cheveux longs jouaient de la mauvaise country derrière un grillage. Pour l'instant, on ne leur lançait que des insultes, mais la nuit commençait à peine.

La piste de danse était néanmoins bondée, et on se bousculait au bar. Autour de tables minuscules, serrés sur des chaises bancales, ceux qui ne dansaient pas grignotaient des *nachos* et des ailes de poulet, ou buvaient de la bière servie dans des pichets en plastique.

En dépit de l'interdiction de fumer, la salle baignait dans un épais brouillard bleuté et une odeur de cendrier, de transpiration et de friture.

Gull se fraya un passage jusqu'au bar et commanda une bière locale. Dobie se faufila à ses côtés et lui décocha un coup de poing dans le bras.

– Brassée dans le Montana, déchiffra-t-il sur l'étiquette. Elle est bonne ?

Gull lui tendit sa bouteille et en commanda une autre.

– Pas dégueu, commenta Dobie après une longue rasade. Mais elle vaut pas la Budweiser.

– C'est vrai, acquiesça Gull en trinquant. Ah, la bière… La réponse à bien des questions…

– Je finis celle-là et je vais inviter une gonzesse à danser.

Gull but quelques gorgées en observant le guitariste.

– Comment danser sur de la musique aussi naze ?

Dobie lui enfonça un doigt dans le torse.

– T'as un problème avec la country ?

– T'as dû te péter un tympan en sautant si t'appelles ça de la country. Cela dit, j'ai rien contre le bluegrass, quand il est bien joué.

– Essaie pas de frimer, t'es qu'un gars de la ville, t'y connais rien.

Gull avala une lampée de bière et entonna d'une voix de ténor :

– *I am a constant sorrow. I've seen trouble all my days.*

– Tu as du coffre, dis donc, le félicita Dobie. Tu devrais monter sur scène et donner une leçon à ces merdeux.

– Je crois que je vais me contenter de boire ma bière.

Dobie termina la sienne et rota bruyamment.

– Comme tu veux. Moi, je vais à la chasse.

– Bonne chance !

– C'est pas une question de chance. T'as la classe ou tu l'as pas…

Gull regarda son camarade se diriger en roulant des mécaniques vers une tablée de quatre jeunes femmes. Ce type avait une notion de la classe très personnelle.

Trigger, fidèle à sa parole, s'était déjà trouvé une partenaire de danse. Matt, fidèle à son Annie, était assis avec Little Bear. Moulée dans un T-shirt bleu au décolleté généreux, Rose grignotait des *nachos* en compagnie de Janis, Petrie, Gibbons et Yangtree. Pour la première fois depuis que Gull la connaissait, elle portait des boucles d'oreilles et s'était légèrement fardé les lèvres et les paupières. Lorsqu'elle se leva, à l'invitation de Cards, Gull constata que son jean était aussi moulant que son T-shirt.

Tandis que Cards l'entraînait sur la piste, elle lui adressa un clin d'œil. Un clin d'œil de tueuse… Il commanda une autre bière et l'emporta à la table qu'elle venait de quitter.

– Eh ! de la viande fraîche ! lui lança Janis. Tu danses ?

– Je ne suis pas encore assez saoul pour danser sur cette musique.

– Assieds-toi, lui dit-elle en tapotant la chaise abandonnée par Rose. Ils sont tellement nuls que c'en est presque un style. Mais d'ici quelques verres, tout le monde les prendra pour des stars.

– Je vois que tu connais la maison.

– On n'est pas un Zulie tant qu'on n'a pas survécu à une folle nuit à La Corde au cou. Voilà le genre de personnes qui vont mettre de l'ambiance, tu paries ? chuchota-t-elle avec un discret mouvement de tête en direction de trois types qui venaient de franchir la porte et traversaient la salle en arborant un air méprisant.

– Des mecs du coin ?

– Je ne crois pas, vu leurs bottes flambant neuves, qui ont dû leur coûter la peau des fesses. Sûrement des gars de la ville qui passent leurs vacances dans un ranch.

Ils se dirigèrent vers le bar. Jouant des coudes pour s'approcher du comptoir, l'un d'eux brandit un billet et héla un serveur.

– Trois whiskys et trois femmes ! beugla-t-il.

Ses copains s'esclaffèrent. Ils ne devaient pas en être à leur premier verre de la soirée. Autour d'eux, la foule s'écarta. Le barman leur versa trois whiskys. Celui qui semblait être le meneur avala le sien d'un trait.

Gull détourna le regard et observa Rose sur la piste de danse. Le groupe massacrait une reprise de *When the Sun Goes Down*. Janis se pencha vers lui.

– Rose m'a dit que tu bossais dans une arcade de jeux.

– Elle t'a parlé de moi ?

– Bien sûr. On se dit tout, elle et moi. Tu as des flippers ? Je suis une championne au flip.

– Ouais, des modernes et des vieilles reliques.

– Tu as High Speed ?

– Évidemment. Ce n'est pas un classique pour rien.

– Je l'adore ! Ils l'avaient dans la salle de jeux où j'allais quand j'étais gamine. Je le connaissais par cœur… Avec un jeton, je jouais tout l'après-midi. Un jour, j'ai filé cinq parties gratuites à un garçon pour qu'il me roule une pelle. Mon premier baiser. Ah, c'était le bon vieux temps…, dit-elle avec un soupir en se renversant contre le dossier de sa chaise.

L'un des trois trouble-fête pinça les fesses d'une serveuse. Quand la jeune fille se retourna, il leva les mains en l'air avec un sourire goguenard.

– Pauvre con, murmura Janis.

Rose revint à la table.

– Eh, tu m'as piqué ma place !

– Je te la gardais.

Gull tapota sa cuisse. À sa surprise, Rose s'assit sur ses genoux.

– Tu ne danses pas ? demanda-t-elle.

– Pas pour l'instant. J'attends qu'ils jouent quelque chose qui m'écorche moins les oreilles.

– Tu les entends encore ? On va remédier à ça. Je vais commander une tournée.

– Pas pour moi, protesta Gibbons. La dernière fois que tu m'as piégé à ce petit jeu, j'ai mis une semaine à m'en remettre.

– Méfie-toi, Gull, intervint Yangtree. Rose a une descente redoutable. Elle tient ça de son paternel.

Rose se tourna vers Gull.

– Regarde-moi ces petits joueurs… Tu trinqueras avec moi ?

Il s'imagina lui mordre la lèvre inférieure. Juste une petite morsure, rapide et sauvage.

– Avec quoi ?

– Tequila, il n'y a que ça de vrai !

Elle rejeta la tête en arrière et éclata d'un rire de fille de saloon. Puis, se levant d'un bond, elle virevolta sur elle-même et entraîna Dobie sur la piste dans une sorte de gigue qui leur valut des sifflements admiratifs et des applaudissements. Ensuite elle se dirigea vers le bar avec un déhanchement aguicheur.

– Douze tequilas, s'il te plaît, Big Nate, demanda-t-elle au barman en se penchant par-dessus le comptoir. Avec du sel et du citron.

L'un des trois fauteurs de troubles lui adressa un geste obscène et brandit un billet de cent dollars sous son nez.

– Je te paie tes verres et dix minutes dehors.

Rose fit signe au barman de ne pas s'en mêler et regarda l'importun droit dans les yeux.

– Avec la tronche que t'as, je suppose que tu n'as pas d'autre choix que de mettre la main au porte-monnaie quand t'as besoin de te soulager. Mais ce n'est pas pour ça que toutes les femmes sont des putes.

– T'arrêtes pas de remuer ton cul et tes nichons depuis que je suis arrivé. Tu vantes la marchandise, j'achète, c'est tout. Et en prime, je t'offre à boire.

D'un bond, Gull se leva de sa chaise. Gibbons lui attrapa le bras.

– Laisse-la se débrouiller toute seule si tu ne veux pas la vexer.

– Je ne supporte pas qu'on manque de respect à une femme !

Il respecta la consigne de Gibbons mais resta debout pour regarder comment la situation évoluait.

– Quelle galanterie, rétorqua Rose d'une voix mielleuse. Tu aimes la bière ?

Elle s'en empara et la renversa sur la tête du type. Avec une vivacité surprenante pour son état d'ébriété avancé, il la plaqua contre le bar et lui saisit la poitrine à pleines mains.

Avant que Gull ait traversé la moitié de la salle, Rose riposta d'un coup de genou bien placé, suivi d'un uppercut qui fit vaciller son agresseur, dont l'un des acolytes se précipita aussitôt sur elle. Elle lui tordit le bras et lui allongea un coup de pied dans les reins. Il s'effondra sur son copain.

– Tu veux ta part ? lança-t-elle au troisième.

– Non, m'dame, répondit-il en levant les mains au-dessus de sa tête.

– Au moins un qui a un minimum de cervelle. Embarque tes potes hors d'ici avant que je m'énerve pour de bon.

– Franchement, elle n'avait pas besoin de ton aide, chuchota Dobie à l'oreille de Gull.

– Je crois bien que je suis amoureux, avoua ce dernier.

– À ta place, je ne m'amouracherais pas d'une fille capable de me mettre KO.

Gull s'écarta du passage tandis qu'une demi-douzaine de Zulies poussaient les trois fauteurs de troubles vers la sortie. Rose rajusta son T-shirt.

– Bon, tu me sers ces shooters ou quoi, Big Nate ?

– Ça vient. Ce sera pour la maison.

Gull revint s'asseoir et attendit le retour de la jeune femme.

– Tu es prêt ? lui demanda-t-elle en posant le plateau sur la table.

– Aligne-les, ma biche. Tu veux de la glace pour tes phalanges ?

Elle plia et déplia les doigts.

– Pas mal. Il était mou comme une chique.

Elle se laissa tomber sur la chaise que Gibbons lui tendait.

– Allez, à la nôtre ! dit-elle en levant un verre.

4

Les yeux dans ceux de Rose, Gull frappa sa première tequila. L'alcool lui brûla les papilles, le gosier, il le sentit descendre le long de son œsophage et tomber dans son estomac.

Ces yeux, si bleus, si clairs, si pétillants de vie… Voilà ce qui l'avait séduit chez elle, avant tout le reste. Ils brillaient à présent d'une lueur de défi, malicieuse. Et cette façon qu'elle avait de soutenir son regard, comme s'ils étaient seuls au monde, produisait sur son organisme le même effet électrisant que l'eau-de-vie mexicaine.

Elle leva un deuxième shooter, il l'imita.

Et puis il y avait cette bouche, cette grande bouche, ces lèvres pulpeuses s'étirant en permanence en un sourire ironique. Que ne donnerait-il pas pour y goûter…

– Ça va, le bleu ?

– Bien. Et toi, la blonde ?

En guise de réponse, elle fit tinter son troisième verre contre le sien.

– Tu sais ce que j'aime dans la tequila ?

– Dis-moi.

– Tout !

Avec un rire strident, elle avala une quatrième dose aussi rapidement que les trois premières. Ensemble, ils reposèrent leurs verres vides sur la table.

– Et à part la tequila, qu'est-ce que tu aimes ?

– Hum…, fit-elle en éclusant une cinquième rasade. Mon métier et les tarés qui l'exercent.

Elle porta un toast à ses collègues, qui l'applaudirent et la raillèrent. Puis elle se renversa contre le dossier de sa chaise avec un verre plein.

– Le feu, poursuivit-elle, mon père, le rock bruyant les soirs d'été et les bébés chiens. Et toi ?

Comme elle, il se cala confortablement sur son siège avec son dernier shooter.

– À peu près les mêmes choses, à cette différence près que je ne connais pas ton père.

– Et que tu n'as encore jamais sauté dans un incendie.

– C'est vrai, mais je sens que ça me plaira. Si tu veux tout savoir, je trouve les bébés chiens très attachants, mais je préfère les bons gros toutous. Et bien que je sois fan de rock qui déménage, j'aime autant que ce soit une fille qui me perce les tympans en hurlant de plaisir, les soirs d'été.

D'un trait, ils burent leur dernier verre, sous une nouvelle salve d'applaudissements.

– Intéressant. J'aurais pensé que tu étais plus chat que chien.

– Je n'ai rien contre les chats, mais un bon gros toutou aura toujours besoin de son humain.

Rose inclina la tête. Ses boucles d'oreilles scintillèrent.

– Tu as besoin qu'on ait besoin de toi, n'est-ce pas ?

– J'avoue.

– Ah ! le romantique qui resurgit ! s'exclama-t-elle en le pointant de l'index.

– Chassez le naturel… Tu ne voudrais pas que je te fasse hurler de plaisir en attendant l'été ?

La tête rejetée en arrière, elle éclata de rire.

– Très généreux de ta part, mais non, répliqua-t-elle en frappant la table du plat de la main. Par contre, je boirais volontiers ta tournée.

– Avec plaisir, acquiesça Gull. Mais si tu permets, je vais d'abord aller fumer un cigare.

– Dix minutes de pause, annonça Rose. Eh, Big Nate, on pourrait avoir quelques chips et de la sauce pimentée, s'il te plaît ?

La femme de mes rêves, s'émerveilla Gull en se dirigeant vers la sortie. Une casse-cou qui s'enfilait six tequilas cul sec sans sourciller et savait jouer des poings. L'esprit aiguisé, de surcroît.

Dans la fraîcheur de la nuit, il alluma son cigare et souffla une bouffée de fumée en direction du ciel étoilé. Une soirée parfaite. La boîte était ringarde au possible et la musique tout juste audible, mais la tequila ne coûtait pas cher et il était en compagnie de gens qui lui ressemblaient et d'une femme sublime.

Il se transporta par la pensée en Californie, où se trouvaient toutes ses attaches. Il aimait la petite vie tranquille qu'il y menait l'hiver. Mais s'il avait appris quelque chose, au cours des dernières années, c'est qu'il avait besoin de la fièvre de l'été, d'un travail acharné et, oui, des risques encourus durant la lutte contre le feu.

Peut-être était-ce cela, cette fierté et ce plaisir qu'il retirait de ce qu'il avait accompli en lui, cette exaltation que lui procurait la perspective de ce qu'il accomplirait ici et lui permettait d'apprécier pleinement la beauté de cette nuit de printemps au milieu de nulle part.

Il fit le tour de la discothèque en savourant son cigare et en se conditionnant pour ingurgiter encore six tequilas. La prochaine fois, s'il y avait une prochaine fois, il veillerait à ce qu'on leur réserve une bouteille de Patrón Silver. Il avait l'estomac solide mais ne tenait pas à se fabriquer un ulcère.

Amusé, il revint devant l'entrée de l'établissement. Il entendit d'abord des grognements, puis le son sourd et odieux de poings heurtant la chair. Fouillant l'obscurité du regard, il s'avança sur le parking.

Deux des types avec lesquels Rose avait eu maille à partir tenaient Dobie chacun par un bras. Le troisième, le plus grand, le rouait de coups.

– Et merde, bougonna Gull en jetant son cigare et en se précipitant à la rescousse de son camarade, les oreilles bourdonnantes de rage.

L'un des trois hommes cria en le voyant arriver. Le plus grand fit volte-face, le visage déformé par la haine. Gull lui allongea son poing dans la figure.

Les deux autres lâchèrent Dobie, qui s'affaissa sur le goudron, et se ruèrent sur Gull. Il distribua coups de pied, coups de poing, coups de coude, sa colère exacerbée par l'odeur du sang, le goût de son propre sang sur ses lèvres.

Il sentit quelque chose craquer sous ses phalanges, expira bruyamment en envoyant son pied dans un ventre flasque. L'un des types tomba à genoux, il lui lança un coup de coude dans le thorax. Du coin de l'œil, il vit Dobie se relever, se diriger en boitillant vers l'homme au sol et lui asséner un coup de pied dans les côtes.

Le meneur essaya de s'enfuir. Gull le rattrapa et le plaqua à plat ventre sur le gravier. Il n'avait plus vraiment conscience de ce qu'il faisait lorsque trois de ses collègues pompiers le séparèrent de sa victime.

– Il a eu son compte, il est dans les vapes, disait Michael dont la voix lui parvint à travers un bourdonnement de rage. Laisse-le, Gull, c'est bon, ça suffit.

– OK, OK.

Il leva une main en signe de trêve. Ses camarades relâchèrent leur emprise. Dobie était assis par terre au milieu d'un attroupement, le visage et la chemise couverts de sang, l'œil droit fermé et tuméfié.

– Ils t'ont pas loupé, les salauds, pesta Gull, lorsqu'il vit la tache sombre sur le pantalon de son ami. Tu as pris un coup de couteau ?

De sa poche, Dobie exhiba une bouteille de Tabasco brisée.

– Mais non, pas de panique. Elle s'est cassée quand je suis tombé. Je me suis coupé, c'est tout. Elle était presque pleine, quel gaspillage…

Michael s'accroupit auprès de lui.

– Tu trimballes du Tabasco dans ta poche ?

En secouant la tête, Gull s'assit sur les talons.

– Il en met partout, le bougre.

– Exact, approuva Dobie, et il balança le flacon sur l'un de ses agresseurs, qui réagit à peine. J'étais sorti prendre l'air et ces peigne-culs me sont tombés à trois sur le râble. Je suppose qu'ils voulaient se venger. Tu es arrivé à temps, Gull, ils m'auraient massacré. Tu fais du kung-fu ?

Rose se fraya un passage parmi les curieux et s'agenouilla devant Dobie.

– Tout ça est ma faute. Fais-moi plaisir, s'il te plaît, va te faire soigner, que je ne me sente pas trop coupable.

Et elle lui déposa une bise sur la joue.

– Bon… Mais c'est bien pour te faire plaisir, maugréa-t-il.

– Vous voulez que j'appelle la police ? lui demanda Big Nate.

– Je crois qu'ils ont plutôt besoin d'une ambulance, répondit Dobie. Pour ma part, je me fiche qu'ils aillent au trou ou au diable.

Big Nate s'approcha de celui des trois types qui semblait dans l'état le moins piteux et le bouscula du pied.

– Tu peux conduire ? lui lança-t-il.

Le gars opina de la tête. Big Nate lui donna un coup plus violent.

– Alors, embarque tes potes et fichez le camp. Et que je ne vous revoie plus, ni ici ni ailleurs, ou je vous jure que vous regretterez que je n'aie pas appelé les flics. Allez, ouste, du balai !

Gull, Libby, Cards et Gibbons aidèrent Dobie à monter dans l'un des minibus.

– Tu devrais aussi te faire examiner par un médecin, lui conseilla Michael.

Sur quoi, il retourna dans la boîte. Gull resta dehors, essayant de retrouver son calme. À grand-peine.

– C'est à toi ?

Rose se tenait à côté de lui, son cigare entamé entre les doigts.

– Ouais, j'ai dû le faire tomber.

– Espèce d'empoté, plaisanta-t-elle en tirant quelques bouffées, jusqu'à ce que le bout rouge se rallume. Il est excellent, ce serait dommage d'en balancer la moitié.

Elle le lui tendit, il le prit et le jeta au loin. Puis il l'attira contre lui et tenta de lui voler un baiser.

– Oh ! protesta-t-elle en le repoussant des deux mains.

Un bref instant, il crut qu'il allait faire l'expérience de son formidable uppercut. Mais elle l'attrapa par le col et plaqua ses lèvres contre les siennes.

Sa bouche était telle qu'il l'imaginait : brûlante et avide. Elle pressait son corps de déesse contre le sien sans retenue, un cadeau et un défi. Sa langue avait le goût de la tequila, contraste merveilleux avec l'odeur de pêche mûre que dégageait sa peau. Son cœur battait la chamade contre son torse.

Elle s'écarta, plongea son regard dans le sien.

– Tu embrasses bien, dit-elle.

– Toi aussi.

Un long soupir lui échappa.

– Tu es une tentation, Gull, je ne peux pas le nier. Ce serait idiot et je ne suis pas idiote.

– Loin de là.

Elle se frotta les lèvres l'une contre l'autre, comme pour retrouver la saveur du baiser.

– Malheureusement, dès qu'il y a du sexe dans l'air, même les gens les plus intelligents deviennent des crétins. Alors… restons-en là.

– Pour ta gouverne, sache que j'ai l'intention d'insister.

– La persévérance est une qualité, répliqua-t-elle en souriant, d'un sourire plus chaleureux qu'à son habitude. Tu t'es battu comme un fou.

– J'ai tendance à péter les plombs quand je me bats. C'est pour ça qu'en règle générale j'essaie d'éviter la bagarre.

– Bonne politique. On remet la tequila à une autre fois, non ? Par contre, je crois qu'on devrait aller chercher de la glace pour mettre sur ta joue.

– Tu as raison.

Tandis qu'ils regagnaient la boîte, elle se tourna vers lui et lui demanda :

– C'est quoi, ta technique de combat ?

– Une technique très ancienne nommée le cassage de gueule.

En riant, elle lui donna un coup de hanche.

– Impressionnant.

En sortant au grand air, Rose remonta la fermeture Éclair de sa veste de jogging. Elle avait fait sa séance de gym matinale, consulté la liste de garde sur le tableau d'affichage du centre des opérations. Elle était du premier avion, deuxième larguée du deuxième binôme. Avant son petit déjeuner, elle avait besoin de courir. Elle avait vérifié et revérifié son équipement. Si la sirène retentissait, elle était prête.

Sinon…

Elle salua un mécanicien de la main.

Sinon, il y avait toujours de quoi s'occuper, et l'on ne s'entraînait jamais assez. Cependant, elle avait hâte de partir combattre le premier incendie de la saison. En se dirigeant vers la piste, elle leva la tête vers le ciel. Clair, dégagé, d'un bleu très pur.

Dessous, la base vaquait à son train-train matinal. Parachutistes et techniciens lavaient et entretenaient les véhicules ou effectuaient des exercices de callisthénie sur le terrain d'entraînement. Après la soirée de la veille, la plupart commençaient la journée en douceur. Pour sa part, Rose éprouvait le besoin de s'aérer et de fournir un effort physique.

Gull courait sur la piste. Elle le reconnut de loin non seulement à sa silhouette athlétique, mais aussi à sa vitesse. Manifestement, la tequila et la bagarre ne le ralentissaient pas. Malgré la fraîcheur de la température, son T-shirt gris délavé était trempé de sueur. Respect. Elle admirait les hommes qui se donnaient à fond.

Bien qu'elle fût déjà échauffée, Rose prit soin de s'étirer. Puis elle enleva sa veste et entra sur la piste au moment où Gull passait devant elle. Il lui adressa un signe de la main, économisant son souffle.

– Tu te fais un cinq kilomètres ?

Il hocha la tête. Elle se demanda s'il pourrait les tenir à cette allure.

– Moi aussi. Ne m'attends pas. Je ne pourrai pas te suivre.

Elle le laissa la distancer, trouva son propre rythme.

Elle aimait courir, elle y prenait un réel plaisir. Si elle était aussi rapide que lui, se dit-elle, elle serait sans doute accro. Puis elle oublia Gull, attentive à chaque mouvement de son propre corps, au claquement régulier de ses semelles sur le sol. Et, peu à peu, son esprit se vida, pour mieux s'emplir de pensées décousues.

Sa liste de courses personnelles, trouver un moment pour recoudre quelques sacs à outils, le baiser qu'elle avait échangé avec Gull, Dobie. Elle devrait téléphoner à son père, parce qu'elle était de garde et ne pourrait pas passer le voir. Pourquoi Janis se vernissait-elle les ongles des pieds alors que personne ne les voyait jamais ? Les dents de Gull effleurant sa lèvre inférieure. Ces lâches qui étaient tombés à trois sur un mec seul. Gull les massacrant sur le parking de La Corde au cou.

Arrête de penser à lui ! s'enjoignit-elle en franchissant le premier kilomètre. Mais bon sang, il n'y avait rien de plus plaisant. Du reste, fantasmer n'était pas consommer.

Ce dont elle avait besoin – ce dont ils avaient tous besoin –, c'était d'une alerte au feu. Elle n'aurait plus le loisir, alors, de rêvasser à un homme avec qui elle travaillait.

Dommage qu'ils ne se soient pas rencontrés durant l'hiver. Enfin, vu qu'il vivait en Californie, elle ne voyait pas trop comment elle aurait pu le rencontrer. Elle aurait pu prendre des vacances, par exemple, et entrer par hasard dans son arcade de jeux. Lui aurait-il plu autant ?

Il aurait été tout aussi séduisant, bien sûr, mais lui aurait-il fait autant d'effet si elle avait croisé ses yeux verts en lui achetant des jetons pour Mortal Kombat ?

Difficile à dire.

Le charme n'était-il pas dû, en partie du moins, à ce qu'ils partageaient ici : l'entraînement, la transpiration, l'anticipation, l'intense satisfaction de savoir qu'ils appartenaient à une unité d'élite composée de quelques rares élus triés sur le volet ?

Et n'était-ce pas justement pour cette raison qu'elle s'interdisait de nouer des relations intimes avec ses collègues ? Comment pouvait-on être sûr de ses sentiments quand ils étaient dopés à l'adrénaline ? Et que faire de ces sentiments quand l'idylle prenait fin ? Il fallait continuer à travailler ensemble, dans des conditions où l'on était parfois obligé de placer sa vie entre les mains de l'autre. Alors que, forcément, l'un des deux n'éprouvait plus qu'un amer ressentiment.

Voilà pourquoi il valait mieux s'envoyer en l'air en dehors de la caserne.

Elle parcourut le dernier kilomètre à une cadence plus soutenue, puis termina par un jogging de récupération. Gull l'attendit et régla son pas sur le sien.

– Toujours là ?

– J'ai fait huit kilomètres. Ça m'a fait du bien.

– Tu n'as pas la gueule de bois ?

– Jamais.

– Jamais ? Quel est ton secret ?

Il se contenta de sourire. Elle comprit ce qu'il avait en tête.

– D'accord… Tu me le diras si je couche avec toi. Comment va ta joue ?

– Ça va.

Après huit kilomètres de course, il avait dans la mâchoire des pulsations lancinantes, mais il savait que la douleur était due à l'effort et ne tarderait pas à se calmer.

– Il paraît que Dobie a refusé d'aller chez le médecin. Michael l'a rayé de la liste de garde.

Gull hocha la tête. Il était allé voir le tableau d'affichage.

– Il sera vite remis. C'est un dur.

Rose cessa de courir, marcha un peu, puis s'arrêta et s'étira.

– Qu'est-ce que tu écoutes ? demanda-t-elle en désignant le lecteur MP3 fixé au bras de Gull.

– Du rock bruyant, répondit-il avec un sourire. Tu pourras me l'emprunter, si tu veux, la prochaine fois.

– Je n'aime pas écouter de la musique en courant. Je préfère penser.

– Le principal intérêt de la course, pour moi, c'est de ne pas penser.

– Chacun son truc.

Ils repartirent ensemble vers la caserne.

– Je ne suis pas venue courir parce que tu étais sur la piste.

– Ah bon ? Je croyais. Mince ! Tu m'as gâché ma journée.

– Mais j'en ai profité pour admirer tes fesses, avoua Rose. Tu es un drôle de type, Gull. Tu lis Shakespeare, tu te bats comme un voyou, tu es rapide comme un guépard et tu passes tes hivers à jouer au baby-foot.

– Je suis unique, c'est vrai.

– Peut-être, mais…

Elle s'interrompit en voyant un pick-up s'engager dans l'enceinte de la base et se garer devant le centre des opérations.

– Eh ! cria-t-elle en agitant les bras et en partant à la course.

Gull regarda le type qui descendait du camion, grand et baraqué dans un blouson en cuir vieilli, chaussé de bottes élimées. Le vent faisait voleter ses cheveux argentés autour d'un visage buriné, à la mâchoire volontaire. Il ouvrit les bras, Rose se jeta à son cou. Gull aurait été jaloux, s'il n'avait reconnu Lucas « Iron Man » Tripp.

Le tableau avait quelque chose de touchant : un homme soulevant sa fille adulte et la faisant tournoyer dans ses bras.

– Je pensais justement à toi, dit Rose à son père. J'avais l'intention de t'appeler dans la journée. Je suis de garde, je ne pourrai pas passer à la maison, aujourd'hui.

– Tu me manquais. Je suis venu te dire un petit bonjour. Et il paraît que vous avez pas mal de nouveaux cette année…

Rose fit signe à Gull de les rejoindre.

– Voici celui qui a battu le record de la base du mi-parcours. Il était forestier en Californie. Gulliver Curry, Lucas Tripp, les présenta-t-elle, un bras autour de la taille de son père.

– C'est un immense plaisir, monsieur Tripp.

Ils se serrèrent la main.

– Laisse tomber le « monsieur ». Bravo pour le record, et félicitations pour ton entrée chez les Zulies.

– Merci.

Elle avait les yeux de son père, observa Gull. Et la même charpente, avec des formes féminines. Mais le plus frappant était leur langage corporel, qui disait clairement et simplement qu'à eux deux ils étaient invulnérables.

– Tiens ! v'là l'autre vieille branche…

Yangtree laissa la porte du centre des opérations claquer derrière lui et vint échanger une accolade avec Lucas.

– Salut, vieux, ça fait plaisir de te voir. Toujours fidèle au poste ?

– Que veux-tu, il faut bien un ancien pour montrer l'exemple à cette bande d'écervelés !

– Tu sais que quand tu en auras marre de jouer au vieux singe, je t'embauche comme moniteur.

– Pour apprendre à des fils à papa à sauter d'un avion ?

– Et à des filles… C'est un gagne-pain comme un autre.

– Plus de pliage, plus de dépliage, plus de journées de vingt heures au feu… Ça te manque, hein ?

– Je ne peux pas dire le contraire, acquiesça Lucas en frictionnant le dos de sa fille. Mais avec mes genoux, je ne pourrais plus.

– Je t'achèterai un rocking-chair, suggéra Rose, et je te préparerai de la camomille.

Lucas lui tira l'oreille.

– Je n'en suis pas encore là. Vous étiez de sortie, hier soir ? J'ai entendu dire que ça s'était mal terminé…

– Rien de bien méchant, répondit Yangtree avec un clin d'œil à Gull. Notre nouvel ami ici présent a réglé ça en moins de deux.

– C'est pour ça que tu as la joue toute bleue ? lui demanda Lucas.

Gull y porta la main.

– Ceux qui nous ont cherchés sont encore plus amochés.

Lucas hocha la tête en regardant Gull masser ses doigts enflés.

– Comment va le gars à qui ils s'en sont pris ?

– Dobie n'est pas bien grand, mais il a du répondant, affirma Yangtree. Et Gull était là pour lui prêter main-forte. Évidemment, avant cet épisode, ta fille en a dérouillé deux.

– Je suis au courant.

– Ce n'est pas moi qui ai commencé ! protesta Rose.

– Je sais aussi. Encore heureux !

En souriant, elle lui donna un petit coup dans la poitrine. La sirène retentit.

– Allez, à plus ! lui dit-elle en l'embrassant avant de filer vers la salle d'embarquement.

Après une claque sur l'épaule de Lucas, Yangtree disparut à son tour.

– Enchanté de vous avoir rencontré.

Tripp serra la main que Gull lui tendait et la garda un instant pour examiner ses articulations.

– Tu n'es pas sur la liste à cause de ça ?

– Pour aujourd'hui.

– Demain sera un autre jour.

– J'y compte bien.

Gull se dirigea vers la salle d'embarquement. Il n'était pas de l'équipe qui partait, mais il pouvait toujours se rendre utile. Les parachutistes enfilaient déjà leurs combinaisons de Kevlar par-dessus des sous-vêtements ignifugés. Assise sur une chaise pliante, Rose mettait ses bottes.

Gull aida ses camarades à sortir le matériel des placards, puis il s'approcha d'elle.

– Où est-ce que ça flambe ? se renseigna-t-il.

– Dans les Bitterroots, près de Bass Creek.

Un vol d'assez courte durée, calcula-t-il, pour permettre un dernier contrôle des équipements avant l'embarquement. Il vérifia celui de Rose, faisant abstraction de ses blessures et de sa retenue au sol temporaire.

De toute façon, les regrets ne servaient à rien.

– C'est bon, lui dit-il en exerçant une pression sur son épaule. Fais attention à toi.

– Comme d'hab'.

Il la regarda s'éloigner. Même engoncée dans sa combinaison et chargée de matériel, elle avait une démarche sexy et assurée.

En boitillant, Dobie vint assister au départ. Lucas « Iron Man » Tripp était toujours là, les mains dans les poches. Dobie se posta près de Gull. Toutes les nuances de bleu se déclinaient sur son visage. Le pourtour boursouflé de son œil droit était marbré de rouge et de violet.

– Sans ces salopards, bougonna-t-il, on ne serait pas plantés là comme des cons.

– Il y aura d'autres incendies.

– Ouais, mais ça fait chier quand même. Libby est du voyage. Je n'aurais jamais cru qu'elle partirait au feu avant moi.

Au bout de la piste, l'avion décollait. Gull se tourna vers Lucas. Le visage levé vers le ciel, il regardait sa fille s'envoler vers les flammes.

5

Au cœur de la forêt en feu, la chaleur était difficilement soutenable. Rose ruisselait de sueur sous sa combinaison, ses gants et son casque couverts de cendre, de sciure et de copeaux d'écorce projetés par sa tronçonneuse. Le bruit des scies, le craquement du bois, le fracas de la chute des arbres rivalisaient en volume sonore avec le puissant souffle des flammes.

Elle ne s'accordait que de brèves pauses pour boire quelques gorgées d'eau et essuyer la buée sur ses lunettes.

Elle s'écarta vivement lorsque le pin ponderosa qu'elle avait coupé afin d'en préserver d'autres s'abattit sur le sol.

– Eh, Swede ! lui lança Gibbons, chargé de diriger les opérations, le visage noir de suie, les yeux rougis par la fumée. Toi, Matt et Yangtree, vous allez changer de position. La tête a changé de direction, elle se rapproche de nous. Elle progresse le long de la crête vers le sud, en allumant des foyers partout. Il faut qu'on la canalise tant qu'il est encore temps.

Sur une carte, il lui montra les positions des différents groupes d'attaque.

– On a des forestiers ici, et Janis, Trigger et deux des nouveaux sur ce front, là. Une autre équipe va arriver. Je les mettrai sur la ligne d'arrêt. On va aussi larguer du retardant d'ici une dizaine de minutes à peu près. Fais gaffe.

– Entendu.

– Va chercher Matt et Yangtree. Sois prudente.

Rose prit son matériel, appela ses coéquipiers, et ils partirent un kilomètre plus loin dans la fournaise. Tandis qu'ils gravissaient le flanc de la montagne, elle repérait le terrain, les accès vers la zone de repli.

Des tisons transportés par le vent provoquaient çà et là des petits foyers secondaires qu'ils éteignaient avant de poursuivre leur ascension.

Sur leur gauche, un mur de flammes vibrait de chaleur et de lumière, alimenté par l'oxygène ambiant, embrasant les arbres avec des mugissements de monstre vorace. D'épaisses colonnes de fumée s'élevaient dans le ciel.

Un pan du mur se détacha et bondit devant eux par-dessus le sentier, pour brûler avec une vigueur redoublée. Aussitôt, à l'aide de son pulaski, Rose entreprit d'y jeter de la terre tandis que Yangtree étouffait les flammes avec une branche de pin.

Dans le vacarme, elle entendit l'avion-citerne et sortit sa radio, qui émettait un signal.

– Abritez-vous ! cria-t-elle à ses coéquipiers. C'est bon, Gibbons, dis-leur de balancer la sauce. La voie est libre.

Une pluie rose et opaque se déversa du ciel.

Les pompiers qui combattaient la tête avaient dû se mettre à couvert eux aussi. Néanmoins, ils recevraient inévitablement des éclaboussures de gel, qui causait sur la peau à nu de douloureuses brûlures. Yangtree profita de ce bref instant de répit pour manger une barre énergétique.

– Le largage est terminé, annonça Rose quelques minutes plus tard. On va prendre par l'est, contourner la tête et rejoindre Janis et les autres. D'après Gibbons, le feu avance rapidement. Il faut qu'on le prenne de vitesse. Allez, on y va !

En grimpant vers la crête, ils continuèrent à éteindre des foyers, certains pas plus larges qu'une assiette, d'autres de la taille d'une piscine gonflable.

Rose entendit la tête avant de la voir, ses roulements et ses claquements pareils à des coups de tonnerre suivis de grondements sourds et menaçants. Elle la sentit également, son souffle chaud sur son visage qui s'infiltrait jusque dans ses poumons.

Puis tout s'emplit de flammes, un monde rougeoyant, déchaîné, crachant d'épaisses nuées de fumée suffocante. À travers le rayonnement, elle distinguait à peine les silhouettes de ses collègues, les taches jaune fluo de leurs vestes, l'éclat de leurs casques.

– Appelle Gibbons ! cria-t-elle à Matt. Dis-lui qu'on est arrivés. Yo ! héla-t-elle Janis en agitant les bras. La cavalerie est là.

– Tant mieux, on a besoin de renforts. On a circonscrit la tête. Le retardant l'a un peu affaiblie. Et là on creuse une pénétrante vers la queue. Il faut qu'on l'élargisse.

Janis prit une minute pour boire de l'eau et essuyer la sueur qui lui coulait dans les yeux. Son casque et sa combinaison étaient constellés de gelée rose.

– Pour le premier incendie de la saison, on est gâtés, ajouta-t-elle. Gibbons vient de me dire qu'on nous envoyait une autre cargaison de chuteurs et que l'Idaho a été mis en alerte. On va le décapiter, Swede.

– Commençons par élargir la tranchée et dégager les chablis. On a éteint pas mal de foyers en montant.

– Je sais. Allez, au boulot !

Les heures filaient à toute allure. Rose creusait, sciait, transpirait, tronçonnait les troncs calcinés, afin que le feu ne les prenne pas pour combustible. Quand elle sentit qu'elle frisait l'hypoglycémie, elle s'accorda une pause et dévora un paquet de biscuits au beurre de cacahuète. L'unique canette de Coca qu'elle avait emportée était bouillante, mais elle la but d'un trait. Un délice.

Après un deuxième largage de retardant, Rose était à présent elle aussi couverte de taches roses, le dos, les jambes et les épaules perclus par l'effort.

Le dense brouillard de fumée s'éclaircit quelque peu, et elle aperçut fugitivement l'étoile du Berger.

Pendant qu'ils se battaient, le jour avait fait place à la nuit.

Elle s'étira, arrondit le dos pour le soulager et regarda derrière elle l'étendue noire de la zone sinistrée, les bûches et les souches carbonisées, les squelettes d'arbres fantomatiques, les lacs de cendre.

Il ne restait plus rien ici qui puisse nourrir le feu.

L'énergie lui revint. Le combat n'était pas terminé, mais ils avaient pris le dessus. Le dragon commençait à s'incliner.

Elle abattit un pin mort puis se servit de l'une de ses branches pour éteindre un petit foyer résiduel, quand un cri de douleur résonna dans la forêt. Elle se retourna vivement. Stovic se roulait sur le sol. Il avait lâché sa tronçonneuse, la lame ruisselait de sang.

Rose posa la sienne et se précipita vers lui. En se tenant la jambe à deux mains, il essaya de se redresser en position assise.

– Attends ! Ne bouge pas !

Elle lui écarta les mains et déchira les pans de son pantalon lacéré.

– Je ne sais pas ce qui s'est passé. Je me suis coupé !

Sous la suie et la cendre, son visage était livide.

Elle savait, elle, ce qui s'était passé. La fatigue. Une seconde d'inattention. De son sac, elle sortit un couteau pour découper le tissu.

– C'est grave ? lui demanda-t-il. Il y a du mal ?

– Serre les dents, mon grand, répondit-elle. Va chercher la trousse de premier secours, ordonna-t-elle à Libby, accourue auprès d'eux. Je vais nettoyer ça, Stovic, j'y verrai plus clair.

Un peu sonné, estima-t-elle en observant ses yeux, *mais il tient le choc*. Il égrena une litanie de jurons, dont quelques gros mots en russe. Optimiste, elle essuya le sang autour de la plaie.

– Belle entaille ! dit-elle enfin gaiement. Ton pantalon t'a protégé.

Ouf ! soupira-t-elle intérieurement. *Un peu plus profonde, un peu plus à gauche, et adieu, Stovic.* Elle scruta de nouveau son regard. Elle lui aurait menti s'il avait fallu. Dieu merci, ce n'était pas nécessaire.

– Tu vas sans doute avoir droit à une vingtaine de points de suture, ajouta-t-elle, mais tu ne seras pas handicapé trop longtemps. Je vais te faire un bandage, on va te rapatrier à la caserne.

Il parvint à esquisser un faible sourire.

– Rien de vital n'est touché ? demanda-t-il d'une voix étranglée.

– La fémorale est intacte, Tronçonneur fou.

– Ça fait mal.

– Tu m'étonnes !

Il se reprit, calma sa respiration, et quelques couleurs lui revinrent aux joues.

– Ma première intervention, grommela-t-il, et j'ai pas assuré un caramel mou. Je resterai pas immobilisé trop longtemps, tu crois ?

– Non, le réconforta-t-elle en bandant la blessure avec des gestes rapides et compétents. Et tu auras une cicatrice sexy pour épater les filles. Les femmes ne résistent pas à un guerrier blessé, pas vrai, Libby ?

– Arrête… En vérité, Stovic, si je ne me retenais pas, je te sauterais dessus.

Il lui sourit, avec une grimace de douleur.

– On a éteint le feu, hein, Swede ?

– Ouais.

Elle lui tapota le genou, se releva et, le laissant en compagnie de Libby, s'éloigna de quelques pas afin de prévenir Gibbons.

Dix-huit heures après avoir été larguée dans l'incendie, Rose remontait dans l'avion pour rentrer à la base.

Son sac à dos sous la tête, elle s'étendit sur le plancher de la carlingue.

– Un steak, murmura-t-elle, les paupières closes, saignant, avec une patate au four de la taille d'un ballon de foot, noyée dans le beurre, et une montagne de carottes caramélisées. Suivi d'un fondant au chocolat gros comme l'Utah avec trois litres de glace à la vanille.

Yangtree se laissa tomber à côté d'elle. Des ronflements montaient de leurs camarades, en stéréo.

– Un rôti, pour moi. Un rôti entier, avec une énorme platée de purée au jus. Et en dessert tarte aux pommes avec six litres de glace à la vanille.

Rose entrouvrit les yeux. Matt l'observait avec un sourire endormi.

– Et pour toi, Matt, qu'est-ce que ce sera ?

– Poulet. Le poulet de ma mère, le meilleur de la terre, avec des gnocchis, une tonne. Et un clafoutis aux cerises avec de la chantilly maison. Mais j'ai tellement la dalle que je pourrais bouffer une pizza vieille de cinq jours, et la boîte en carton avec.

– Pizza…, marmonna Libby en cherchant une position plus confortable sur son siège. J'ai jamais eu aussi faim de ma vie.

– Dix-huit heures au front, ma belle…

Rose bâilla, roula sur le côté et se laissa bercer par les voix, les ronflements, le bruit des moteurs.

– Direct à la cuisine, Rose, quand on arrive ? lui lança Matt.

– Mmm… Il faut d'abord que je passe sous la douche. Je schlingue, c'est une horreur.

Quand elle se réveilla, ils avaient atterri. Elle descendit de l'avion en titubant, dans un brouillard de fatigue. Après avoir déposé son matériel dans le hangar, elle gagna d'un pas lourd sa chambre où elle engloutit une barre chocolatée avant de se déshabiller. Tombant de sommeil, elle entra dans la douche et poussa un petit gémissement au contact de l'eau chaude. Les yeux à peine ouverts, elle la regarda s'écouler dans la bonde, grise, immonde.

Elle se savonna les cheveux, le corps, le visage, en humant le parfum de pêche qui semblait avoir sur Gull un effet aphrodisiaque. Elle se rinça, se lava de nouveau, et recommença encore une fois. Lorsque l'eau fut enfin claire, elle se sécha sommairement et s'écroula sur son lit, enveloppée dans sa serviette humide.

Le cauchemar revint dans les brumes d'un demi-sommeil, lorsque son esprit émergea des abîmes de l'épuisement.

Le grondement des moteurs, le bruissement du vent, le saut dans le ciel, l'ivresse tournant à la panique – le poum-poum-poum de son cœur contre ses côtes à la vue de Jim plongeant vers les flammes.

– Eh ! eh ! réveille-toi !

Quelqu'un lui secouait l'épaule. Elle se redressa en sursaut.

– Quoi ? Ça sonne ? Qu'est-ce qu'il y a ?

Penché au-dessus d'elle, Gull lui tenait la main.

– Non. Tu faisais un cauchemar.

Elle ouvrit complètement les yeux. Le jour était levé. Et Gulliver Curry se trouvait dans sa chambre.

– Qui t'a donné l'autorisation d'entrer ?

– Tu ne voudrais pas te couvrir ? Non pas que la vue me dérange… Au contraire, je pourrais passer le reste de la journée à l'admirer.

Elle était nue jusqu'à la taille et, en dessous, le drap de bain ne cachait pas grand-chose. Elle le remonta avec un sourire grimaçant.

– Réponds à ma question, avant que je te colle mon pied au derrière.

– Tu as loupé le petit déjeuner, et un peu plus tu loupais aussi le repas de midi.

– On a bossé pendant dix-huit heures, on est rentrés à 3 heures du mat'.

– Je sais, on m'a déjà tout raconté. Je sais aussi que tu es allée te coucher sans manger et que tu as un faible pour les sandwichs aux œufs et au bacon, avec du fromage fondu. Alors je me suis permis de t'en apporter un, dit-il en désignant du pouce la table de chevet. Je voulais le laisser là, mais je ne pouvais te laisser dans ce mauvais rêve…

Une canette de Coca était posée à côté du sandwich, dont l'odeur chatouillait agréablement les narines de Rose.

– Tu m'as apporté un sandwich aux œufs et au bacon ?

– Avec du fromage fondu.

– Tu as bien mérité de me voir à moitié à poil.

– S'il n'y a que ça, je peux t'en apporter un autre.

Rose bâilla en riant et noua son drap de bain autour de son buste avant de prendre l'assiette. La première bouchée lui fit monter aux yeux des larmes d'extase. Comblée de bonheur, elle ne protesta même pas lorsque Gull s'assit au bord du lit.

– Merci, marmonna-t-elle, la bouche pleine. Sincèrement. Le feu nous a donné du fil à retordre, hier. Il n'arrêtait pas de changer de direction et de se disséminer. On finissait de creuser une ligne et il nous disait : « Ah, vous voulez m'avoir comme ça ? Attendez… » Mais au final, les Zulies ont été plus malins, on l'a eu. Tu sais comment va Stovic ce matin ?

– Rebaptisé le Tronçonneur fou. Vingt-sept points de suture. À part ça, ça a l'air d'aller.

– J'aurais dû garder un œil sur lui.

– Il a réussi l'audition, Rose. C'est un accident, ça fait partie du métier.

– D'accord, mais il était dans mon équipe et j'étais la plus ancienne. Enfin, bref, s'il va bien, tout va bien. Et toi, tes mains ? Ça a l'air d'aller mieux.

– Ouais, répondit-il en pliant et dépliant les doigts. Je suis de garde, aujourd'hui.

– Et Dobie ?

– Il en a encore pour quelques jours d'arrêt. Michael lui a découvert un talent caché pour la couture et l'a enchaîné à une machine. J'ai gagné cinquante-six dollars et des poussières, hier soir, au poker. Bicardi, l'un des mécanos, était bourré comme un coing, il nous a chanté des arias en italien. Voilà les toutes dernières nouvelles.

– Merci pour le bulletin d'info, et pour le sandwich. Tu peux sortir de ma chambre, maintenant, que je m'habille ?

– Je te rappelle que je t'ai déjà vue toute nue.

– Il faudra plus qu'un petit déjeuner pour que ça se reproduise.

– Que dirais-tu d'un dîner ?

Décidément, il avait toujours le mot pour la faire rire.

– Dehors, le bleu ! Il faut que j'aille faire un peu de gym pour éliminer toutes ces calories.

– Pour te montrer comme je suis un mec bien, je m'abstiendrai de tout commentaire à ce propos, répliqua-t-il en se levant et en reprenant le plateau vide. Tu es une fille canon, Rose, ajouta-t-il avant de quitter la pièce. Je rêve de toi toutes les nuits.

– Tu es un mec craquant, Gulliver, murmura-t-elle quand il fut parti.

Sa séance d'exercices terminée – à un rythme tranquille, pour ne pas se surmener après les violents efforts de la veille –, se sentant à nouveau humaine, elle envoya un texto à son père : Feu éteint. Tout va bien. Biz, Rose.

Puis elle alla vérifier son parachute qu'elle avait laissé pendu la veille dans le hangar. Elle y cherchait d'éventuels accrocs lorsque Matt et Libby la rejoignirent.

– Tu m'as l'air fatiguée, toi…

– J'ai mangé comme un ogre avant d'aller me coucher, hier soir. Résultat, je n'ai pas fermé l'œil avant 5 heures du matin, répondit Libby en se tenant le ventre. Rappelle-moi de ne plus jamais faire cette bêtise.

— On ne t'a pas vue ce matin, au petit déj' ! lança Matt à Rose en étalant sa voile.

— Je suis tombée comme une masse. Mais le *room service* m'a apporté un petit déjeuner tardif.

— Cool, commenta Libby. Il y a un *room service*, ici ?

— Non, c'est Gull. L'un de vous a vu le Tronçonneur fou ?

— Ouais, moi, dit Libby. Il m'a montré ses points. Vingt-sept.

— Il a eu du bol, intervint Matt. À un centimètre près, il aurait pu y passer.

— Ça fait flipper, murmura Libby. Une question de seconde, une affaire de pile ou face… (Elle s'interrompit, gênée.) Excuse-moi, Matt. J'avais oublié.

— Ce n'est pas grave. Tu n'as pas connu mon frère. Pour tout vous dire, je ne savais pas, jusqu'à hier, si j'allais être capable de ressauter.

— Mais tu l'as fait, apprécia Rose.

— Ouais. Je me suis dit que je devais le faire pour Jim. N'empêche que jusqu'au moment où… Tu as raison, Libby, la vie ne tient qu'à un fil. C'est pour ça qu'on doit toujours être vigilant. Enfin, bref… Tu savais que Dolly était revenue ? demanda-t-il à Rose.

Surprise, la jeune femme s'interrompit dans sa tâche.

— Ah bon ? Quand ?

— Hier, pendant qu'on était en intervention. Elle est passée me voir dans ma chambre, ce matin, répondit Matt sans quitter sa voile des yeux. Elle a l'air en forme. Elle voulait me présenter ses excuses pour la façon dont elle s'est comportée après le décès de Jim.

— C'est bien…

— Je lui ai dit qu'elle devait aussi s'excuser auprès de toi.

— Ça n'a pas d'importance.

— Je ne suis pas d'accord.

— Puis-je demander qui est Dolly ? s'enquit Libby. Ou est-ce indiscret ?

— Elle travaillait aux cuisines, répondit Rose. Elle sortait avec Jim. En fait, elle avait un peu tendance à coucher avec tout le monde, mais la saison dernière elle s'était calmée, apparemment. Elle a très mal réagi à la mort de Jim, ce qui est compréhensible.

— Elle a failli te donner un coup de couteau, rappela Matt. Et ça, c'est nettement moins compréhensible.

— Mon Dieu ! s'exclama Libby. Pourquoi ?

— J'étais en binôme avec Jim ce jour-là. Elle avait besoin d'un coupable. Elle a pété un plomb et m'a menacée avec un couteau de cuisine. En fait, elle en voulait à tout le monde. Elle disait qu'on était tous responsables, qu'on l'avait tué.

Rose se tourna vers Matt pour voir s'il avait quelque chose à objecter. Il garda le silence.

– Après quoi, elle a quitté la base, poursuivit-elle. Personne ne s'attendait à la revoir, je pense. Encore moins à ce qu'elle soit réembauchée.

– Ça t'embête ?

– Je ne sais pas, répondit Rose en se massant la nuque. Du moment qu'elle ne m'agite plus d'objets tranchants sous le nez…

– Elle a un bébé, lâcha Matt.

Rose en resta bouche bée.

– Pardon ?

– Elle m'a dit qu'elle avait eu un enfant, une petite fille, en avril.

Les yeux de Matt s'embuèrent. Il détourna le regard.

– Elle l'a appelée Shiloh, continua-t-il. C'est sa mère qui la garde quand elle travaille. Dolly prétend que c'est la fille de Jim.

– Ça alors… Tu ne le savais pas ? Ni ta famille ?

Il secoua la tête.

– C'est pour ça qu'elle est venue s'excuser. Elle m'a demandé de l'annoncer à mes parents, elle m'a donné des photos. Elle m'a dit que je pourrais aller la voir… le bébé… si je voulais.

– Jim était au courant ?

Le visage de Matt s'assombrit.

– Elle lui avait annoncé la nouvelle le matin de l'accident. Il était hypercontent, paraît-il. C'est lui qui a choisi le prénom, Shiloh, que ce soit un garçon ou une fille. Ils allaient se marier à l'automne.

Il sortit une photo de son portefeuille. Libby la prit.

– Elle est trop mignonne ! s'émerveilla-t-elle.

Matt s'essuya discrètement le coin de l'œil et sourit tristement.

– Chauve comme un melon. Il paraît qu'on n'avait pas un poil sur le caillou, nous non plus, mon frère, ma sœur et moi, à la naissance. Je ne sais pas comment je vais annoncer ça à ma mère.

Libby tendit la photo à Rose, qui regarda un instant le nourrisson à la peau rouge et fripée avant de la rendre à Matt.

– Va faire un tour, lui dit-elle, réfléchis à la meilleure façon de lui présenter la chose et téléphone à ta mère. Elle sera heureuse. Peut-être un peu en colère de ne pas avoir été prévenue plus tôt, mais heureuse, c'est sûr. Vas-y. Je m'occupe de ton parachute.

– Tu as raison. De toute façon, je n'arrive pas à me concentrer sur ce que je fais. Je finirai de vérifier ma voile plus tard.

– Je m'en occupe, je t'ai dit.

– Merci, merci, répéta-t-il, et il quitta la salle d'une démarche de somnambule.

– Ça doit lui faire tout drôle, commenta Libby.

– Ouais…

Rose elle-même avait du mal à digérer la nouvelle. Un à un, les membres de l'équipe de la veille les rejoignirent dans le hangar. Le retour de Dolly Brakeman était sur toutes les lèvres.

– Tu l'as vue, toi ? demanda Trigger à Rose.

Elle secoua la tête.

– Il paraît qu'elle s'est pointée hier après-midi, avec sa mère et son pasteur.

– Son quoi ?

Trigger leva les yeux au ciel.

– Ouais, ouais. Un certain révérend Latterly. J'ai entendu dire qu'elle est tout le temps fourrée à l'église, depuis l'an dernier. Ils sont restés une heure dans le bureau de Michael tous les trois. Ce matin, elle est en cuisine avec Lynn et Marg.

– C'est une bonne cuisinière.

– Personne n'a jamais dit le contraire.

– Elle a une gamine, chuchota Rose. Pas la peine de l'ébruiter.

– Je sais. Tu crois que le bébé est vraiment de Jim ?

– C'est possible. De toute façon, ça ne nous regarde pas.

– Jim était un des nôtres, ça nous regarde donc un peu.

En effet, et Rose était la première à se poser mille questions. Elle s'efforça néanmoins de faire abstraction des cancans et des spéculations puis, dès qu'elle eut terminé de ranger son parachute, elle partit à la recherche de Little Bear.

Le chef était dans son bureau et lui fit signe d'entrer.

– J'attendais ta visite, lui dit-il.

– Je veux juste savoir si je dois garder le dos au mur. Je ne tiens pas à finir avec un couteau à pain entre les omoplates.

Pensif, il se frotta le front.

– Tu crois que je l'aurais réembauchée si je pensais qu'elle risquait de te causer des ennuis ?

– Non, mais je voulais te l'entendre dire.

– Professionnellement, personne n'a jamais rien eu à lui reprocher. Son seul problème, c'est qu'elle avait le feu aux fesses.

Rose enfonça les mains dans ses poches et arpenta le bureau.

— Et personne ne s'en plaignait, surtout pas les mecs. De mon côté, je me fiche pas mal que tout le monde lui soit passé dessus. C'est une bonne cuisinière. Elle fait ce qu'elle veut de sa vie sexuelle.

— Tout à fait. En plus, elle est maman, maintenant. Je pense qu'elle s'est assagie. Elle est venue avec son curé. Sa mère l'a convertie à la foi. Elle avait besoin d'un job, elle veut se racheter. Elle m'a fait de la peine. Franchement, je ne l'aurais pas reprise si elle ne m'avait pas paru sincère. Elle sait que si elle te cherche des noises elle prend la porte illico.

— Je ne veux surtout pas être impliquée là-dedans.

Il la regarda longuement de ses yeux noirs et graves.

— Si je dois la virer, j'en assumerai l'entière responsabilité.

Rose hocha la tête.

— Elle t'a dit que Jim et elle devaient se marier ?

— Oui.

— Ce qui me chiffonne, expliqua Rose, c'est qu'il fréquentait quelqu'un d'autre. Quand on a passé trois jours sur l'incendie de St Joe, l'an dernier, il est sorti avec l'une des filles qui cuisinait, au camp. À croire qu'il avait un faible pour les cuisinières. Ils se retrouvaient dans un motel les jours où il n'était pas de garde. Et je sais qu'il a eu aussi d'autres aventures.

— Je suis au courant. Plusieurs fois, je lui ai dit de ne pas compter sur moi pour raconter des bobards à Dolly quand il allait voir ses conquêtes.

— Le jour de l'accident, je te l'ai déjà dit, il était nerveux, dans l'avion. Maintenant, je comprends pourquoi, si Dolly venait de lui apprendre qu'elle était enceinte.

— Dolly n'a pas besoin de savoir tout ça. Tu n'es pas de mon avis ?

— Si, tout à fait. Qu'elle ait trouvé Dieu, que ça la réconforte de chanter la gloire de Jésus, je veux bien, mais en ce qui concerne Jim, soit elle ment, soit elle se fait des illusions. Tu as voulu lui rendre service, l'aider à prendre un nouveau départ, c'est tout à ton honneur. Je voulais juste te dire de ne pas te laisser embobiner.

— J'ai demandé à Marg de la tenir à l'œil.

Satisfaite, Rose se releva.

— OK, on est bien d'accord, donc.

— La foudre est tombée dans le secteur nord, lui dit Michael alors qu'elle s'apprêtait à prendre congé.

— Ah oui ? On aura peut-être la chance de partir en intervention. Comme ça, au moins, on arrêtera de parler de Dolly.

Rose décida de passer voir l'ancienne cuisinière, histoire de remettre les pendules à l'heure. Ensuite, elle la chasserait de son esprit.

En cuisine, les préparatifs du dîner étaient en cours. Marg, la reine des lieux, sur lesquels elle régnait depuis douze ans, tranchait des pommes de terre, un tablier par-dessus un jean et un T-shirt, ses longs cheveux bruns cachés sous un bandana rose.

Des marmites fumaient sur le fourneau. Une chanson de Lady Gaga s'échappait d'un iPod posé sur le comptoir, volume à fond. Marg chantait à tue-tête, de sa voix éraillée, tout en faisant claquer son couteau en rythme sur la planche à découper.

Son sang indien, héritage de son arrière-grand-mère maternelle, se devinait à ses pommettes hautes. Ses origines irlandaises dominaient toutefois sur sa peau pâle constellée de taches de rousseur et ses yeux noisette pétillants de vie.

En voyant Rose, elle fit un petit signe de tête en direction de la jeune femme qui lavait des légumes dans l'évier.

– Ça sent bon, ici, dit Rose d'une voix suffisamment forte pour couvrir la musique.

Devant l'évier, Dolly se figea, puis ferma le robinet et se retourna.

Elle avait pris des joues et de la poitrine, constata Rose. Elle méritait toutefois l'indulgence, une jeune maman avait d'autres priorités. Évitant le regard de Rose, elle s'essuya les mains dans un torchon.

– Tu veux connaître le menu de ce soir ? Rôti de porc, pommes de terre au romarin, haricots beurre et carottes nouvelles. Pour les végétariens, raviolis aux trois fromages. En entrée, salade méditerranéenne. En dessert, quatre-quarts ou crumble aux myrtilles.

– Parfait pour moi, approuva Rose en prenant une canette de soda dans le réfrigérateur. Comment vas-tu, Dolly ?

– Bien, et toi ?

– Bien aussi. Tu as cinq minutes ? Tu viens faire un tour dehors avec moi ?

– On a du boulot.

– Prends ta pause, intervint Marg.

– Il faut que je trie les légumes, protesta Dolly.

Marg lui jeta un regard sévère.

– OK, obtempéra Dolly en posant son torchon.

Rose lui emboîta le pas.

– J'ai vu une photo de ta petite, lui dit-elle. Elle est adorable.

– C'est la fille de Jim.

– Elle est adorable, répéta Rose.

– C'est un don du ciel. J'ai besoin de ce job pour subvenir à ses besoins. J'espère que tu as en toi assez de bonté chrétienne et que tu ne feras rien pour me faire renvoyer.

– Ce n'est pas une question de bonté chrétienne, Dolly, mais d'humanité. Je n'ai jamais rien eu contre toi, je ne t'ai jamais causé de problème et je n'ai pas l'intention de t'en causer.

– Je cuisine pour toi comme pour les autres. Aie juste le respect de rester hors de ma vue et je ferai pareil. Le révérend Latterly dit que je dois te pardonner si je veux être en paix avec le Seigneur, mais je ne peux pas.

– Me pardonner quoi ?

– C'est à cause de toi que ma fille ne connaîtra jamais son père.

Rose garda un instant le silence.

– Si tu as besoin de croire une chose pareille pour faire ton deuil, ça ne me dérange pas, lâcha-t-elle enfin.

– Tant mieux.

– Tu as un enfant, tu as besoin de travailler et tu fais ton boulot correctement. Si tu veux le garder, tu n'as pas d'autre choix que de composer avec moi. Que ce soit bien clair, je viendrai à la cuisine chaque fois que j'en aurai envie, que tu sois là ou pas. Je n'ai pas l'intention d'articuler ma vie autour de toi. (Avant que Dolly ait pu riposter, elle ajouta :) Une dernière chose. Tu m'as agressée et tu t'en es bien tirée. Tu ne t'en tireras pas aussi bien une deuxième fois. Ne me cherche pas d'histoires et tout se passera bien entre nous.

– Tu es une garce, siffla Dolly, tu n'as pas de cœur. Mais tu le paieras, un jour. C'est toi qui aurais dû mourir à la place de Jim.

Là-dessus, elle regagna les cuisines.

– Eh ben… ça commence bien, marmonna Rose.

6

Rose avait mal dormi – à cause de Dolly, elle ne voyait pas d'autre explication. Avant d'aller se coucher, elle avait consulté le radar, le cahier de messages et les cartes. Un incendie s'était déclaré en Alaska, un autre dans les Marble Mountains, en Californie du Nord. Elle s'était mise au lit en sachant qu'elle risquait de passer une partie de la nuit dans un avion de transport. Elle l'espérait presque. Mais la sirène était restée silencieuse, et personne n'avait tambouriné contre sa porte.

Comme la veille, elle avait encore rêvé de Jim. Et s'était réveillée irritée, agitée, furieuse contre son subconscient. Il fallait absolument que ces cauchemars cessent de la hanter. Afin de chasser la mauvaise humeur, elle allait commencer la journée par une bonne séance de course.

Gull la rejoignit sur le premier tour de piste, tandis qu'elle s'échauffait.

– Ça va devenir une habitude ?

– J'étais là le premier, hier, je te rappelle. J'aime bien courir au saut du lit. Ça me réveille. Qu'est-ce que tu fais ? De l'endurance ou de la vitesse ?

– Je cours, c'est tout.

Il lui jeta un coup d'œil. À l'évidence, elle était mal lunée.

– Disons endurance, alors. J'ai besoin de me fixer des objectifs.

– J'avais remarqué. Va pour un cinq kilomètres.

– Pff… Tu peux faire mieux. Huit.

– Six, trancha-t-elle, juste pour avoir le dernier mot. Et ne me parle pas. J'aime bien vider ma tête quand je cours.

Il alluma son MP3.

Ils effectuèrent le premier kilomètre à un rythme tranquille. Elle avait du mal à faire abstraction de sa présence à ses côtés et essaya de deviner ce qu'il écoutait comme musique et de se fixer des objectifs pour le reste de la journée. Objectifs fort susceptibles d'être chamboulés par une alerte.

Alors qu'ils franchissaient le troisième kilomètre, un vrombissement se fit entendre. Rose reconnut l'un des avions de son père dans le vaste ciel bleu. Un cours de parachutisme, sans doute, à cette heure matinale. Elle se demanda qui était l'instructeur, son père ou l'un des trois pilotes. L'appareil inclina deux fois son aile droite puis bascula sur la gauche.

Son père.

Elle agita un bras en l'air.

Cette simple pensée dissipa les dernières traces de mauvaise humeur que ni l'exercice physique ni la compagnie de Gull n'avaient encore réussi à effacer.

Gull allongea sa foulée. Elle l'imita, consciente qu'il la poussait, qu'il la testait. Elle voulait bien jouer le jeu. L'effort lui brûlait les cuisses et les mollets. Et elle oublia qu'elle s'était levée du pied gauche.

Au cinquième kilomètre, elle accéléra la cadence. La météo annonçait une température de 20 °C pour l'après-midi, le soleil était déjà chaud. Une fine pellicule de transpiration se forma sur sa peau.

Elle avait un défi à relever. Elle se sentait vivante, heureuse.

Gull tourna la tête vers elle et lui fit un clin d'œil, puis il piqua un sprint, l'abandonnant dans son sillage.

Il avait un secret, forcément. Il avait des ailes.

Elle accéléra encore l'allure. Il lui restait des réserves. Pas suffisamment pour le rattraper – il lui aurait fallu une fusée –, mais assez pour sauver la face.

Le dernier kilomètre la laissa en proie à un léger vertige. Hors d'haleine, elle se laissa tomber sur la pelouse.

– Debout, Rose, tu vas choper des crampes.

Gull était essoufflé, lui aussi, moins qu'elle, mais essoufflé tout de même. Elle en éprouva une petite satisfaction.

– Une minute, parvint-elle à articuler.

Il lui prit les mains et la força à se relever.

– Allez, Rose, ne reste pas immobile.

Elle récupéra en marchant, jusqu'à ce que les battements de son cœur retrouvent une fréquence raisonnable, puis se désaltéra d'une longue rasade d'eau.

Elle s'étira ensuite les quadriceps, en amenant tour à tour chacun de ses talons vers les fesses, debout en équilibre sur l'autre jambe. Gull était en nage, plus sexy que jamais.

– Tu as un moteur dans tes chaussures ou quoi ?

– Tu as mis le turbo, toi aussi. Souverain, n'est-ce pas, quand on est en colère et déprimé ? C'est ton père qu'on a vu passer tout à l'heure ?

– Ouais… Qu'est-ce qui te fait dire que j'étais en colère et déprimée ?

– Ça se voyait comme le nez au milieu de la figure.

– Je vais faire ma séance de gym.

– Étire-toi d'abord les ischios.

– On t'a nommé coach ? rétorqua-t-elle avec une pointe d'agacement.

– Pas la peine de t'énerver parce que je t'ai dit que tu étais de mauvais poil.

Elle marmonna quelque chose entre ses dents, mais fléchit une jambe et tendit l'autre en avant, talon au sol, pointe relevée.

– À ce qu'il paraît, tu as de bonnes raisons de l'être, ajouta Gull en sortant une bouteille d'eau du sac qu'il avait posé au bord de la piste.

Elle redressa la tête et le fusilla du regard.

– Résumons, poursuivit-il. Le frère de Matt se tapait la blonde de la cuisine, laquelle avait la cuisse un peu légère.

– C'est joliment dit…

– Je suis poli. Si j'ai bien compris, Jim était un coureur de jupons, lui aussi.

– Tout à fait.

– La cuisinière s'est amourachée de lui… c'est Lynn qui m'a raconté tout ça, continua Gull. Au grand dam des mecs de la base, la blonde a cessé de distribuer ses faveurs et fermé les yeux sur les écarts de Jim.

– Tu devrais écrire des romans, soupira Rose.

– J'y pense. Et à la fin de ce long été torride, elle est tombée enceinte. Ce qui, selon la rumeur, n'était peut-être pas un accident vu qu'elle avait toujours pris ses précautions.

– Pour une fois, la rumeur est peut-être fondée.

Rose avait elle-même envisagé cette éventualité, et la trouvait particulièrement déprimante.

– Ce serait triste, commenta Gull. Enfin, bref, Dolly prétend qu'elle avait annoncé la nouvelle à Jim et qu'il l'avait accueillie avec joie.

Je ne le connaissais pas, mais ça me paraît douteux. Des projets de mariage sont aussitôt lancés, ce qui me paraît encore plus douteux. Malheureusement, Jim se tue en sautant. L'enquête détermine qu'il a commis une erreur fatale, mais la cuisinière accuse sa coéquipière, toi en l'occurrence, et tente de te donner un coup de couteau.

– Elle ne voulait pas vraiment le faire, objecta Rose, en se demandant pourquoi diable elle prenait la défense de cette folle de Dolly. En tout cas, elle n'en a pas eu le temps, Marg lui a tout de suite arraché le couteau des mains.

– Une chance, dit Gull tout en observant son visage. Le chagrin peut provoquer toutes sortes de réactions, dont des actes peu glorieux. Mais te reprocher l'accident de Jim est tout simplement débile. Et que cette Dolly continue à penser que c'est ta faute relève non seulement de la bêtise, mais aussi de la méchanceté.

Rose n'avait pas envie d'aborder ce sujet. Avec Gull, néanmoins, si attentif, si calme, il lui était moins douloureux d'en parler.

– D'où sais-tu qu'elle pense que c'est ma faute ?

Il but une gorgée d'eau. Le soleil faisait ressortir des reflets roux dans ses cheveux bruns.

– Terminons l'histoire. La cuisinière quitte la caserne et trouve la foi. C'est tout au moins ce qu'elle raconte et peut-être qu'elle y croit. Il n'empêche qu'elle n'a même pas le courage de dire aux proches du père qu'elle attend un bébé. Jusqu'au moment où elle revient demander du travail à la base. J'en déduis que toutes ses histoires de bondieuseries sont du pipeau.

Rose était épatée par la façon claire et sans détour dont Gull avait exposé la situation.

– Tu vas la trouver, poursuivit-il, tu la prends cinq minutes à part pour lui parler. Au bout de deux secondes, elle monte sur ses grands chevaux et elle t'insulte. Désolé, tout se sait, dans un milieu aussi petit. Conclusion : pardon, charité et bon sens ne font pas partie de sa religion.

– Mais d'où tiens-tu tout ça ?

– J'ai les oreilles qui traînent. Quasiment tout le monde ici est convaincu qu'elle s'est fait faire un môme par Jim dans le but de vivre à ses crochets. Il n'y a que Cards qui semble assez naïf pour récolter des dons pour la gamine.

– Ça ne m'étonne pas, répliqua Rose, il est comme ça.

– Tout le monde dit aussi qu'elle n'a pas intérêt à te chercher des histoires si elle veut garder son job.

– Je...

– Laisse-moi finir ! l'interrompit-il sur un ton sans appel. Personne ne souhaite qu'elle se fasse virer, mais personne ne tolérera qu'elle sème la zizanie à la base. Alors cesse de te torturer à cause d'elle, tu te fais du mal pour rien.

– Je serais entièrement d'accord avec toi s'il s'agissait de quelqu'un d'autre que moi.

– Je comprends.

– Je t'épargnerai certains détails sur lesquels je ne tiens pas à m'étendre, mais ma mère est morte quand j'avais douze ans.

– Aïe ! Dur...

– Mes parents étaient déjà séparés – j'ai été élevée par mon père. En saison, quand il était pompier, c'étaient mes grands-parents qui s'occupaient de moi. Je suis donc bien placée pour savoir que ce n'est pas facile d'éduquer un enfant seul, même avec de l'aide, et je ne voudrais surtout pas mettre Dolly dans la panade encore plus qu'elle ne l'est déjà.

– Au moins, elle a un boulot. Elle n'a qu'à se tenir à carreau si elle ne veut pas le perdre.

Tout en continuant à discuter, ils se dirigèrent vers la salle de gym.

– Je peux t'emprunter ton MP3 ? demanda Rose en arrivant devant la porte. Je suis curieuse de savoir ce que tu écoutes.

Il le décrocha de son bras et le lui tendit.

– C'est un sacrifice pour moi de faire de la muscu sans musique. J'espère que ça fera pencher la balance en ma faveur quand tu soupèseras les raisons de coucher avec moi.

– J'en tiendrai compte, acquiesça-t-elle en riant.

Son entraînement physique quotidien terminé, Rose retourna se doucher dans sa chambre puis se rendit au réfectoire.

Stovic et Cards étaient attablés face à face. Le premier dévorait des œufs au lard. Le second, entre deux bouchées de pancake, l'accusait de tirer au flanc : on n'avait pas aussi bon appétit quand on était souffrant. Gull était déjà là, se composant une assiette au buffet. Rose en prit une dans la pile, y déposa une crêpe, deux tranches de bacon, une autre crêpe par-dessus, encore deux tranches de bacon, une troisième crêpe, le tout couronné d'une copieuse cuillerée de fruits rouges.

– Comment tu appelles ça ? lui demanda Gull.

– Mon petit déj'.

Elle l'emporta à la table et l'arrosa de sirop d'érable.

– Comment va ta jambe, Tronçonneur fou ?

– Mes points me grattent, c'est terrible, répondit-il en se tournant vers la porte qui s'ouvrait sur Dobie. Heureusement que ce n'est pas la figure qu'on m'a recousue.

Dobie prit place à la table, sortit un flacon de Tabasco et en versa sur ses œufs.

– J'ai demandé à Michael si je pouvais prendre ma journée, aujourd'hui. J'aimerais bien aller faire un tour au paraclub de ton père.

– Bonne idée…

– Je viendrais volontiers avec toi, intervint Stovic.

– Avec ta patte folle ? Je comptais y aller à pied.

– Je vous donnerai le numéro de téléphone, intervint Rose. Ils pourront peut-être envoyer quelqu'un vous chercher en voiture.

Marg s'approcha de la table et déposa un grand verre de jus de fruits devant Rose.

– Vous allez traîner ici jusqu'à midi, bande de feignants ? Ça vous ferait du bien de partir en inter'.

– Ce n'est pas moi qui dirai le contraire, approuva Rose en goûtant l'épaisse mixture orange. Carotte, parce qu'il y a toujours de la carotte dans tes jus, céleri, je pense, orange et… mangue, mais je n'en suis pas sûre.

– Gagné ! approuva Marg.

La cuisinière se tourna vers Dobie.

– Qu'est-ce que tu veux, le bleu ?

– Tu nous préparerais un panier-repas, pour moi et mon pote éclopé ? On pense aller en balade chez le père de Rose.

– Ça peut se faire.

Comme il avait un peu de temps avant un saut en tandem, Lucas se fit un devoir d'aller les saluer personnellement lorsqu'il apprit que deux nouveaux de la caserne étaient en visite au club.

La base des Zulies attirait beaucoup de touristes, et la plupart venaient ensuite chez lui regarder les parachutistes amateurs. Il n'y voyait pas d'inconvénient, bien au contraire. Le centre était ainsi de plus en plus réputé.

Lucas avait démarré avec un avion, un pilote à temps partiel et un instructeur. Sa mère répondait au téléphone. Quand il sonnait. Son père tenait la comptabilité. Lui-même était encore pompier de l'air lorsqu'il avait créé sa petite entreprise. Il n'y était présent qu'hors saison et les jours où il n'était pas de garde.

Il avait monté cette affaire pour sa fille, afin, quand il ne serait plus là, d'assurer ses arrières. À présent, il était fier de sa flotte d'appareils et de son équipe de vingt-cinq salariés à temps plein. Et il avait la satisfaction de savoir qu'un jour, quand elle le souhaiterait, Rose pourrait se reposer sur ce qu'il avait bâti, sans crainte de l'insécurité.

Parfois, cependant, quand il voyait s'élever dans le ciel un avion de la base chargé d'hommes et de femmes qu'il connaissait, la lutte contre le feu lui manquait comme un membre amputé.

Il savait, maintenant, ce que c'était que de rester à terre pendant qu'un être cher s'envolait vers les flammes, au péril de sa vie. Et il se demandait comment ses parents, sa fille, et même cette femme qu'il n'avait pas su garder, avaient pu vivre avec cette angoisse et cette résignation constantes.

Il s'arrêta un instant pour regarder l'un de ses élèves, un banquier de soixante-trois ans, tomber en chute libre du Twin Otter. Les spectateurs applaudirent lorsque sa voile se déploya. Lucas approuva sa technique d'un hochement de tête avant de poursuivre son chemin vers les deux hommes étendus sur une couverture, autour des fameuses boîtes-repas de Marg.

– Lucas Tripp, se présenta-t-il en s'asseyant près d'eux. Vous devez être Dobie, je suppose. J'ai appris que vous aviez été mêlé à une bagarre, l'autre soir, à La Corde au cou.

– Enchanté, répondit l'intéressé en lui serrant la main. Ouais, j'ai un peu moins une sale gueule, d'habitude. Et voici le Tronçonneur fou, il se rase les jambes à la scie à chaîne.

– On m'a aussi raconté ça.

– C'est une belle affaire que vous avez là, monsieur Tripp, dit Stovic.

Lucas se sentit terriblement vieux face à cette remarque polie.

– Laissez tomber le « monsieur ». Oui, le Zulie Skydiving tourne plutôt bien, je n'ai pas à me plaindre. Regardez celui-là, dit-il en montrant le banquier qui atterrissait. Plus de soixante ans, huit fois grand-père. On s'est connus à une époque où vous n'étiez même pas nés. Jusqu'il y a trois mois, jamais il n'avait manifesté le désir de sauter en parachute. *Maintenant ou jamais…* C'est fou le nombre d'élèves d'un âge avancé que nous avons depuis la sortie de ce film. Dans un quart d'heure, je saute en tandem avec une dame de cinquante-sept ans, principale de lycée. On ne soupçonne pas où va se nicher le rêve d'Icare.

– Le feu ne vous manque pas ? demanda Dobie.

– Oh si ! reconnut Lucas. Mais les vieilles carnes comme moi doivent céder la place aux jeunes étalons.

– Vous devez avoir plein d'anecdotes en réserve.

– Avec deux ou trois bières dans le nez, je vous les raconterai toutes, que vous ayez envie ou non de les entendre.

– Quand et où vous voudrez, répondit Dobie.

– Méfiez-vous, je pourrais vous prendre au mot. Mais pour l'instant, je dois aller m'occuper de la directrice d'école. Profitez de cette journée de repos, les gars, vous n'en aurez pas beaucoup d'autres.

– Je ne comprends pas comment il a pu s'arrêter, dit Dobie quand Lucas se fut éloigné. Je crois que je ne pourrai jamais.

– Tu n'as pas encore sauté au feu, lui fit remarquer Stovic.

– Dans ma tête, si, répliqua Dobie en mordant dans un pilon de poulet frit à la perfection. Et je n'ai pas essayé de me châtrer avec une tronçonneuse.

Stovic lui décocha un coup de poing amical dans le bras.

– Pour m'être fait tripoter la cuisse par Swede, je ne regrette aucun de mes vingt-sept points de suture.

– Fais gaffe, Gull a des vues sur elle.

– Je ne suis pas aveugle. En tout cas, elle a les mains douces.

Lucas vérifia ses carnets de bord, l'avion, et eut une brève conversation avec son mécanicien et le pilote en vue du saut en tandem. La cliente ayant commandé un DVD de son saut, il partit ensuite s'assurer que le vidéaste était prêt à embarquer.

La cliente était dans le bureau d'accueil, avec Marcie, pour régler les formalités administratives. La première pensée qui vint à l'esprit de Lucas relevait du cliché. Telle était néanmoins la réalité : on ne faisait pas de principale comme elle à l'époque où il était lycéen.

Une somptueuse chevelure d'un roux flamboyant, des yeux vert forêt. Quand elle souriait, de charmantes fossettes se dessinaient au creux de ses joues.

Lucas n'était pas timide, mais devant les femmes qui lui plaisaient il avait tendance à perdre tous ses moyens. En entrant dans le bureau, il rougit jusqu'aux oreilles.

– Et voici votre moniteur, le patron de Zulie Skydiving, annonça Marcie. Lucas, j'étais en train de dire à Mme Frazier qu'elle allait connaître le frisson de sa vie, grâce au meilleur des meilleurs.

– Vous me flattez, Marcie.

La cliente tendit la main à Lucas, une main fine et élégante, aux doigts si délicats qu'il n'osa pas les serrer, de crainte de les broyer.

– Son fils lui a offert un saut en parachute pour Noël, précisa la secrétaire.

– Vous pouvez m'appeler Emma, déclara l'intéressée. Nous allons bientôt nous jeter ensemble dans le vide, j'imagine que ça crée des liens. J'ai eu le malheur, un jour, de dire que j'aimerais bien sauter en parachute et mon garçon m'a prise au mot, alors que j'étais complètement pompette ! Il est là, avec sa famille, et ma fille avec la sienne. Ils sont tous encore plus excités que moi.

– Bien, bien…, bredouilla Lucas.

– Quand décollons-nous ? demanda Emma.

Marcie jeta un regard perplexe à son patron, d'ordinaire plus causant.

– Je vais vous accompagner au vestiaire, répondit-elle. Pendant que vous vous changerez, nous vous projetterons une petite vidéo. Le boss viendra ensuite tout vous expliquer et répondre à vos questions. Il y en a pour une trentaine de minutes, le temps de vous présenter le matériel de saut et de vous donner les consignes de sécurité.

– Vous me direz ce que je dois faire à l'atterrissage ? demanda Emma avec une étincelle malicieuse dans les yeux. Je ne veux pas traumatiser mes petits-enfants.

Mariée, en déduisit Lucas. *Des enfants et des petits-enfants.*

Du coup, il était un peu moins intimidé ; il pouvait admirer sa beauté en toute tranquillité d'esprit, elle n'était pas pour lui.

– Ne vous faites pas de souci, lui dit-il. Ils garderont de cette journée le souvenir d'une grand-mère volant comme un oiseau. Si vous en avez terminé avec la paperasse, nous allons vous remettre votre combinaison.

Il enfila la sienne pendant que Marcie s'occupait d'équiper la cliente. En général, il aimait sauter avec les novices, les rassurer s'ils avaient peur, répondre à leurs questions, leur offrir une expérience unique et inoubliable. Il espérait que ce tandem ne ferait pas exception à la règle.

Il n'y avait pas de raison. Cette charmante personne semblait en bonne condition physique. Il parcourut rapidement son dossier. Cinquante-sept ans, cinquante-six kilos, pas de problèmes de santé. Parfait.

Il sortit l'attendre devant le vestiaire.

– Je me sens un peu empotée, dit-elle en riant et en tournant sur elle-même, dans sa combinaison de saut.

– Elle vous va comme un gant. Marcie vous a déjà expliqué le déroulement du saut, mais si vous avez des questions, je vous écoute.

– Je crois que Marcie m'a tout dit et la vidéo était très bien faite. L'essentiel, pour moi, est de savoir que je serai attachée à vous du début jusqu'à la fin.

– Vous n'avez aucun souci à vous faire.

– Facile à dire, pour vous. J'imagine que vous avez l'habitude d'entendre les gens brailler comme des putois.

– Ne vous inquiétez pas pour ça. Vous serez tellement heureuse et fascinée par la vue que vous ne penserez même pas à crier. Nous allons monter à 14 000 pieds. Quand vous serez prête, nous partirons en balade dans le ciel. La chute libre est un moment de plaisir intense. Elle dure environ une minute avant que la voile se déploie. Et, le parachute ouvert, vous flotterez et écouterez ce silence que seuls connaissent les chuteurs.

– Vous aimez ça…

– Plus que tout.

– J'ai décidé de sauter pour plusieurs raisons. Premièrement, pour mon fils : je ne pouvais pas le décevoir. Ensuite, j'en ai pris conscience en venant ici, pour vérifier si je suis aussi téméraire que je l'étais autrefois. Dites-moi, monsieur Tripp…

– Lucas.

– Lucas… Il arrive que les gens se dégonflent à la dernière minute ?

– Ça arrive, oui, mais en général je le sens avant le décollage. Ce ne sera pas votre cas.

– Pourquoi ?

– Vous êtes téméraire. On reste toujours fidèle à ce qu'on a été.

Les fossettes se dessinèrent sur les joues d'Emma.

– Vous avez raison. C'est la leçon que j'ai retirée de ces quelques dernières années.

Sur un petit terrain d'entraînement, il lui montra comment atterrir, comment se servir de lui, comment se positionner pour toucher le sol en douceur. Puis il sangla son harnais au sien, pour qu'elle se familiarise avec son contact. *Elle est mariée*, se remémora-t-il.

– Des questions ?

– Je ne crois pas. Je suis censée me détendre et profiter du moment. J'espère que je ne hurlerai pas tout du long. Je ne voudrais pas avoir la bouche grande ouverte et les yeux fermés sur le DVD.

– Eh, maman !

Ils se tournèrent tous deux vers le petit groupe qui se tenait au bord du terrain.

– Ma famille. J'ai le temps de vous les présenter ?

– Bien sûr.

Lucas échangea quelques mots avec le fils d'Emma – pâle et nerveux maintenant que l'instant T approchait –, sa fille et ses trois petits-enfants, dont un bambin qui le dévisageait avec des yeux de hibou.

– Tu es sûre que tu veux le faire, maman ? Si jamais...

– Tyler, je t'en prie, je suis prête. C'est le plus beau cadeau de Noël qu'on m'ait jamais offert.

Emma se hissa sur la pointe de ses bottes de saut et déposa une bise sur la joue de son fils.

Un garçonnet de quatre ou cinq ans jeta en l'air un petit parachutiste acheté à la boutique de souvenirs. Le personnage en plastique retomba en tourbillonnant au bout d'une corolle rouge.

– Nana, elle va faire pareil.

– Tout à fait, mon cœur. Tu me regarderas bien, hein ?

Après avoir embrassé ses enfants et ses petits-enfants, Emma suivit Lucas jusqu'au Twin Otter.

– Je n'ai pas peur. Je n'aurai pas peur. Je ne crierai pas. Je ne vomirai pas.

– Regardez le ciel. On a un temps magnifique. Vous allez vous régaler. Ah, voilà Chuck. C'est lui qui va filmer.

– Enchantée, Chuck. Je compte sur vous pour prendre mon meilleur profil.

– Promis. Vous êtes entre de bonnes mains avec Lucas. Vous aurez l'impression d'avoir des ailes.

Emma adressa un dernier signe à sa famille avant de monter à bord. Pendant toute la durée du vol, elle resta sereine et décontractée. Lucas s'attendait à des questions sur l'avion, l'équipement, son expérience, mais Emma posait pour la caméra, manifestement déterminée à laisser à sa famille un souvenir amusant. Elle faisait des grimaces, feignit de s'évanouir, et prit Lucas par surprise en s'asseyant sur ses genoux et en déclarant à ses enfants qu'elle s'envolait pour Fidji avec son moniteur.

– Avec ce petit coucou, on ne risque pas, dit-il en riant.

Lorsqu'ils atteignirent la hauteur de saut, il lui fit un clin d'œil.

– Prête à vous harnacher à moi ?

– C'est parti pour le grand saut, acquiesça-t-elle.

Son sourire était tout à coup plus tendu.

Tandis qu'il accrochait les sangles, il lui répéta encore les consignes, d'une voix calme et posée, réconfortante.

– On a des micros, lui dit-il. Tout ce que nous nous dirons sera sur la bande-son du film.

Lorsque la porte s'ouvrit, il la sentit tressaillir.

– Vous me dites quand vous êtes prête.

– J'ai nagé nue dans le golfe du Mexique. Je peux le faire. Je peux le faire. Allons-y.

Lucas fit un signe de tête à Chuck, qui sauta le premier.

– Regardez le ciel, Emma, murmura-t-il.

Et il se projeta dans le vide avec elle.

Elle ne hurla pas mais, dès qu'elle relâcha sa respiration il l'entendit crier : « Ouh, nom de Dieu de nom de Dieu ! » et se demanda si elle ferait couper ce passage au montage.

Puis elle éclata de rire et écarta les bras comme des ailes.

– Oh, mon Dieu, oh, mon Dieu, oh, mon Dieu ! Je l'ai fait, Lucas !

Elle tremblait contre lui, de plaisir plus que de frayeur.

Le parachute se déploya et la chute vertigineuse se mua en un vol gracieux.

– C'est allé trop vite, beaucoup trop vite, mais, oh ! ah, vous aviez raison. C'est magnifique. C'est… divin.

– Prenez les commandes. Vous allez piloter.

– OK. Waouh ! Regarde Nana, Owen. Je vole ! Merci, Tyler. Coucou, Melly, coucou, Sam, coucou, Addy. Je suis dans le ciel, je flotte dans la soie bleue.

Puis elle se tut et soupira de bien-être.

– Vous aviez raison… Ce silence… C'est dingue. Vous aviez raison sur toute la ligne. Je n'oublierai jamais ce moment. Oh, les voilà ! Ils nous font coucou. Reprenez les commandes, que je puisse leur répondre.

– Vous avez une famille adorable.

– C'est vrai. Oh, mon Dieu, ouh, là, là ! La terre se rapproche.

– Faites-moi confiance, et ayez confiance en vous. Restez zen.

Ils atterrirent tout en douceur, sous les hourras des spectateurs. Lorsque Lucas détacha les harnais, Emma tira une révérence exagérée et envoya des baisers à sa famille.

Puis elle se tourna vers Lucas, le visage rayonnant, jeta les bras autour de son cou et l'embrassa sur les lèvres.

– Je l'aurais fait dans les airs, si j'avais pu. C'était fantastique. Je ne sais comment vous remercier.

– Tout le plaisir était pour moi.

En riant, elle exécuta une petite danse de triomphe.

– J'ai sauté en parachute. Mon ex-mari m'aurait traitée de cinglée, cet âne. Mais peut-être qu'il n'aurait pas eu tort parce que vous savez quoi ? Je vais recommencer !

Et elle s'élança vers sa famille, les bras grands ouverts.

– Ex-mari…, murmura Lucas, se sentant de nouveau rougir jusqu'aux oreilles.

7

La sirène restant muette, Rose s'occupait dans le hangar, à inspecter et à raccommoder les parachutes. Elle était à jour avec sa paperasse administrative, avait refait son sac à dos personnel, vérifié et revérifié sa voile, préparé son matériel de saut.

Elle était toujours du premier avion, première larguée.

– On va devenir dingues, maugréa Cards en levant les yeux de sa machine à coudre. On passe notre temps à faire du ménage et du rangement. Ma mère adorerait.

– Ça ne va pas durer.

– Croisons les doigts. J'ai joué au solitaire toute la journée, hier. Je vais finir par me mettre au tricot.

– J'aimerais bien une écharpe de la couleur de mes yeux.

– Je prends note, répliqua Cards sombrement. Au moins, j'ai téléphoné à Vicki hier soir.

– Il est loin, hein, le temps où tu sautais sur tout ce qui bouge ?

– Je suis mordu. Vicki est une perle rare. Je t'ai dit qu'elle venait le mois prochain avec ses enfants ?

– Oui.

Au moins mille ou deux mille fois, se garda d'ajouter Rose.

– J'espère que je pourrai prendre quelques jours de congé quand elle sera là. À part ça, tu n'aurais pas un bouquin à me prêter ? Gibbons n'a que des trucs super chiants. Janis m'a filé un roman d'amour, mais déjà que je n'arrête pas de penser au sexe…

Rose signa et data l'étiquette du parachute qu'elle venait de réparer.

– Rien de profond, rien d'érotique, donc. Qu'est-ce que tu aimes, comme genre de livre ?

— Les polars sanglants, où les gens meurent d'une mort lente et douloureuse entre les mains d'un psychopathe.

— Je dois avoir ça. Viens, on va aller jeter un œil à ma bibliothèque.

Dehors, le ciel s'était empli de gros nuages noirs. Ils s'arrêtèrent pour les regarder.

— Voilà qui sent la fumée, estima Rose avec un air satisfait. Avec un peu de chance, on va peut-être décoller cet aprèm'. Tu veux quand même de la lecture ?

— Ouais. Des fois, il suffit que tu t'installes avec un bon bouquin pour que ça déclenche la sirène.

— C'est le début de saison le plus mou que j'aie connu. Mais comme dirait mon père, quand ça commence tiède, ça finit brûlant. On ne devrait peut-être pas être si pressés…

— En attendant, on est payés à rien foutre. C'est tout de même malheureux.

— Sûr… Tu as vu Gull, ce matin ? demanda-t-elle d'un ton qui se voulait désinvolte.

— Il y a une heure, il était dans la salle des cartes. Il potassait.

— Potasser, beurk !

Rose n'avait aucune envie de se plonger dans les manuels théoriques. En compagnie de Gull, toutefois…

— Une histoire de meurtres horribles, donc, reprit-elle en arrivant devant le bâtiment des chambres. Qu'est-ce que tu préfères ? De la violence pure ou de la violence et du sexe ?

— Sexe, toujours.

— Tu…

Elle s'interrompit brusquement en ouvrant sa porte. Une mare de sang s'étalait sur son lit, ruisselant sur les vêtements qu'elle avait laissés en tas par terre. Le mur était barré d'une inscription en lettres sanguinolentes : BRÛLE EN ENFER !

Et Dolly se tenait au centre de ce sinistre tableau, un seau à la main, son T-shirt couvert de taches de sang.

— Espèce de garce !

Les poings en avant, Rose fondit sur elle. En reculant, Dolly perdit l'équilibre. Le contenu de son seau lui gicla à la figure. Cards saisit aussitôt Rose par les deux bras.

— Attends, calme-toi.

— Fiche-moi la paix ! vociféra-t-elle en tentant de se libérer, et elle se retourna si brutalement que son crâne heurta le nez de Cards, d'où jaillit un filet de sang.

Il poussa un cri de douleur, sans toutefois lâcher Rose. Elle lui envoya un coup de coude dans les côtes et se dégagea de son emprise.

– Tu vas le regretter ! hurla-t-elle à Dolly.

Celle-ci jeta son seau, qui éclaboussa les murs, le plafond, les meubles.

– Tu aimes le sang ? siffla Rose. On va voir si ça t'amuse de peindre avec le tien, pauvre malade !

Dolly essaya de se faufiler sous le lit. Rose lui empoigna les chevilles et la tira sur le plancher couvert de sang. Alertés par le vacarme, plusieurs de ses collègues entrèrent en courant dans la chambre et tentèrent de maîtriser Rose. Ivre de rage, elle cognait à tour de bras, sans se soucier de l'endroit où portaient ses coups. Jusqu'au moment où elle se retrouva plaquée au sol, face contre terre.

– Arrête, lui dit Gull à l'oreille.

– Lâche-moi, putain, lâche-moi ! Tu as vu ce qu'elle a fait ?

– Évidemment que je vois.

– Lâche-moi ! Elle va me le payer ! T'as entendu, pauvre tarée ? hurla Rose à Dolly, qui poussait des cris hystériques. Attends que je te chope, c'est pas du sang de cochon que t'auras sur toi, ce sera le tien ! Lâche-moi, merde !

– Calme-toi.

– Ça va, c'est bon, je suis calme.

– Pas vraiment, non.

– Elle a le sang de Jim sur elle, sanglotait Dolly tandis que Yangtree et Matt l'entraînaient hors de la chambre. Vous avez tous son sang sur les mains. J'espère que vous crèverez tous ! Je vous souhaite de brûler vivants ! Tous…

– Je crois qu'elle a perdu la foi, dit Gull. Écoute-moi, Rose. Tu m'écoutes ? Elle est partie, elle n'est plus là. Je vais te lâcher, à condition que tu me promettes de ne pas lui courir après. Tu as déjà fracassé le nez de Cards et je suis sûr que Janis va avoir un œil au beurre noir.

– Ils n'avaient qu'à pas s'en mêler.

– Si on t'avait laissée faire, tu l'aurais massacrée. Cette fille est folle à lier. Ç'aurait été dommage de te faire mettre à pied à cause d'elle.

Cet argument sembla faire mouche. Gull fit signe à Trigger et à Libby de lâcher les jambes de Rose, qui se redressa en position assise et inspira profondément. Libby alla fermer la porte de la chambre. Gull libéra les bras de Rose et s'assit en tailleur face à elle.

Couverte de sang, elle offrait une vision digne d'un film d'horreur. On aurait dit qu'elle avait été agressée à la hache.

– On se croirait dans un abattoir, dit Gull, lui-même dans un état pitoyable.

– Ce n'est pas drôle.

– Mieux vaut en rire qu'en pleurer, non ?

Elle serra le poing, il la fixa froidement.

– Si ça peut te faire du bien, vas-y, colle-le-moi dans la figure.

– Fiche le camp de ma chambre !

– Non. On va rester assis ici un moment.

Elle s'essuya le visage de l'épaule, étalant encore davantage le sang.

– Elle en a foutu partout, sur mon lit, par terre, sur les murs.

– Elle est dingue, elle est malade. Elle va se faire virer, et tout le monde à la base et à cinquante bornes à la ronde saura pourquoi. Ç'aurait pu être pire.

La furie retombée, Rose avait les larmes aux yeux, les mains tremblantes.

– Ça pue autant que si on avait égorgé un cochon, là-dedans, dit-elle.

– Tu pourras dormir dans ma chambre, ce soir.

Gull sortit un bandana de sa poche et s'en servit pour lui nettoyer un peu le visage.

– Sache toutefois que chez moi on est obligé de dormir nu, ajouta-t-il pour lui changer les idées et lui arracher un sourire.

Elle poussa un soupir las.

– Je dormirai dans la piaule de Janis, jusqu'à ce que la mienne soit remise en état.

– Comme tu veux.

Elle leva enfin les yeux vers lui. Il n'était pas aussi calme que sa voix le laissait penser. Le dégoût et la colère se lisaient sur ses traits. Étrangement, elle en éprouva une certaine satisfaction.

– C'est moi qui t'ai fendu la lèvre ?

– Oui. Ce n'est pas grave.

– Je le regretterai probablement d'ici peu, mais pour l'instant j'ai la tête complètement vide… Il faut que je me lave.

Rose s'apprêtait à se lever lorsque Michael entra dans la chambre.

– Tu veux bien nous laisser une minute, s'il te plaît, Gull ?

– Bien sûr.

Le jeune homme s'éclipsa en refermant la porte derrière lui.

Le chef balaya la pièce du regard et se passa une main sur le visage.

– Je suis désolé, Rose, tu ne sais pas à quel point.

– Tu n'y es pour rien.

– Si j'avais su, je t'assure que je ne l'aurais pas réengagée. Dolly est dans mon bureau, en ce moment, avec deux gars qui la surveillent. Elle va être licenciée pour faute grave. Et je vais appeler la police. Tu veux porter plainte ?

– Elle le mériterait, mais je ne veux pas que son bébé en pâtisse. Que je ne la revoie plus, ça me suffira.

Rose n'avait plus envie de pleurer, Dieu merci. Elle était seulement lasse, terriblement lasse.

– Tu ne la reverras plus, je te le promets. Viens, ne reste pas ici. Je vais faire nettoyer ta chambre.

– Tu as raison, j'ai besoin de prendre l'air, et une bonne douche. Après, il faudra que j'aille présenter mes excuses aux copains.

– Prends tout le temps qu'il te faudra. Et tu ne dois d'excuses à personne.

– Si, mais il faut d'abord que je me lave et que je me change.

Rose se leva, ouvrit la porte et jeta un regard derrière elle.

– Tu crois qu'elle l'aimait tant que ça ? Tu crois que c'est l'amour qui l'a poussée à ces extrémités ?

Michael regarda les lettres de sang tracées sur le mur.

– Non, l'amour n'a rien à voir là-dedans.

La sirène retentit alors qu'elle sortait de la douche. Elle s'habilla sans prendre la peine de se sécher.

Les neuf autres pompiers de garde étaient déjà dans la salle d'embarquement. Tout en s'équipant, elle écouta le rapport. La foudre était tombée sur le mont Morrell. Cards et elle ne s'étaient pas trompés, le matin, en observant les nuages. La tour de guet avait repéré la fumée vers 11 heures, à peu près au moment où Rose avait trouvé Dolly dans sa chambre.

Jusqu'à midi, le chef du service sécurité incendie avait hésité entre alerter les paras ou laisser le feu jouer son rôle naturel, éliminer la couverture d'arbres morts et de déchets de la forêt. L'orage menaçait cependant de durer, et la sécheresse était exceptionnelle pour la saison. Il avait donc préféré ne pas prendre de risques.

– Prêt, Gull ? lança Rose en glissant sa corde de descente dans sa poche.

– À partir au feu ou à faire des trucs torrides avec toi ?

– Tu ferais mieux de laisser tes rêves au placard. Ce n'est pas un saut d'instruction, cette fois.

Et elle se dirigea vers l'avion, son casque sous le bras.

– OK, messieurs-dames, dit-elle lorsque tout le monde eut pris place à bord. C'est moi qui commande les opérations, aujourd'hui. Certains d'entre vous vont sauter au feu pour la première fois. Méthode, concentration, et tout se passera bien. N'oubliez pas : si vous ne pouvez pas éviter les arbres…

– Visez les plus petits, termina l'équipe en chœur.

Quand ils eurent décollé, elle s'assit près de Cards.

– Heureusement, ton nez ne t'a pas empêché de partir.

Il se le pinça et le remua de droite et de gauche.

– Je t'en aurais voulu. Je te l'avais dit, Swede, cette fille est complètement cinglée.

– Encore plus que je ne le pensais, ouais, mais on n'en entendra plus parler, répondit-elle en prenant la note qu'on lui tendait depuis le cockpit. Ils vont d'abord larguer du retardant avant qu'on saute. L'hiver a été rude dans la région. Il y a pas mal d'arbres morts qui alimentent l'incendie. Il se propage rapidement.

– Comme d'hab'.

Rose déplia une carte géographique et étudia le secteur, tout en jetant régulièrement des coups d'œil par le hublot. Une tour de fumée se dressait dans le ciel et obscurcissait la crête de la montagne. À travers les arbres en feu, Rose aperçut la rivière qu'elle avait repérée sur la carte. La longueur de tuyau qu'ils avaient à bord serait en principe suffisante pour puiser à cette source.

L'avion tanguait et vibrait dans les turbulences. Rassemblés autour des vitres, les pompiers guettaient le largage du retardant. À la tête de l'incendie, les flammes s'élevaient à une bonne dizaine de mètres de hauteur.

Rose changea de place pour s'entretenir avec Michael, qui les accompagnait en tant que largueur.

– Tu vois cette clairière ? cria-t-il. Ce sera notre zone d'atterrissage. Un peu trop près du flanc droit, mais c'est la seule possibilité.

– Au moins, on n'aura pas à trop marcher.

– Le vent attise le brasier. Tu feras gaffe aux rémanents, juste à l'est de la zone.

– Évidemment.

Ensemble, ils regardèrent l'avion-citerne déverser sa cargaison sur la tête de l'incendie. Le nuage rouge rappela à Rose sa chambre souillée de sang. Mais ce n'était pas le moment de ruminer.

– Ça va un peu l'assommer, dit Michael lorsque le bombardier s'éloigna. Tu es prête ?

– Prête.

Il exerça une pression sur son bras avant d'aller ouvrir la porte. Le tumulte s'engouffra dans la carlingue.

De son siège, Gull observait Rose. À peine une heure plus tôt, elle était en furie, le visage maculé de sang, les poings vengeurs et aveugles. Le calme était à présent revenu dans ses magnifiques yeux bleus. Les premiers sikis claquèrent dans le vent.

Il se retourna vers le hublot pour jauger l'ennemi. Quand il était forestier, il se rendait sur les lieux d'intervention en fourgon. La Boîte, comme ses collègues l'avaient surnommé, devenait chaque été leur deuxième maison.

Aujourd'hui, il allait sauter d'un avion.

Différentes méthodes, même but : combattre le feu.

Au sol, il connaissait son boulot. Dans l'immédiat, toutefois, il s'agissait d'arriver sur place. Il observa la deuxième série de banderoles, essayant d'évaluer lui-même la dérive. À voir l'avion ainsi secoué, il était clair que le vent ne jouerait pas en faveur des chuteurs.

Au signal du chef, le pilote monta à la hauteur de saut. Rose attacha son casque et fixa sa visière de protection. Cards, son coéquipier, se plaça en position derrière elle. Le cœur de Gull se mit à battre la chamade.

Il s'efforça néanmoins de ne rien laisser paraître de ses émotions. Rose lui jeta un bref coup d'œil avant de s'asseoir à la porte. Quelques secondes plus tard, elle sauta. Gull se pencha vers le hublot pour la regarder chuter, suivie de Cards. Leurs voiles se déployèrent et ils disparurent dans la fumée.

Tandis que les deux suivants se mettaient en place, il attacha son casque et fit le vide dans son esprit. Il avait tous les atouts en main : l'équipement, l'entraînement, la technique. Et quelques milliers de pieds plus bas l'attendait ce qu'il voulait : la femme de ses rêves et le feu.

Il s'avança vers la porte. Le vent lui fouetta le visage.

– Tu vois la zone d'atterrissage ?

– Affirmatif.

– Le vent va te déporter vers l'est. Ne te laisse pas faire. Tu vois cet éclair ?

Dans une lueur éblouissante, une décharge électrique déchirait la masse nuageuse.

– Difficile de ne pas le voir.

– Ne va pas te foutre dedans.

– Je tâcherai d'éviter.

– Tu es prêt ?

– Prêt.

– En position.

Le regard sur l'horizon, Gull s'assit au bord de l'appareil, les jambes dans le vent. La chaleur de l'incendie irradiait son visage, l'air était chargé de l'odeur âcre de la fumée.

– *Go !*

Gull plongea dans le vide. À plus de 150 kilomètres-heure, le monde tournoya autour de lui, sens dessus dessous, terre, ciel, feu, fumée, kaléidoscope de vert, bleu, rouge et noir, dans un vacarme assourdissant.

Fétu de paille dans les rafales, il lutta de toutes ses forces, de toute sa volonté, pour se stabiliser à l'horizontale.

Le cœur battant à se rompre, à la fois de plaisir et de peur, il aperçut Trigger, son partenaire, se propulsant dans l'immensité. Un éclair zébra le ciel, dégageant de l'ozone dans l'atmosphère.

Freiné par l'ouverture de sa voile, il renversa la tête en arrière. En la voyant se déployer telle une fleur, il ne put s'empêcher de pousser un cri de triomphe. Trigger lui répondit par un éclat de rire. Il agrippa les commandes.

Le combat fut ardu pour se tourner face au vent, mais il releva le défi avec brio. Malgré la fumée suffocante, il souriait béatement. Sans jamais perdre de vue les murs de flammes, la ligne des arbres et l'amas de rémanents, il manœuvra en direction de la zone d'atterrissage.

Un instant, il crut que le vent allait reprendre le dessus et imagina la perte de temps, l'embarras et la honte s'il tombait dans les grumes et les branches mortes abandonnées par les exploitants après les coupes. Pour son premier saut.

– Nooon ! hurla-t-il en tirant puissamment sur les suspentes.

Il entendit de nouveau le rire de Trigger et, quelques secondes avant d'atterrir, il réussit à virer vers l'ouest. Ses pieds frappèrent le sol à l'extrême limite de la zone de saut. La vitesse faillit le faire basculer dans les rémanents, mais d'un salto arrière, certes peu élégant, il parvint à se rétablir dans l'herbe de la clairière.

Il lui fallut un instant pour retrouver sa respiration et réaliser qu'il était toujours entier.

– Bien joué ! le félicita Cards, un pouce levé, tandis qu'il rassemblait son parachute. Finie la rigolade, maintenant. Au boulot ! Rose forme les équipes. On va creuser une tranchée le long de ce flanc, là, dit-il en indiquant du bras le mur de flammes ronflant, avec Trigger,

Elfe, Gibbons et Southern. Un autre groupe attaquera la tête à la lance. Le retardant l'avait un peu affaiblie, mais avec le vent elle a déjà repris du poil de la bête, et l'orage n'a pas l'air de vouloir se calmer. Et merde, Southern s'est vautré dans les rémanents, et Gibbons est accroché dans les arbres. Viens, on va les dépêtrer.

Gull se précipita à la rescousse de Southern.

– Ça va ? Tu n'as pas de mal ?

– Non, juste un peu sonné. Et j'ai déchiré ma voile.

– Ç'aurait pu être pire. Ç'aurait pu être moi. On est sur le pare-feu.

Il enjamba les grumes et aida son camarade à plier son parachute. Puis, après avoir rangé leurs combinaisons de saut, ils rejoignirent Cards et Gibbons.

– C'est bon, Tarzan est descendu de son arbre. Allez, les gars, pas de temps à perdre !

Avec plusieurs dizaines de kilos de matériel sur le dos, Gull et son groupe se rendirent au poste qui leur avait été assigné et se répartirent le long de la ligne à creuser, à quelques pas des langues de feu. Le bruit des pioches et des scies ne tarda pas à s'élever.

Gull considérait le pare-feu comme un mur invisible, une sorte de champ magnétique qui empêcherait les flammes de se propager. La sueur dessinait des rigoles sur son visage noirci par la suie.

« Un travail héroïque, mais un travail de bourrin », répondait-il quand on l'interrogeait sur son métier.

À deux reprises, le feu essaya de sauter par-dessus la ligne, allumant des foyers que les pompiers devaient se hâter d'étouffer. L'air crépitait d'étincelles pareilles à des lucioles meurtrières. Mais ils avaient circonscrit le flanc. De temps à autre, à travers les cendres et la fumée, Gull entrevoyait un rayon de soleil.

De minces lueurs d'espoir qui disparaissaient sitôt apparues. Le long de la tranchée, les pompiers se transmirent le mot : l'autre groupe avait dû battre en retraite et attendait des renforts.

Après plus de six heures de combat acharné, Gull et son équipe gravirent le flanc de la montagne, une étendue calcinée où l'ennemi, avant d'être vaincu sur ce front, n'avait laissé que des ruines fumantes. Les lueurs rougeoyantes du couchant qui parvenaient à filtrer au travers des fumerolles ne faisaient que souligner la désolation.

En boitillant, Southern rattrapa Gull.

– Ça va ? lui demanda celui-ci.

– Ça irait mieux si je n'avais pas atterri dans ce tas de branches, répondit-il avec l'accent traînant de sa Géorgie natale, qui lui avait valu son surnom. Je croyais connaître les feux de forêt. J'en ai éteint pendant deux étés avant de postuler chez les Zulies. Ça change tout, quand tu sautes en parachute.

De son sac à dos, Gull sortit une barre chocolatée ramollie par la chaleur et la partagea en deux.

– Un Mars et ça repart, chantonna-t-il.

Rose émergea d'un nuage de fumée et vint à leur rencontre.

– Saloperie d'orage sec ! pesta-t-elle en dévissant le bouchon d'une bouteille d'eau. On avait presque éteint la tête… Et paf ! Un triple éclair… Du coup, on a un feu de cimes, maintenant, qui se propage vers le nord, et la tête se réactive. Il faut à tout prix qu'on empêche les deux fronts de se rejoindre. Mais d'abord, on attend un autre largage de retardant. Restez ici, pour l'instant. La base nous envoie des hommes. Ils s'occuperont des flancs et de la queue, ils ne devraient pas tarder. On a aussi un bulldozer qui déblaie les arbres morts.

Elle scruta les visages.

– Vous avez cinq petites minutes avant que le bombardier balance la sauce, ajouta-t-elle. Profitez-en pour manger un morceau et boire un coup, c'est le moment ou jamais.

Là-dessus, elle partit s'entretenir avec Cards. Gull attendit qu'ils en aient terminé, puis il la rejoignit. Avant qu'il ait pu ouvrir la bouche, elle l'informa.

– Le vent a changé de direction, on a quinze mètres de tuyau qui ont fondu, c'est la cata.

– Personne de blessé ?

– Non. Ne compte pas dormir dans des draps frais, ce soir. On va dresser le camp, on est là au moins jusqu'à demain. Ah, voilà l'avion-citerne, dit-elle en levant les yeux vers le ciel.

– Je ne le vois pas.

– Pas encore, mais on l'entend.

Il ferma les yeux, inclina la tête.

– Pas moi… Tu dois avoir l'ouïe de Super Jamie. Ah si, ça y est, je l'entends.

Rose sortit sa radio et établit le contact avec le pilote, puis avec l'équipe en position sur la crête.

Sitôt qu'elle eut coupé la communication, la pluie rose se répandit hors de l'avion, irisée par les derniers rayons du soleil.

– Abritez-vous ! cria-t-elle avant de disparaître elle-même dans la fumée.

La nuit était tombée depuis longtemps et ils luttaient toujours, sans répit. Les corps parés à toute épreuve commençaient à faiblir. Mais le moral restait inflexible. De temps à autre, Gull apercevait Rose, maniant la hache ou la tronçonneuse, s'écartant parfois de la ligne pour coordonner les équipes et faire le bilan avec la base.

Vers 1 heure du matin, plus de douze heures après que les pompiers eurent atterri dans la clairière, le feu commença à mollir. La partie n'était pas gagnée pour autant.

Ils travaillèrent pendant encore une heure, jusqu'à ce que le mot circule : ils allaient bivouaquer à quelque cinq cents mètres du flanc droit de l'incendie.

– Alors, cette première journée de turbin, bleu ?

Gull se tourna vers Cards, qui gravissait péniblement un raidillon à ses côtés.

– Je crois que je vais demander une augmentation.

– Un sandwich au jambon, et je serai le plus heureux des hommes.

Ceux qui étaient déjà arrivés au camp montaient les tentes ou bien, assis par terre, dévoraient des rations instantanées.

Rose étudiait une carte étalée sur un rocher, près du feu de camp, en croquant une pomme. Elle avait enlevé son casque. Ses cheveux paraissaient presque blancs à côté de son visage noir de suie. Elle restait néanmoins superbe, d'une beauté à donner le frisson.

Gull posa son matériel, étira son dos et ses épaules perclus de contractures. Puis il installa sa tente, avec un petit pincement de nostalgie à la pensée de la Boîte. Il s'assit ensuite avec les autres autour du feu de camp et mangea comme un ogre.

On leur avait parachuté des outils, des lances, des repas lyophilisés, des bouteilles d'eau minérale et – béni soit celle ou celui qui avait eu cette merveilleuse idée ! – un carton de pommes et un autre de barres chocolatées.

Il engloutit sa ration, deux pommes, une barre chocolatée, puis en glissa une dans son sac à dos. La vague nausée qu'il avait éprouvée durant la marche jusqu'au camp lui passa sitôt qu'il fut rassasié. Il se leva et tapa sur l'épaule de Rose.

– Je peux te parler une minute ?

Elle se redressa sans vraiment lui prêter attention, visiblement préoccupée, et le suivit dans l'ombre, à quelques pas du feu de camp.

– Qu'est-ce que tu veux ? J'ai encore du boulot, moi. On va…

Il l'attira contre lui et l'embrassa à pleine bouche, tout à coup débordant d'énergie, oubliant ses muscles endoloris, happé par une vague de désir. Elle lui rendit son baiser avec la même fougue, la même avidité, cramponnée à ses hanches, à ses cheveux, pressant son corps de déesse contre le sien. La plus belle récompense après cette dure journée de labeur.

Il s'écarta enfin d'elle et observa son visage, les mains sur ses épaules.

– C'est tout ce que tu avais à me dire ? demanda-t-elle.

– Loin de là, mais la suite de la conversation exigerait un peu plus d'intimité. De toute façon, ça devrait te suffire pour ce soir.

– Me suffire ? répliqua-t-elle avec une lueur malicieuse dans les yeux.

– Le commandant des opérations travaille plus dur que les autres. Je voulais juste t'offrir un petit extra avant que tu ailles te coucher.

– Que d'égards…

– C'est normal. Bonne nuit, chef.

Il déposa un baiser sur son front noir de suie.

– Tu es un mystère, Gulliver.

– Peut-être, mais pas si dur à percer. À demain matin.

Sous sa tente, il eut tout juste la force d'enlever ses bottes avant de sombrer comme une masse, le sourire aux lèvres.

8

Réveillée juste avant 5 heures du matin par son horloge interne, Rose garda un moment les yeux fermés. Elle avait mal partout, et une faim dévorante. Rien de grave ni d'exceptionnel. Elle sortit de son sac de couchage et, dans le noir, étira ses muscles engourdis, en rêvant d'une douche chaude, d'un Coca glacé et d'une omelette jambon-fromage-champignons comme Marg en avait le secret.

Puis elle sortit de sa tente affronter la réalité.

Le camp était endormi. *Il peut le rester encore une heure*, calcula-t-elle. À l'ouest, l'incendie teintait le ciel de lueurs pourpres, affûtant ses armes pour la bataille à venir.

D'ici peu, les soldats du feu lanceraient l'offensive.

Rose se rinça la bouche d'une gorgée d'eau qu'elle recracha puis, à la lumière du feu de camp, elle mangea une ration accompagnée d'un café instantané. Infect, mais elle en avait besoin pour réexaminer ses cartes. Le calme ne durerait pas, elle le mit à profit pour peaufiner sa stratégie, former ses équipes et trier les outils.

Elle appela la base, qui lui communiqua un rapport de situation et un bulletin météo. Elle prit note de toutes ces données et crayonna un plan des opérations.

Lorsque le jour se leva, elle avait préparé son matériel, son sac personnel, avalé une autre ration et une pomme. Pleine d'énergie, sur le pied de guerre, elle savoura ses derniers instants de solitude.

Autour du camp, la forêt s'éveillait. Telle une image de conte de fées, un petit troupeau d'élans se promenait dans les brumes matinales. À l'est, le soleil levant nimbait la barre rocheuse d'un doux halo mordoré. Ses rayons scintillaient dans les arbres et chatoyaient sur la vallée verte en contrebas. Les oiseaux commencèrent à chanter. Un faucon planait dans le ciel, déjà en chasse.

Un spectacle qui valait tous les risques et toute la pénibilité du métier. Il n'y avait rien de plus magique, de plus intensément réel, qu'une forêt à l'aube. Rose était prête à aller au bout de ses forces pour la protéger.

Elle adressa un sourire à Cards, qui émergeait de sa tente. Un ours qui aurait hiberné dans la suie. Les cheveux dressés sur la tête, les yeux vitreux de fatigue, il la salua d'un grognement en s'éloignant pour aller soulager sa vessie.

Le camp commençait à s'animer. Tous plus bougons les uns que les autres, les pompiers se rassemblaient autour du petit déjeuner. Gull semblait en forme, nota Rose. Il lui fit un clin d'œil avant de disparaître entre les arbres.

– Le vent est déjà fort, constata Cards en s'installant près d'elle avec un café.

– Ouais, acquiesça-t-elle, le regard sur les colonnes de fumée qui se dressaient dans le ciel, où les flammes orangées se découpaient à présent nettement dans le rouge.

Le dragon se réveillait, lui aussi.

– Les dieux de la météo ne seront pas avec nous aujourd'hui, ajouta-t-elle. Vent variable, 29 à 38 kilomètres-heure, conditions toujours aussi sèches avec des températures culminant à 26,5 °C. Le feu va s'en donner à cœur joie.

Rose déplia les plans qu'elle avait tracés.

– On a circonscrit ce flanc, mais on a perdu l'accès à la source d'eau. L'incendie s'est propagé par les cimes dans cette direction. Les forestiers l'avaient canalisé jusque-là, mais vers minuit il s'est retourné contre eux ; ils ont été obligés de se replier dans cette zone.

– Des blessés ?

– Des brûlures superficielles, des bleus et des bosses, répondit-elle en jetant un coup d'œil par-dessus son épaule lorsque Gull repassa derrière elle. Personne n'a été évacué. Ils ont campé ici, dit-elle en dépliant une carte. Je pense qu'on va arroser la tête à partir de là, et établir un pare-feu le long de ce secteur, qui croisera celui des forestiers à ce niveau. Le terrain est abrupt, mais de cette manière on devrait pouvoir éteindre la queue, bloquer le flanc gauche, rejoindre l'équipe des lances à la tête et le décapiter.

– Il faut qu'on renforce cette ligne, dit Gibbons en tapotant la carte. Si le feu la franchit, il risque de remonter par l'arrière et d'encercler les gars qui se trouvent là.

– Je suis allée faire un tour de reconnaissance, hier. On a quelques zones de repli. Et on va nous envoyer des renforts ce matin. On sera une quarantaine. Il me faut dix hommes aux lances. Tu les dirigeras, Gib. Les lances, c'est ta partie. Choisis les neuf que tu veux avec toi.

– Bien, acquiesça-t-il. On dirait que les vacances sont finies.

– Je fais quoi, moi ? demanda Gull à Rose lorsque Gibbons partit rassembler son équipe.

– Tu tronçonneras sur le pare-feu avec le groupe de Yangtree. Si jamais la ligne cède, tu prends tes jambes à ton cou et tu montes jusque là-bas, dit-elle en lui indiquant l'une des zones de repli sur la carte et en le regardant droit dans les yeux. Compris ?

– Elle ne cédera pas, je te parie une bouteille de tequila.

– Je ne souhaite que ça. Va chercher ton matériel.

Là-dessus, elle s'approcha du feu de camp et lança d'une voix forte :

– Allez, les gars, au boulot !

Elle profita du passage d'un bulldozer pour se faire véhiculer sur une partie du chemin puis continua à pied, dans la rocaille et la broussaille, afin d'aller voir où en étaient les forestiers.

– Rose Tripp, se présenta-t-elle à un grand gaillard dans le vacarme des scies et le grondement du feu. On va établir un pare-feu qui rejoindra le vôtre vers 13 heures, je pense.

Ils se trouvaient tellement près des flammes que la chaleur lui cuisait la peau. Elle jeta un coup d'œil à la ronde. Comme elle le soupçonnait, les forestiers avaient minimisé leurs blessures. Elle fit signe à l'un d'eux, qui maniait un pulaski, le visage couvert de sueur, les sourcils brûlés, le front craquelé, à vif et boursouflé.

– On dirait que tu l'as échappé belle.

– Je te dis pas la trouille que j'ai eue ! Le vent a tourné d'un coup et le feu nous a bondi dessus avec ce rire démoniaque, tu vois ce que je veux dire ?

– Tout à fait, un bruit à te glacer la moelle.

– On a tout juste eu le temps de se carapater. On n'y voyait que dalle dans la fumée. Je te jure qu'il nous courait après comme s'il voulait jouer au loup. J'ai senti que mes cheveux cramaient à l'odeur. J'ai bien cru qu'on n'arriverait pas à la zone de repli.

– Vous tenez le bon bout, maintenant.

– Les gars bosseront jusqu'à ce qu'ils s'écroulent, mais tant qu'on n'aura pas éteint la tête, il faut s'attendre à ce qu'elle nous joue encore quelques sales tours.

– On est en train de l'arroser. Je vais aller voir si le chef d'équipe a besoin de retardant.

Rose se tourna face au mur de feu. Les cendres tourbillonnaient autour d'elle comme des flocons de neige.

– On l'a sous-estimé, ajouta-t-elle, mais on va se rattraper. Mon équipe devrait rejoindre la tienne vers 13 heures.

– Reste zen, lui lança-t-il tandis qu'elle s'éloignait.

Elle rebroussa chemin, retenant son souffle jusqu'à ce que l'air redevienne plus respirable. Sans s'arrêter, elle communiqua par radio avec les autres équipes, la base et le coordinateur. Après avoir enjambé un petit ruisseau, elle bifurqua vers l'ouest. Après un rapide bilan avec Yangtree, elle se mit au travail sur la ligne. D'ici à une heure, elle remonterait faire le point avec les autres.

– Belle journée, hein ? lui lança Gull tandis qu'ils débitaient un arbre abattu.

Elle leva les yeux. À travers les rares fenêtres s'ouvrant dans la fumée, le ciel était d'un bleu radieux.

– Magnifique !

– Le temps idéal pour un pique-nique.

– Un pique-nique au champagne, ça te va ? J'ai toujours rêvé de faire un pique-nique au champagne.

– Dommage que je n'en aie pas apporté une bouteille.

Elle s'arrêta pour se désaltérer et s'essuyer le visage.

– On va se le faire, je le sens.

– Le pique-nique ?

– L'incendie, dans l'immédiat. Tu as le coup de main avec la tronçonneuse. Continue !

Et elle partit s'entretenir avec Yangtree au-dessus des cartes puis déchira d'un coup de dents l'emballage d'un cookie. Elle remonta jusqu'au pare-feu des forestiers et consulta sa montre. Midi pile. En cinq heures, ils avaient bien avancé.

Les jambes en compote, elle se rendit ensuite auprès de l'équipe des lances. Des arcs d'eau jaillissaient sur le brasier. Épuisée, Rose prit quelques secondes pour récupérer, les mains en appui sur ses cuisses douloureuses. Elle ignorait combien de kilomètres elle avait parcourus depuis le début de la journée, mais elle en avait plein les bottes.

Puis elle se redressa et s'approcha de Gibbons.

– La tranchée de Yangtree progresse pas mal. Il devrait rejoindre les forestiers d'ici une petite heure. Le feu s'est ravivé à la queue, mais on l'a maîtrisé de ce côté-là. L'Idaho est en alerte, si jamais tu as besoin de plus de lances.

– C'est bon, on va se débrouiller. On va lui noyer la tête. Dès que les lignes convergeront, ce sera dans la poche.

– J'ai envie d'allumer un contre-feu par là, dit Rose en sortant sa carte. Ça enrayera la progression du foyer principal, ça le privera de combustible.

– Pas bête.

En revenant sur ses pas, Rose croqua une barre énergétique et but abondamment. Dans la forêt, rien ne bougeait. Elle emprunta un sentier où les arbres étaient encore debout – des arbres qu'ils avaient réussi à sauver – et où les fleurs sauvages pointaient le nez vers le ciel enfumé. Les oiseaux s'étaient enfuis – rien ne troublait le silence. Hormis le grondement du feu.

La plupart de ses camarades étaient trop fatigués pour bavarder. De toute façon, comme ils devaient faire vite, ils n'avaient pas de souffle à gaspiller.

L'eau avalée s'évacuait en sueur, et les calories absorbées, trop vite consumées, laissaient au ventre une faim constante et tiraillante. Gull savait, par ses années d'expérience chez les forestiers, que la seule solution était d'en faire abstraction, de ne penser qu'au feu et à son extinction.

– On va balancer des fusées, lui dit Gibbons d'une voix enrouée à force de crier et de respirer la fumée. On va l'acculer jusqu'à ce qu'il se bouffe tout seul.

Gull jeta un regard en direction de la queue. Leur pare-feu tenait, l'intersection avec celui des forestiers isolait le flanc de la tête, du moins pour l'instant. Des foyers s'allumaient encore ici et là, mais sur ce front l'incendie s'épuisait.

En dépit de la fatigue, il était content que Yangtree l'ait envoyé contrôler le contre-feu. Avec son équipe, il chargea ses outils sur son dos et quitta la ligne.

Le ronflement d'un bulldozer se fit entendre et l'engin surgit bientôt de la fumée, déblayant les branchages et les petits arbres. Rose sauta du bulldozer et s'adressa à ses troupes.

– On a des lances, dit-elle en désignant la cargaison qu'elle s'était fait parachuter. On pompera l'eau à ce ruisseau. Je veux que le contre-feu arrive jusque-là, de façon que l'incendie s'éteigne de lui-même en reculant. Faites attention aux foyers, il en sort de partout.

Elle se tourna vers Gull.

– Tu manies la lance comme tu manies la tronçonneuse ?

– Je suis réputé pour.

– Toi, Matt et Cards, vous arroserez. Tous les autres, allez vous placer sur le tas de branches mortes, là-bas.

Une femme de tête, se dit Gull. Elle lui plaisait de plus en plus.

– On l'allumera à mon signal, dit-elle à Cards en lui offrant l'un de ses biscuits au beurre de cacahuète. Tu t'es fait mal ?

– Rien de grave. Je me suis emmêlé les pinceaux.

– C'est moi qui lui ai fait un croche-patte, intervint Matt.

– On courait dans tous les sens. C'était de la folie, tout à l'heure, sur la ligne.

– On commence à y voir un peu plus clair, maintenant, les informa Rose. Arrosez tout ce qui se trouve sur le passage du bulldozer.

Manier une lance à incendie réclame de la force, de la stabilité et de la sueur. Dix minutes plus tard, après plusieurs heures passées à tronçonner, Gull cessa d'avoir mal aux bras : il ne les sentait plus. Dans la cacophonie des pompes, des scies et des moteurs, il entendit Rose crier l'ordre d'allumer le contre-feu.

– C'est parti !

Il regarda les fusées s'embraser et exploser.

Aucun effet spécial ne parviendrait jamais à recréer ce spectacle, pensa-t-il, tandis que les flammes s'élançaient à l'assaut de la forêt avec des rugissements.

– Il n'avancera pas d'un pas de plus !

Dans la voix de Rose, il percevait ce que lui-même ressentait : émerveillement, détermination, et une nouvelle énergie parcourant ses veines telle une drogue.

Des cris de guerre retentirent. Tous étaient sous l'influence de cette même euphorie. Dans une chaleur infernale, la vapeur montait du sol et se mêlait à la fumée tandis que le contre-feu progressait. Des tisons volaient et mouraient en retombant sur la terre boueuse.

La victoire était proche.

Une heure plus tard, en effet, l'incendie commença à donner de sérieux signes de défaite. Rose courut jusqu'à la ligne des lances.

– Il s'épuise. La tête est éteinte et sous contrôle, les flancs faiblissent. Achevez-le. Il est comme mort.

À la tombée de la nuit, elle pouvait à peine parler.

La pulsation des lances cessa, et Gull laissa mollement retomber ses bras endoloris le long de son corps. Un reste de sandwich traînait au fond de son sac. Il n'y toucha pas, bien que sa vue ait réveillé la faim qui lui tenaillait cruellement l'estomac.

Au bord du ruisseau, il enleva son casque, le plongea dans le courant puis se le renversa sur sa tête. Cette douche froide lui procura une sensation presque aussi intense qu'un orgasme.

– Bon boulot.

En jetant un coup d'œil à Rose, il remplit de nouveau son casque. Elle enleva le sien, pencha la tête en arrière et ferma les yeux. Doucement, il fit couler de l'eau fraîche sur son visage.

– Oh oui, murmura-t-elle, puis elle rouvrit ses yeux d'un bleu cristallin. Tu te débrouilles plutôt bien pour un bleu, dit-elle en riant.

– Tu te débrouilles plutôt bien pour une fille, répliqua-t-il en la dévisageant avec un sourire avide.

Elle secoua la tête.

– Non, tu es trop sale pour que je t'embrasse. Par-dessus le marché, je suis toujours chef des opérations. OK, les amis ! cria-t-elle, la main en porte-voix, nettoyage de la zone, maintenant.

Ils arrachèrent des racines, écrasèrent des braises, étouffèrent des foyers qui couvaient sous les branches. Et, lorsque la phase finale de l'extinction fut achevée, ils remballèrent. Tous dormaient debout. Personne ne décrocha un mot durant le bref vol de retour à la base. La plupart somnolèrent.

Trente-huit heures après l'appel de la sirène, Gull se traîna jusqu'au hangar et y déposa son équipement. Dans sa chambre, il se déshabilla et s'écroula sur son lit sans même se laver.

Sur le lit de camp de son bureau, où il restait en général dormir lorsque Rose était en intervention, Lucas entendit l'avion des pompiers partir. Puis revenir. Mais il ne se détendit pas pour autant avant de recevoir un texto.

C'ÉTAIT VIOLENT MAIS ON L'A EU. TOUT VA BIEN. BIZ. ROSE.

Il éteignit son téléphone et trouva enfin un sommeil paisible.

Le lendemain matin, Lucas sauta avec un groupe de huit, posa pour les photos, dédicaça des brochures et prit le temps de discuter avec deux de ses clients qui souhaitaient prendre des cours d'initiation au parachutisme.

Lorsqu'il les accompagna au bureau de Marcie afin de prendre leurs inscriptions, son cœur fit un bond. Emma Frazier était là, avec sa chevelure flamboyante et ses yeux vert forêt, son sourire et ses fossettes.

– Bonjour, Lucas.

– Euh… bonjour, Emma, bredouilla-t-il. Marcie va regarder avec vous quand vous pouvez commencer, dit-il à ses futurs élèves.

– J'ai fait mon premier saut en tandem il y a quelques jours, leur dit Emma. Fantastique ! Vous auriez deux minutes ? demanda-t-elle à Lucas.

– Bien sûr, bien sûr. Mon bureau…

– On pourrait peut-être aller dehors ? Marcie m'a dit que vous aviez encore deux tandems. Ça me ferait plaisir de regarder.

– OK.

Il lui tint la porte, ne sachant que faire de ses mains. Dans les poches ? Les bras ballants ? Il regrettait de ne pas avoir un dossier, quelque chose qui lui aurait donné une contenance.

– Je sais que vous avez beaucoup de travail aujourd'hui. J'aurais dû vous téléphoner.

– Pas de problème.

– Comment va votre fille ? J'ai entendu à la télé qu'il y avait eu un feu de forêt.

– De retour à la base. Saine et sauve. Je vous ai parlé de Rose ?

– Pas vraiment, répondit Emma en ramenant une mèche derrière son oreille. Je vous ai « googlé ». Je ne suis pas folle au point de me jeter d'un avion accrochée à un total inconnu.

Raisonnable, pensa-t-il. Il n'avait pas à craindre d'entourloupe de sa part. De surcroît, elle était grand-mère. Et elle travaillait dans l'éducation. Il parvint à se décrisper un tant soit peu.

– Votre expérience et votre réputation m'ont convaincue. J'aimerais vous inviter à prendre un verre, Lucas.

Il se figea de nouveau.

– Pardon ?

– Pour vous remercier de ce moment formidable, et de m'avoir donné la chance de frimer devant mes petits-enfants.

– Ce n'est pas la peine. Je veux dire…

Il se sentit rougir comme une pivoine.

– Je vous prends au dépourvu. Et vous devez croire que je vous drague, comme sans doute la plupart des femmes que vous rencontrez.

– Non, elles… Vous…

– Je ne vous drague pas, affirma Emma avec un grand sourire. Mais je vous avoue que je ne suis pas complètement désintéressée. J'ai un projet dont je voudrais vous toucher quelques mots. Si vous avez une épouse, elle est invitée aussi, bien entendu.

– Non, je… je n'en ai pas.

– Vous êtes libre ce soir ? On pourrait se retrouver vers 19 heures à l'Open Range. Je vous parlerai de mon projet, et vous des cours de parachutisme.

Il n'était pas rare que Lucas aille prendre un verre avec ses clients et ses élèves, histoire de discuter dans une ambiance conviviale. Pourquoi pas avec elle ?

– Je n'ai rien de prévu.

– Rendez-vous à 19 heures, alors ? Merci beaucoup.

Sur ce, elle lui serra la main énergiquement, et il la regarda s'éloigner, si belle, si fougueuse…

9

Rose garda un moment les yeux fermés et procéda à son check-up matinal. Elle avait l'impression d'être une vieillarde en grève de la faim. Elle ressortait néanmoins de cette intervention indemne, son équipe aussi, avec la satisfaction d'avoir mené sa mission à bien.

En plus, découvrit-elle en parcourant sa chambre du regard, pendant ces deux jours où elle était au feu, des lutins avaient non seulement fait le ménage, mais aussi repeint les murs. Si elle parvenait à se tirer hors du lit, elle remercierait les lutins.

Des crampes lui nouèrent les mollets et les cuisses lorsqu'elle trouva le courage de se lever. Elle pouvait à peine remuer les bras. Manger et bouger, voilà ce qu'il lui fallait. Que diable faisait Gull au lieu de lui apporter le sandwich que son corps réclamait à grands cris ? Elle se contenta d'une barre chocolatée, s'habilla, puis gagna la salle de gym, bien qu'elle parvînt tout juste à mettre un pied devant l'autre.

Elle n'était pas la seule à être mal en point.

Elle salua d'un grognement Gibbons, qui lui répondit dans le même langage. Trigger grimaçait en faisant des étirements au sol. Elle observa un instant Dobie, sur le banc de musculation. *Petit mais costaud*, jugea-t-elle. Il soulevait au moins son poids.

– Je serai de garde demain, lui dit-il en repoussant sa barre avec une expiration explosive. Je me sens frais comme un gardon. Je vous enviais avant-hier, mais aujourd'hui, qui c'est le plus en forme ? C'est moi !

Elle lui adressa un doigt d'honneur et, en gémissant, se mit en posture de flexion avant. Elle garda la position le plus longtemps possible puis, les mains au sol, le dos arqué, elle leva les yeux.

Le cocard de Dobie avait viré au jaune. Le visage rougi par l'effort, il ressemblait à un brûlé atteint d'une maladie hépatique. Il s'était rasé. Sans sa barbe hirsute, il avait un peu moins l'air d'un homme des bois.

– Quelqu'un a nettoyé et repeint ma chambre.

– Ouais, haleta-t-il en reposant sa barre sur son support. Stovic et moi. On avait du temps à tuer.

Rose se redressa.

– C'est vous qui avez tout fait ?

– Pratiquement. Marg et Lynn ont lavé tes fringues. Elles ont réussi à enlever les taches de sang avec du sel. Un vieux truc de ma mère.

– Ah oui ?

– Malheureusement, pour les murs, il n'y avait pas d'autre solution que de les repeindre. Remarque, ça nous a occupés. Sinon, on aurait pété les plombs, à tourner en rond pendant que tout le monde était parti s'amuser. On aurait dit qu'on avait égorgé un cochon dans ta piaule. Une infection… Cette fille est complètement à la masse.

Rose s'approcha du banc de musculation, se pencha au-dessus de Dobie et l'embrassa, puis retourna à ses exercices d'assouplissement. Elle travaillait au sol lorsque Gull pénétra dans la salle. Il paraissait frais et dispos. D'un pas décontracté, il s'avança vers elle et s'accroupit auprès de son tapis.

– On m'a dit que tu avais refait surface. Tu n'as pas l'air en trop mauvaise forme.

– Juste besoin de me dérouiller un peu.

– Et d'un pique-nique.

Elle décolla le nez de son genou.

– D'un pique-nique ?

– Avec un gros panier préparé par Marg et une bonne bouteille à déguster en aimable compagnie.

– Charmante attention, mais…

– On n'est pas de garde, et Michael nous a donné relâche pour la journée. Je crois qu'on l'a bien mérité. Tu as peur qu'un pique-nique réveille en toi un désir incontrôlable et que je profite de la situation ?

Cet homme était décidément une redoutable tentation…

– T'inquiète, je sais me contrôler, répliqua-t-elle.

– Très bien. On peut partir dès que tu seras prête.

Après tout, que risquait-elle ? Elle qui défiait sans cesse le danger, elle n'avait rien à craindre d'un beau mec un peu trop culotté.

– Laisse-moi vingt minutes. Et choisis un endroit pas trop éloigné, je crève de faim.

– OK, rendez-vous sur le parking.

Elle partit d'abord à la recherche de Stovic, et lui donna le même smack sur les lèvres qu'à Dobie. Elle payait ses dettes. Elle avait un rapport d'intervention à rédiger, mais cela pouvait attendre quelques heures. Son matériel à vérifier et à ranger, se rappela-t-elle en enfilant un pantacourt treillis, son parachute à inspecter, son sac personnel à refaire. Rien qui presse, elle n'était pas de garde. Elle passa une chemise blanche, se maquilla légèrement, se tartina d'écran solaire, et s'estima très bien ainsi pour un pique-nique amical avec un collègue. Ses lunettes de soleil sur le nez, et elle était fin prête.

Appuyé contre le capot d'une décapotable argentée, Gull bavardait avec Cards.

– Comment va ta jambe ? demanda-t-elle à ce dernier.

– Pas trop mal, mais mon genou est encore enflé. Il va falloir que j'y remette de la glace. Passez une bonne journée, les enfants. Avec une bagnole aussi nerveuse, la balade sera virile.

En adressant un clin d'œil à Rose, il s'éloigna en boitillant. Les mains sur les hanches, elle fit le tour du véhicule en caressant du doigt la carrosserie rutilante.

– Cette voiture de luxe est à toi… ? Ça rapporte d'éteindre les feux de forêt, en saison, mais ça m'étonnerait qu'on se fasse beaucoup de pognon en vendant des jetons dans une arcade de jeux…

– On s'amuse, en tout cas, et on se tape des pizzas à l'œil. Cette voiture est bien à moi. Tu veux voir la carte grise ? Mon portefeuille d'actions ?

– Tu as donc des parts dans ton arcade ?

Remarquables capacités de déduction.

Il lui ouvrit la portière. Rose s'installa sur le siège passager.

– Je te raconterai ma vie autour du pique-nique, si ça t'intéresse, promit Gull.

Elle réfléchit tandis qu'il allait prendre place derrière le volant. Ça l'intéressait, oui.

Il roulait vite, et il conduisait bien, deux choses qu'elle appréciait. Et elle adorait les voitures puissantes.

– Il faudra que je couche avec toi pour que tu me laisses piloter ton bolide ? badina Rose.

Sans quitter la route des yeux, Gull lui jeta un regard en coin.

– Évidemment.

– Le contraire m'aurait étonnée, répondit-elle en offrant son visage au vent et au ciel, puis en levant les bras à travers le toit ouvrant. Mais je me contenterai de me balader avec. Comment as-tu fait pour préparer ce pique-nique en un rien de temps ?

– Je suis un gars organisé. Et ce n'était pas très difficile. J'ai dit à Marg que je t'emmenais en pique-nique, elle s'est occupée de tout. Elle t'adore.

– C'est réciproque. N'empêche que je n'aurais pas pu tout préparer aussi vite. J'ai déjà eu un mal fou à m'arracher du lit…

– En plus d'être organisé, j'ai une énorme capacité de récupération.

Rose abaissa légèrement ses lunettes de soleil pour le regarder.

– Quel frimeur…

– Je t'avoue qu'au lever je n'étais pas très frais. Je me suis réveillé avec la sensation d'être passé sous un trente-deux tonnes.

– Ouais. Et on n'est qu'en juin…

Lorsqu'il prit la direction de Bass Creek, elle approuva de la tête.

– Bon choix.

– Il n'y a pas trop à marcher, et le paysage doit être superbe.

– Il l'est. J'ai vécu là toute ma vie, je connais tous les chemins de randonnée de la région. J'ai passé mon adolescence à me promener dans la nature. Ça m'a permis d'apprendre à connaître tous les endroits où je sauterais plus tard, et de savoir pourquoi.

Gull se gara sur le parking au bout de la route et appuya sur le bouton qui commandait la fermeture du toit.

– On était dans une forêt sinistrée, hier. C'est dur, c'est moche, mais grâce à nous la vie y renaîtra. C'est pour ça qu'on ne peut qu'aimer notre boulot.

Ils descendirent de voiture.

– Tu ne plaisantais pas lorsque tu parlais d'un gros panier ! s'écria Rose lorsque Gull ouvrit le coffre de la voiture. Combien pèse ce truc ?

– Beaucoup moins qu'un attirail de pompier. Je crois que j'arriverai à le porter sur un ou deux kilomètres.

Ils traversèrent le canyon boisé. Rose écouta ce qui lui manquait tant quand elle était au feu : le chant des oiseaux, le bruissement des feuilles – la vie. Le soleil brillait à travers les frondaisons et dardait ses rayons sur le bouillonnant torrent dont ils suivaient les courbes.

– C'est pour ça que tu étudiais les cartes, l'autre jour ? demanda-t-elle à Gull. Tu cherchais des coins à pique-nique ?

– Entre autres… Je ne suis pas né ici, moi. Ce lieu est magnifique.

– Tu as toujours habité en Californie du Nord ? On est vraiment obligés d'attendre d'avoir déballé le pique-nique pour que tu commences à me raconter ta vie ?

– Non… Je suis né à Los Angeles. Mes parents travaillaient dans l'industrie du spectacle. Mon père était chef opérateur, ma mère costumière. Ils se sont rencontrés sur un plateau et ç'a été le coup de foudre.

Ils abandonnèrent le bord de la rivière pour grimper à flanc de montagne.

– Ils se sont mariés, poursuivit Gull, et je suis venu au monde deux ans plus tard. J'avais quatre ans quand ils se sont tués dans un accident d'avion. Un petit bimoteur qui les emmenait sur un tournage.

– Je suis désolée…, murmura Rose.

– D'habitude, ils m'emmenaient avec eux quand ils bossaient sur le même film. Pas cette fois, j'avais une otite. Ils m'ont laissé à la maison avec une nounou. Ah ! voilà le lac…

Le sentier redescendait vers une retenue artificielle. Rose comprenait tout à fait que Gull n'ait pas envie de s'étendre sur ce deuil.

– Exactement comme sur les photos, ajouta-t-il. Ça valait bien une demi-heure de marche.

Derrière le barrage, le lac étincelait de mille feux. Au loin, la vallée se déroulait jusqu'au pied des montagnes.

– J'ai éteint un feu dans les parages, dans la réserve Selway-Bitterroot, commenta Rose. Quand tu es là par un jour comme aujourd'hui, jamais tu n'imaginerais que ça puisse brûler.

– C'est différent, hein, quand tu sautes en parachute ?

– Plus rapide, pas de doute.

Il souleva le couvercle du panier et prit la couverture posée sur le dessus. Rose l'aida à l'étaler et s'assit en tailleur.

– Alors, qu'y a-t-il au menu ?

Il sortit une bouteille de champagne dans un étui isotherme.

– Voilà qui commence plutôt bien, dit-elle en riant, surprise, touchée. Rien ne t'échappe…

– Tu voulais un pique-nique au champagne. En entrée, nous avons le traditionnel poulet frit à la Marg.

– Le meilleur au monde.

– Il paraît que tu as un faible pour la cuisse. Personnellement, je préfère le blanc.

– Comme tous les hommes, répliqua Rose en déballant le panier. Miam ! salade de patates rouges et de haricots verts. Un fromage qui m'a l'air succulent. Des fruits rouges, des œufs à la diable. Du moelleux au chocolat ! Marg nous a donné la moitié d'un moelleux au chocolat… Je crois qu'elle t'adore, toi aussi.

– J'espère, répondit Gull en ouvrant la bouteille. Approche ton verre.

– Du dom pérignon, rien que ça… La voiture d'Iron Man et le champagne de James Bond.

– J'ai des goûts de luxe. Incline un peu ton verre, s'il te plaît.

Il le remplit, puis se servit.

– Aux pique-niques dans les grands espaces du Montana !

Elle fit tinter son verre contre le sien et y trempa les lèvres.

– Hum… Je comprends pourquoi James Bond ne boit que ça. Où l'as-tu trouvé ?

– En ville.

– Tu es allé en ville ce matin ? Tu t'es levé à quelle heure ?

– À 8 heures. Je n'ai pas eu la force de me doucher, hier soir. Je puais tellement, ce matin, que ça m'a réveillé.

Il rompit un morceau de la baguette, le tartina de fromage et le tendit à Rose.

Elle le dégusta tout en observant Gull. Agités par une légère brise, ses cheveux dansaient autour de son visage. Le soleil leur donnait de charmants reflets roux.

– Continue à me raconter ta vie, dit-elle. Mais je ne veux pas que les mauvais souvenirs viennent gâcher notre pique-nique.

– Sans mon oncle et ma tante, la sœur de ma mère et son mari, je ne suis pas sûr que je me souviendrais de mes parents. C'est eux qui m'ont élevé, en Californie du Nord.

Tout en poursuivant son récit, Gull sortit les assiettes et les couverts. Rose l'écoutait, attentive.

– Mon oncle et ma tante me parlaient beaucoup de mes parents, ils me montraient des photos, me racontaient des anecdotes. C'est grâce à eux que je sais qui étaient mes parents, et je garde de mon enfance un très bon souvenir.

– Tu as eu de la chance. Dans ta malchance.

Leurs regards se rencontrèrent.

– Oui, une chance immense. Ils ne se sont pas contentés de m'éduquer. Pour eux, j'étais un fils, et je les ai toujours considérés comme mes parents. Mes cousins, qui ont un an de plus et un de moins que moi, ne m'ont jamais non plus fait sentir que je n'étais pas de la famille.

– Ils ont l'air d'être des gens formidables.

– Ils le sont. Quand j'ai terminé mes études, j'ai touché mon héritage, un beau pactole. L'argent de la vente de la propriété de mes parents, des assurances vie, etc. Mon oncle et ma tante n'en avaient pas utilisé un centime, ils avaient tout placé pour moi.

– Et tu as acheté une salle de jeux.

Gull leva son verre.

– J'adore les arcades. Et les meilleures sont des affaires familiales. C'est le plus jeune de mes cousins qui la fait tourner. Jared, l'aîné, est juriste, il s'occupe de toute la partie administrative. Ma tante se charge de la location pour les fêtes privées. Et depuis deux ans, mon oncle est responsable de la com'.

– Une entreprise familiale au service des familles. Une bonne formule.

– Qui marche pour nous, en tout cas.

– Que pensent-ils de ton job d'été ?

– Ils s'y sont faits. J'imagine qu'ils se font du souci, mais ils n'en disent jamais rien. Toi qui as grandi avec un père parachutiste du feu, comment tu l'as vécu ?

Ils se servirent chacun en poulet et salade.

– J'étais persuadée qu'il était invincible. Un super héros, quoi… Je croyais qu'il était immortel, vraiment. Je ne me suis jamais inquiétée pour lui, je n'ai jamais eu peur, ni pour lui ni pour moi. Il était… Iron Man.

Gull remplit de nouveau les verres et leva le sien.

– À Iron Man Tripp. C'est grâce à lui que nous sommes là tous les deux.

– Que sais-tu de lui au juste ?

Rose se sentait parfaitement détendue.

– On a raconté beaucoup de choses à propos de mon père, continua-t-elle sans attendre de réponse. Il était bel homme, tu as dû voir des photos de lui… il faisait jaser. Il l'est toujours, d'ailleurs.

– Il t'a transmis sa classe.

– Une classe de Walkyrie.

– Tu n'es pas du genre à mourir au combat pour la gloire.

– Je vois que tu connais la mythologie nordique. Pour en revenir à mon père, un homme qui ressemble à Iron Man attire les femmes, forcément.

– J'ai le même problème. Fort ennuyeux.

Rose eut un petit rire.

– Mais il n'en profitait pas, poursuivit-elle, en fronçant les sourcils devant le sourire entendu de Gull. Ma mère était serveuse quand il l'a rencontrée. Elle venait d'arriver à Missoula, elle était jolie. Ils ont commencé à se fréquenter début juillet. Mi-septembre, ils étaient mariés. Elle était enceinte. Ces choses-là ne devraient plus arriver, de nos jours, mais je ne leur en veux pas.

Gull savait qu'il avait été désiré. *Que doit-on ressentir*, s'interrogea-t-il, *quand on se considère comme un accident ?*

– Ma mère voulait s'émanciper, continua Rose. Elle avait reçu une éducation petite-bourgeoise très stricte. Et voilà qu'elle tombe sur un beau gosse en combinaison de saut, avec des allures de jeune premier, qui appartient à un corps d'élite et s'intéresse à elle. Elle avait presque dix ans de moins que lui. L'hiver suivant, il a monté le paraclub, mais il était aux petits soins pour elle. Mes grands-parents aussi. Tu parles… Elle portait l'enfant de leur fils unique. Elle était au centre de son petit monde. Ses parents à elle avaient coupé les ponts.

– Comment peut-on rejeter ses enfants ? Comment se justifie-t-on d'une chose pareille, comment peut-on vivre avec ça ?

– Ils se sentaient dans leur bon droit et je crois que, pour elle, ça ajoutait du piquant à l'aventure. Je suis née au printemps. Elle se promenait partout avec son bébé, en se vantant d'avoir des beaux-parents merveilleux et un mari complètement gaga.

Rose s'interrompit un instant pour manger sa salade.

– Un mois plus tard, reprit-elle, la saison redémarre et mon père est beaucoup moins présent. Ma mère n'a plus personne pour l'aider à changer les couches et bercer un nourrisson qui hurle au milieu de la nuit. L'aventure commence à devenir un peu moins excitante.

Elle prit un autre pilon de poulet.

– Mon père ne m'a jamais dit du mal d'elle, continua-t-elle. Tout ce que je sais de cette époque, je l'ai découvert en lisant des lettres qu'elle lui a envoyées ou en écoutant aux portes quand papa discutait avec sa mère. Ma grand-mère était furieuse contre elle.

– Tu voulais savoir, c'est normal.

– Oui, je voulais savoir. Elle est partie au bout de cinq mois. Elle m'a déposée chez mes grands-parents en leur disant qu'elle allait faire des courses. Elle n'est jamais revenue.

Gull ne pouvait comprendre comment on pouvait agir ainsi.

– Elle devait avoir un cœur de pierre, dit-il. Elle s'est rendu compte qu'elle avait commis une erreur et elle n'a pas trouvé mieux que de fuir ses responsabilités.

– C'est ça, en gros. Mon père a réussi à la retrouver. Il lui a téléphoné et écrit plusieurs fois dans l'espoir de lui faire entendre raison. Elle prétendait que tout était sa faute à lui, qu'il n'était qu'un égoïste, qu'il lui avait volé sa jeunesse, qu'à cause de lui elle avait sombré dans une grave dépression, que je lui manquais terriblement. Elle lui a réclamé de l'argent pour se soigner, en lui promettant de revenir dès qu'elle irait mieux.

– Elle est revenue ?

– Le jour de mes dix ans. Elle a débarqué à mon goûter d'anniversaire, riant et pleurant à la fois, les bras chargés de cadeaux. Ce n'était plus ma fête.

– Non, c'était son Grand Retour. Elle était de nouveau le centre du monde.

Rose regarda Gull un long moment.

– Exactement. Je la détestais, à ce moment-là, de tout mon cœur de gamine de dix ans. Quand elle a voulu m'embrasser, je l'ai repoussée, et je lui ai dit de ficher le camp, d'aller au diable.

– Comment a-t-elle réagi ?

– Elle a fondu en larmes et a traité mon père de tous les noms.

– Elle l'accusait de t'avoir montée contre elle ?

– Tout à fait. Je suis partie en claquant la porte. Mon père m'a couru après. Il était furieux. Il voulait que je demande pardon à ma mère pour lui avoir mal parlé. J'ai dit qu'il était hors de question que je m'excuse, qu'il ne pouvait pas m'y obliger et que, tant qu'elle serait là, je ne remettrais pas les pieds à la maison. J'étais trop en colère pour me laisser intimider. Le respect était souverain chez nous. On ne mentait pas et on ne répondait pas avec insolence.

– Qu'a-t-il fait ?

– Il m'a attrapée. Je me suis débattue, à coups de pied et de poing, je l'ai griffé, mordu. Même s'il m'avait traînée de force à la maison, menacée, même s'il avait levé la main sur moi, ce qu'il ne faisait jamais, je ne me serais pas excusée, pour rien au monde. Au bout d'un moment, mon père m'a dit que j'avais raison et il est rentré demander à ma mère de partir.

Rose termina les dernières gouttes qui restaient au fond de son verre.

– Tu as eu de la chance, toi aussi.

– Oui, plus qu'elle, acquiesça-t-elle en contemplant le lac. Deux ans plus tard, elle a reçu une balle perdue dans le braquage d'une supérette, à Houston. Elle a été tuée juste parce qu'elle se trouvait au mauvais endroit au mauvais moment. Une fin horrible. Personne ne mérite de se vider de son sang sur le carrelage d'un supermarché. Seigneur ! Pourquoi je parle de ça alors qu'il y a du moelleux au chocolat et du champagne à déguster ?

– Finis.

– Que te dire de plus ? Mon père m'a demandé si je viendrais avec lui aux funérailles. Il tenait à y assister, mais il m'a dit que je n'étais pas obligée. J'ai répondu que j'allais réfléchir. Le soir, ma grand-mère est venue s'asseoir au bord de mon lit et m'a dit qu'il fallait que j'y aille, que ce serait dur mais que je le regretterais si je n'y allais pas et que je porterais le poids de mes regrets jusqu'à la fin de mes jours. Alors je suis allée à l'enterrement avec mon père. Ma grand-mère avait raison. J'ai fait ce que je devais faire, et aujourd'hui je n'ai aucun regret.

– Et la famille de ta mère, dans tout ça ?

– Je ne leur ai jamais vraiment parlé. Je connais la sœur de ma mère. Elle nous téléphone et nous écrit régulièrement. Elle vient même parfois nous rendre visite, avec son mari et ses enfants. Ce sont des gens charmants.

– Et voilà qui conclut l'histoire de nos vies.

– Les chapitres suivants seront pour une autre fois.

L'œil plissé, elle regarda Gull lui verser du champagne.

– Tu as arrêté de boire, mais tu n'arrêtes pas de remplir mon verre. Tu veux me saouler ?

– Vu comment tu tiens la tequila, je n'ai guère d'espoir. Quant à moi, n'oublie pas que je reprends le volant tout à l'heure.

– Tu es un garçon sérieux, c'est bien, le félicita-t-elle. Et ça en fera plus pour moi.

Avec sa fourchette, elle découpa un gros morceau de moelleux directement dans sa boîte. Les yeux rieurs, elle le savoura avec un long murmure appréciateur.

– Ça, c'est du gâteau, dit-elle. Du feu, du chocolat, et je pourrais me passer de sexe tout l'été.

– Ne t'étonne pas si les stocks de chocolat disparaissent dans un rayon de cinquante kilomètres.

– Tu me plais, Gull, répliqua-t-elle en prenant une autre généreuse bouchée. Tu es mignon, tu as de l'esprit, tu sais te battre et tu connais ton boulot. En plus, tu embrasses comme un dieu. Le hic…

Elle découpa une autre part de moelleux qu'elle lui offrit.

– Premièrement, je sais que tu as du pognon. Si je couchais avec toi, tu pourrais croire que je suis intéressée.

– Je ne suis pas si riche que ça, mais je t'écoute ; deuxièmement…

– On travaille ensemble.

Elle avala un dernier morceau de moelleux puis, repue, s'étendit sur la couverture et contempla le ciel.

– Pas un nuage, murmura-t-elle. L'été s'annonce chaud et sec. Il n'y aura plus beaucoup de pique-niques au champagne cette saison.

– Alors apprécions celui-ci.

Gull se pencha au-dessus d'elle et posa doucement ses lèvres sur les siennes. Elle avait le goût du chocolat et du champagne, exhalait le parfum des pêches par une chaude journée d'été.

La vie n'avait pas été tendre avec elle, elle l'affrontait pourtant avec courage.

Elle lui caressa le visage puis le repoussa tendrement.

– Tu vas me rendre fou, dit-il.

– J'essaie de te préserver de ce triste sort, répliqua-t-elle en tapotant la couverture à côté d'elle. Allonge-toi, c'est en général ce qu'on fait après un pique-nique. Je vais t'expliquer.

Il poussa le panier et s'installa près d'elle, hanche contre hanche.

– Si nous couchons ensemble, tu me feras grimper aux rideaux, aucun doute là-dessus. Mais la tragédie est inévitable. Tu tomberas amoureux de moi, comme tous les autres, plaisanta-t-elle.

Mine de rien, il noua ses doigts aux siens.

– Tu as ce pouvoir ?

– Oui, et Dieu sait que j'ai pourtant essayé, je ne peux pas le contrôler. Et toi, impuissant à lutter contre ce pouvoir, tu perdras l'appétit et le sommeil. Tu dépenseras tous les bénéfices de ta salle de jeux en somptueux cadeaux, dans le vain espoir de gagner mon cœur.

– Je te ferai des cadeaux somptueux. Sur ce point, tu as raison. Ça rapporte gros, les flippers.

– Mais mon cœur ne s'achète pas. Je briserai le tien, froidement et cruellement, afin de t'épargner davantage d'humiliation. Et aussi parce que tes pathétiques supplications me taperont sur les nerfs.

– C'est sympa de me prévenir, mais je prends le risque.

Là-dessus, Gull roula sur le côté et l'embrassa à pleine bouche. Un instant, Rose crut que son cerveau implosait. Un volcan était entré en éruption dans son corps. Elle perdit le souffle, et ce qu'elle considérait comme le bon sens le plus élémentaire.

Cédant au désir de la chair, elle se cambra contre lui, glissa les mains sous sa chemise, impatiente de sentir sa peau, ses muscles sous ses doigts, happée par une pulsion primitive subitement libérée. Lorsque Gull posa une main sur sa poitrine, elle ne put réprimer un gémissement de plaisir.

Les sens exaspérés par la volupté et l'avidité de ce corps qui ondulait sous le sien, Gull était bombardé de sentiments qu'il ne pouvait pas plus analyser que refouler.

Il s'imagina lui enlever ses vêtements et lui faire l'amour, là, au bord du lac miroitant. Mais elle le repoussa, se redressa en position assise et prit la dernière part de gâteau.

– Hum, fit-elle. Oui, le chocolat assouvit tous mes désirs.

– Maudite Marg !

– Ce pique-nique était très réussi, dit-elle en se léchant les doigts. Du début jusqu'à la fin.

– Je n'ai pas dit mon dernier mot.

– Je te crois sur parole. C'est pour ça qu'il vaut mieux qu'on rentre à la base, maintenant.

10

– Le bruit court qu'il y a de la tarte aux myrtilles ! lança Lucas en passant la tête dans la cuisine de la caserne.

Marg se tourna vers la porte, tout en retirant deux énormes dindes du four.

– Il m'en reste peut-être bien une part, avec une tasse de café, si on me le demande gentiment.

Lucas s'avança et l'embrassa sur la joue.

– Ça va, assieds-toi.

Il prit un siège devant le plan de travail où Lynn épluchait des montagnes de légumes.

– Comment ça va, Lynn ?

– Pas trop mal, compte tenu du manque de personnel, répondit-elle avec un pétillement malicieux dans son regard noisette. Ne traîne pas trop ici, ou on va t'embaucher.

– Pour de la tarte aux myrtilles, je suis prêt à tout. J'ai appris que Dolly avait saccagé la chambre de ma fille avec du sang. Je voulais voir Rose, mais on m'a dit qu'elle était en pique-nique avec le petit nouveau.

– Gull a embobiné Marg pour qu'elle lui prépare un panier, confirma Lynn.

– Personne ne m'embobine si je ne veux pas me laisser embobiner, protesta l'intéressée en posant devant Lucas une part de tarte tiède surmontée d'une boule de glace à la vanille. Et Rose non plus ne se laissera pas faire si elle n'en a pas envie.

– Je ne me fais pas de souci pour elle, dit Lucas.

– Menteur !

– Pas trop, concéda-t-il avec un sourire. Que penses-tu de l'histoire de Dolly ?

– Pour commencer, elle cuisine bien, mais elle n'a pas plus de cervelle ni de jugeote qu'un brocoli. Et ne crois pas que je ne sais pas qu'elle t'a fait du rentre-dedans, à toi aussi.

– Oh, la vache ! s'étrangla Lynn en devenant aussi rouge que Lucas.

– N'importe quoi…, marmonna Lucas sans lever les yeux de son assiette.

– En tout cas, tu peux me remercier de l'avoir mise en garde avant que Rose la scalpe. Enfin, bref, je ne tenais pas particulièrement à ce que Michael la reprenne, mais on avait besoin de quelqu'un. La cuisinière qu'on avait engagée n'a même pas tenu jusqu'à la fin de sa période d'essai.

– Trop de travail, qu'elle disait, précisa Lynn, les yeux au ciel, en remplissant une gigantesque marmite du monceau de pommes de terre qu'elle venait de couper en dés.

– Je pensais embaucher à plein temps l'une des deux filles qui viennent parfois nous donner un coup de main en extra. Mais, bon… Dolly était là, elle connaît la maison et je savais qu'elle était bosseuse… En plus, elle a un bébé, maintenant.

– La fille de Jim Brayner, dit Lucas. Chacun mérite sa chance.

– Tout à fait… Je ne comprends pas pourquoi cette idiote est allée barbouiller la chambre de Rose de sang de cochon.

– Elle a une dent contre Rose depuis l'école maternelle, précisa Lucas. Mais jamais je n'aurais cru qu'elle puisse en arriver là. C'est insensé.

– Et tu ne sais pas la meilleure ? Après tout ça, Dolly est venue pleurnicher dans mon giron, raconta Marg en faisant claquer son torchon sur le comptoir. Elle voulait que je prenne sa défense.

– Marg lui a dit de prendre ses cliques et ses claques et de filer au plus vite, intervint Lynn.

– Je suis navré pour elle, mais bon débarras, conclut Lucas. Comment vous trouvez les nouveaux, cette saison ?

Marg sortit deux grandes casseroles d'un placard.

– En général, ou celui qui est en train de manger du poulet frit avec ta fille ?

– En général, répondit Lucas en ramassant les dernières miettes de son assiette. Et peut-être celui-ci en particulier.

– Ils ont l'air bien, y compris celui-ci en particulier. Tous assez cinglés, apparemment, pour faire carrière chez les parachutistes du feu.

– À eux de faire leurs preuves. Ta tarte était délicieuse, Marg.

– Une deuxième part ?

– Ce ne serait pas raisonnable, répondit Lucas en se frottant le ventre. Je ne peux plus me permettre de manger comme un Zulie. Du reste, il faut que j'y aille, ajouta-t-il en déposant son assiette et sa tasse dans l'évier. Quand tu verras Rose, dis-lui que je suis passé.

– Compte sur moi.

– Merci. Salut, les filles, à plus ! Ne travaille pas trop, Lynn.

– Reviens me dire ça en octobre, j'aurai peut-être le temps de t'écouter.

Comme chaque fois qu'il venait en visite à la base, Lucas éprouva une petite pointe de nostalgie. Quelques pompiers couraient sur la piste, d'autres bavardaient avec les mécaniciens.

Yangtree, en uniforme, guidait un groupe d'enfants vers le centre des opérations : il allait leur montrer les parachutes, les combinaisons de saut et le réseau informatique – considérablement modernisé depuis l'époque où Lucas avait débuté. Peut-être auraient-ils la chance de voir quelqu'un déplier une voile. Dans tous les cas, la visite de la caserne enchantait les gamins.

Lucas repensa à Emma, la principale de lycée avec qui il avait accepté d'aller prendre un verre. Sans doute aurait-il mieux fait de lui donner rendez-vous dans son bureau pour une entrevue strictement professionnelle. Plus l'heure tournait, plus il appréhendait cette rencontre. Mais il ne pouvait plus se défiler.

Tandis qu'il s'apprêtait à remonter dans son pick-up, un bruit de moteur se fit entendre. Un bruit de moteur semblable au rugissement d'un lion. Une Audi Spyder décapotable se gara sur le parking. Rose en descendit joyeusement.

– Salut, p'pa ! s'écria-t-elle en se jetant à son cou. J'avais l'intention de passer à la maison.

– Tu m'as presque manqué, ma chérie. Bonjour, Gull.

– Bonjour, vous allez bien ?

– Impec. Chouette voiture, dites donc !

– Je n'en suis pas mécontent. Vous voulez l'essayer ? proposa Gull en tendant les clés à Lucas.

– Eh ! s'exclama Rose en tentant de s'en saisir, mais il referma les doigts dessus. Comment se fait-il qu'il ait le droit, lui ?

– C'est Iron Man.

Elle se cala les pouces dans les poches de son pantalon.

– Tu sais ce qu'il m'a dit, papa ? Qu'il ne me la prêterait que si je couchais avec lui.

– Elle a refusé, précisa Gull, un peu gêné.

– Ne me mêlez pas à vos histoires ! protesta Lucas en riant. Quant à moi, j'aurais volontiers fait un tour dans ce petit bijou, mais ce sera pour une autre fois. Je suis pressé.

– Tu ne restes pas un moment ? demanda Rose. Reviens dîner ce soir avec nous, alors.

– Ç'aurait été avec plaisir, mais j'ai rendez-vous en ville ce soir avec une cliente.

Rose remonta ses lunettes de soleil.

– Une cliente ?

– Une dame qui souhaite prendre des cours de chute libre et me parler d'un projet. Mais je reviendrai bientôt me faire payer à dîner.

La jeune femme le regarda monter dans son pick-up et démarrer.

– Cliente, mes fesses…

Gull ouvrit le coffre de sa voiture et en sortit le panier.

– Pardon ?

– Il a un rendez-vous galant, oui. Je me demande bien qui est cette « dame »…

– Ton père n'est pas un gamin, laisse-le vivre.

– De quoi je me mêle ? riposta-t-elle. Papa perd tous ses moyens face à un certain type de femme, et il est facile à manipuler.

Interloqué par sa réaction, Gull s'adossa contre le capot.

– Il t'a dit qu'elle voulait prendre des cours de parachutisme. Je ne vois pas pourquoi tu t'affoles. Et quand bien même elle lui plairait, où est le mal ? C'est peut-être une femme très bien.

– Qu'est-ce que tu en sais ?

Rose tourna les talons et se dirigea d'un pas rageur vers les chambres. Amusé, Gull prit la direction des cuisines.

Il venait de déposer le panier sur le comptoir lorsqu'on frappa à la porte ouverte.

– Excusez-moi, je cherche Margaret Colby.

Un homme en costume gris foncé, cravate rose vif, mocassins vernis et cheveux noir corbeau gominés tirés en arrière se tenait sur le seuil de la pièce.

– C'est moi, déclara Marg.

– Je suis le révérend Latterly.

– Je vous avais reconnu.

Percevant dans la voix de Marg une certaine hostilité, et voyant qu'elle n'invitait pas le visiteur à entrer, Gull décida de rester.

— Je pourrais vous parler un moment ?

— Vous pouvez, mais si c'est pour me demander d'essayer de convaincre Michael Little Bear de reprendre Dolly Brakeman, vous perdez votre temps.

— Madame Colby…

Le révérend s'avança avec un sourire révélant une dentition d'une blancheur éclatante. Gull ouvrit le réfrigérateur et y prit une canette.

— J'aimerais vous parler un instant en privé, répéta Latterly.

— Nous sommes occupées, répliqua Marg en retenant Lynn du regard. Si vous avez quelque chose à me dire, je vous écoute.

Gull s'adossa au comptoir et décapsula sa canette. Marg attendait, les lèvres pincées.

— Bien…, fit enfin le révérend. Comme vous êtes la supérieure directe de Dolly…

— J'étais, rectifia-t-elle.

— Oui. J'ai vu M. Little Bear et je comprends sa réticence à pardonner l'erreur de Dolly.

— Vous appelez cela une erreur ? Pour moi, c'est de la méchanceté pure.

Latterly joignit les mains en un geste de prière.

— J'ai conscience que la situation est délicate, dit-il, et rien n'excuse le comportement de Dolly. Il me semble toutefois naturel qu'elle ait été blessée par les propos de Mlle Tripp, qui l'a tout de même menacée, et traitée de… accusée d'avoir une moralité relâchée, dirons-nous.

Marg secoua la tête d'un air apitoyé.

— C'est ce que Dolly vous a raconté ? Cette fille ment comme elle respire. Si vous ne vous en êtes pas aperçu, c'est que vous n'êtes pas très psychologue. J'aurais pourtant pensé que vous aviez plus de discernement, dans votre profession.

— En tant que guide spirituel de Dolly…

— La spiritualité de Dolly ne m'intéresse pas. Depuis que je la connais, elle n'a jamais pu sentir Rose. Elle a toujours été jalouse et envieuse. Elle ne reviendra pas ici et n'aura pas d'autre opportunité de lui chercher des noises. Michael est peut-être le chef de la caserne, mais en cuisine c'est moi qui commande.

— Vous êtes très dure.

– Je suis réaliste. Dolly est une bonne cuisinière, mais elle est ingérable.

– Elle est perturbée, elle cherche encore sa voie. Et elle a désormais un enfant à élever, toute seule.

– Elle n'est pas seule. Ses parents font tout ce qu'ils peuvent pour aider leur fille. Sans doute trop, d'ailleurs. À présent, je vous prie de m'excuser.

– Pourriez-vous, au moins, lui faire une lettre de recommandation ? Ça lui donnerait un coup de pouce pour retrouver un emploi.

– Non.

Gull jugea sincère le choc qui se peignit sur les traits du révérend. Manifestement, il n'était pas habitué à essuyer des refus aussi catégoriques.

– Vraisemblablement, nous n'avons pas la même notion du bien et du mal, asséna Marg. Je ne lui ferai pas de lettre de recommandation, car ma parole et ma réputation me sont chères.

Ostensiblement, Marg retourna à son four.

– Désolé de vous avoir dérangée, dit sèchement Latterly. Je prierai pour que la colère quitte votre cœur.

– Laissez ma colère là où elle est, rétorqua Marg, tandis que le révérend prenait la porte. Lynn, ces légumes ne vont pas s'éplucher tout seuls !

– Non, m'dame.

– Excuse-moi, dit Marg en soupirant. Ce n'est pas après toi que j'en ai.

– Je sais. J'aimerais être comme toi, avoir le courage de dire aux gens ce que je pense vraiment.

– Tu es très bien comme tu es. Ce type ne me plaisait pas, c'est tout. Je n'ai de leçon à recevoir de personne. Tu l'as trouvé comment, toi, Gull ?

– Très désagréable, en effet, avec son sourire carnassier et sa cravate ridicule. Tu as bien fait de le remettre à sa place. La seule critique que j'aurais à formuler, c'est que tu aurais dû lui dire que tu étais bouddhiste, ou païenne.

– Je n'y ai pas pensé, dommage. Tu veux une part de tarte ?

Gull ne savait pas où il allait la mettre, après le moelleux au chocolat, mais il ne pouvait pas refuser.

Lucas, dans ses petits souliers, poussa la porte du bar en essayant de se convaincre qu'il se sentirait mieux dès que la conversation serait engagée, quel que soit le sujet dont Emma souhaitait l'entretenir.

Elle était attablée devant un livre, en robe d'été dans des tons de vert, ses beaux cheveux roux ondulant sur ses épaules.

N'aurait-il pas dû mettre une cravate ? Il en portait rarement, mais il en avait quelques-unes.

Elle leva la tête et lui sourit. La gorge nouée, il s'avança vers elle.

– Je crois que je suis un peu en retard, excusez-moi, balbutia-t-il.

– Pas du tout, dit-elle en fermant son livre. C'est moi qui étais en avance. J'ai toujours un bouquin dans mon sac à main, au cas où j'aurais un peu de temps devant moi.

Elle le rangea.

– Excellent roman, dit Lucas en s'asseyant. Avec votre métier, j'aurais pensé que vous ne lisiez que des traités de pédagogie.

Ouf, il parvenait à s'exprimer sans bégayer !

– J'en lis pas mal, en effet, mais pas seulement. Je suis fan de Michael Connelly.

– Alors celui-ci ne vous décevra pas.

La serveuse s'approcha de la table.

– Bonsoir. Que prendrez-vous ?

– De quoi ai-je envie ? s'interrogea Emma à voix haute. Un Schweppes, avec une rondelle de citron, s'il vous plaît.

Quand elle bougeait, elle dégageait des effluves de parfum aux notes chaudes et épicées qui embrumaient le cerveau de Lucas.

– Et pour vous, monsieur ? Monsieur ? répéta la serveuse, voyant qu'il demeurait muet.

– Excusez-moi. Une bière, s'il vous plaît, une Rolling Rock.

– Quelque chose à manger ?

– Vous savez ce qui me ferait plaisir ? Des chips de patate douce. Elles sont délicieuses, ici. Vous partagerez avec moi, Lucas ?

– Bien sûr… Oui… Très bien…

– Je vous apporte ça tout de suite.

– Je suis contente que vous ayez pu vous libérer un moment, commença Emma. Ça me fournit un prétexte pour m'attabler dans un bar agréable, siroter un cocktail et succomber au péché de gourmandise.

– L'endroit est sympa.

– J'aime bien venir là de temps en temps, quand j'ai une bonne excuse. Je me suis très vite acclimatée à Missoula. J'adore le centre-ville, les environs, mon boulot. Que demander de plus ?

– Vous n'êtes pas d'ici ?

– Je suis née en Virginie, j'ai fait mes études en Pennsylvanie et j'y ai rencontré mon ex-mari. Nous sommes ensuite partis nous installer à Denver, quand les enfants avaient dix et douze ans. Mon mari, mon ex-mari, avait là-bas une opportunité professionnelle qu'il ne pouvait pas refuser. Nous y sommes restés une dizaine d'années avant de déménager dans l'État de Washington… une autre opportunité de carrière. Mon fils est venu ici, il s'est marié, il a fondé sa famille. Ma fille vit en Californie. Après le divorce, j'ai voulu changer d'air. Comme j'aime la montagne, j'ai décidé de me rapprocher de mon fils. Ma fille n'est pas très loin en avion, on peut se voir plusieurs fois par an.

– Vous avez beaucoup bougé, s'étonna Lucas.

– Oui, et je ne regrette pas de m'être enfin posée ici. Vous êtes originaire du Montana ?

– Je suis né à Missoula et je n'en suis jamais parti. Je ne suis allé dans l'Est qu'en mission. Hors saison, on fait parfois appel à nous pour des opérations de brûlage dirigé ou d'éradication d'insectes.

– D'éradication d'insectes ?

– Des petites bébêtes qui vivent tout en haut des grands arbres, expliqua-t-il avec un sourire, le pouce levé vers le plafond. Les pompiers parachutistes sont entraînés à la grimpe. Mais j'ai passé la majeure partie de ma vie à l'ouest de Saint Louis.

La serveuse apporta les boissons. Emma leva son verre.

– À vos racines. Et à mes déracinements.

– La nature est belle dans l'État de Washington. J'y ai éteint des incendies. Dans le Colorado aussi, il y a de beaux sites.

– Vous avez tout de même vu du pays, commenta Emma en souriant. Les régions les plus sauvages et les plus désertes. L'Alaska aussi ? J'ai lu que vous y aviez combattu des feux de forêt.

– C'est exact.

– Est-ce aussi beau qu'on le dit ? J'ai toujours rêvé de faire un voyage en Alaska.

Pendant quelques secondes, plongé dans les yeux d'Emma, Lucas avait perdu le fil de la conversation.

– Euh… je n'y suis allé qu'en été. C'était magnifique, oui, ces étendues infinies de vert, de blanc, et toute cette eau… Il faut faire attention à ne pas tomber dedans quand on saute en parachute. En revanche, il y a beaucoup moins de risques d'atterrir dans les arbres, comme chez nous.

– Qu'y a-t-il de plus dangereux ? L'eau ou les arbres ?

– Si vous tombez dans l'eau avec tout votre matériel, vous risquez fort de vous noyer. Dans les arbres, vous pouvez vous briser le cou. Les deux sont à éviter.

– Vous n'avez jamais fait de mauvaise chute ?

– Oh si ! Le pire, c'est quand vous voyez que vous allez mal atterrir et que vous ne pouvez rien faire pour corriger votre trajectoire. Par contre, il n'y a rien de plus satisfaisant qu'un saut qui s'annonce mal mais se termine bien.

Emma se renversa contre le dossier de son siège.

– Je savais que vous seriez parfait pour ce que j'ai en tête. J'aimerais que mes élèves puissent avoir un aperçu de la base, qu'ils entendent des témoignages personnels sur le métier, la vie quotidienne des pompiers, des anecdotes vécues, etc.

– Vous voudriez que je parle aux enfants ?

– Oui. La plupart des élèves de notre lycée sont issus de milieux privilégiés, de familles aisées. Tout le monde connaît les Zulies et la caserne. Mais je vous garantis que rares sont ceux qui savent exactement en quoi consiste votre métier, à moins, bien sûr, d'avoir un proche qui travaille à la base.

– Je ne suis plus pompier.

– Vous savez bien que vous le serez toujours, Lucas, dit-elle en lui offrant un sourire qui fit apparaître ses fossettes. En tout cas, vous l'avez été la moitié de votre vie. Vous avez été témoin de l'évolution des techniques, du matériel. Vous avez combattu des feux de forêt dans tout l'ouest du pays. Vous avez vu des paysages magnifiques et des paysages de cauchemar, vous avez été au cœur de la nature et de l'horreur.

Elle posa un poing fermé contre son cœur avant de continuer :

– Certains de nos élèves sont bourrés de préjugés. Ils ne veulent pas d'un métier difficile, ils ne veulent pas se salir les mains. Dans leur petite tête, les boulots pénibles sont réservés à ceux qui n'ont pas les moyens, financiers ou intellectuels, de suivre des études. La nature ? Ils s'en fichent comme de leur première chemise. Que d'autres se chargent de la préserver !

En disant à Lucas qu'il serait toujours pompier, Emma avait touché une corde sensible. Elle avait cerné sa personnalité.

– Je vois que votre travail vous tient à cœur, remarqua Lucas.

– Absolument. Sur ce point, nous nous ressemblons. Pour en revenir à mon projet, j'aimerais aussi que des petits groupes de lycéens puissent faire des stages à la base et participer à l'entraînement physique des paras. Pendant le week-end, par exemple, à la fin de la saison. J'en ai déjà touché un mot au chef de la caserne. À priori, il est partant. Nous devons nous fixer un rendez-vous pour en discuter.

– Vous voulez les tuer ? dit Lucas avec un sourire.

– Je veux qu'ils comprennent ce que vivent au quotidien ces femmes et ces hommes qui se consacrent à la protection de la nature. Ces stages pourraient aussi être pour eux l'occasion de réaliser des vidéos ou des reportages photo… Des idées, j'en ai à la pelle, dit-elle en riant, et nous avons tout l'été pour les peaufiner ensemble.

– Tout cela me paraît très intéressant, mais je ne suis pas doué pour parler en public.

– Je vous aiderai, ne vous faites pas de souci. De toute façon, autant rester vous-même. Croyez-moi, ça suffira.

Elle grignota quelques chips que la serveuse avait apportées pendant qu'elle exposait son projet. Lucas avait envie de s'y investir, il ne pouvait le nier. Emma lui avait communiqué son enthousiasme.

– Je veux bien essayer, dit-il.

– Formidable ! s'exclama-t-elle. Je suis persuadée que nous pouvons faire quelque chose qui aura de l'impact, tout en restant ludique. Ce qui m'amène à la deuxième chose dont je voulais vous parler. J'ai été mariée pendant vingt-huit ans. J'ai suivi mon mari partout dans les États-Unis, et j'ai consenti pour lui à de nombreux sacrifices. Je l'aimais, je l'ai aimé pendant presque vingt-huit ans. Je croyais au mariage et à la famille que nous avions bâtie ensemble, je croyais en lui. Jusqu'à mon cinquante-deuxième anniversaire. Il m'a emmenée dans un restaurant très chic. Nous avons dîné aux chandelles, et au champagne. Il m'a offert des fleurs et de magnifiques boucles d'oreilles en diamant.

Elle s'interrompit un instant, croisa et décroisa les jambes.

– Tout ça pour me faire avaler la pilule, poursuivit-elle, pour que je ne fasse pas une scène en public : il m'a annoncé qu'il avait une liaison avec sa secrétaire, une jeune femme qui aurait pu être sa fille. Il était fou amoureux et me quittait pour vivre avec elle. Il avait toujours beaucoup d'estime et d'affection pour moi, bien sûr. Il espérait que je comprendrais…

– Je suis désolé… Je ne sais pas quoi dire…

– Je ne savais pas quoi dire, moi non plus, alors je lui ai renversé le seau à champagne sur la tête. Dès le lendemain, je suis allée voir un avocat. C'était une femme, elle m'a demandé si je souhaitais divorcer à l'amiable ou le prendre par les… roubignolles. J'ai opté pour la castration. J'en avais soupé d'être arrangeante.

– Vous avez sans doute bien fait.

– J'ai eu peur de le regretter, mais jusqu'à présent, non. Si je vous raconte ça, c'est pour vous dire que mon mariage et mon divorce m'ont appris à me connaître, avec mes qualités et mes défauts, et à ne plus perdre de temps à attendre que mes rêves se réalisent.

– Il faut avoir des rêves dans la vie.

– Bien sûr, mais il faut aussi les aider à se réaliser. Je vous ai menti, hier, en disant que je ne vous draguais pas. Vous me plaisez beaucoup, Lucas.

Un grand blanc se fit dans son esprit. Non seulement il était sans voix, mais il avait l'impression que son cerveau était paralysé, déconnecté du reste de son corps. Il ne pouvait même plus avaler sa salive, seulement fixer bêtement Emma, qui le regardait de ses yeux pétillants.

– Je ne crois pas que tout soit bon à dire, continua-t-elle. Mais avec vous, j'ai décidé de jouer franc jeu.

Elle but une gorgée de son cocktail pour rassembler ses esprits.

– Alors… Je vous ai fait peur ?

– Je… j'avoue que vous me déstabilisez.

– J'aurais dû vous préciser que je suis sincère et sérieuse à propos de mon projet pédagogique et de mon intention de prendre des cours de parachutisme. Ces deux choses sont certainement liées à l'attirance que j'éprouve pour vous, mais elles me tiennent à cœur et j'espère les mener à bien, que l'attirance soit réciproque ou non. Pour tout vous dire, je suis un peu gênée, moi aussi, conclut-elle avec un soupir.

Cet aveu soulagea Lucas, qui retrouva ses facultés.

– Vraiment ?

– J'ai voulu être directe, ce n'était pas facile, et je comprendrais que ça ait pu vous déplaire… Maintenant, si vous avez envie de faire plus ample connaissance avec moi, j'aimerais vous inviter à dîner. Il y a un très bon restaurant, juste à côté. J'ai réservé une table, au cas où…

Lucas réfléchit un instant avant de répondre :

– Non.

– Pas de problème. Nous…

– C'est moi qui vous invite. Il y a un excellent restaurant, à quelques pas. Une table nous y attend.

Un sourire éclaira le visage d'Emma.

– Ça marche, dit-elle en se levant. Je vais juste me rafraîchir un peu d'abord.

Sitôt qu'Emma eut refermé la porte des toilettes, elle exécuta une petite danse de victoire dans ses escarpins violets achetés l'après-midi même.

– Que l'aventure commence ! dit-elle à son reflet dans le miroir, en sortant son tube de rouge à lèvres.

Sa vie n'était donc pas terminée, comme elle l'avait craint quelques années plus tôt. Un nouveau départ s'amorçait, plein de perspectives radieuses.

– Merci, Darrin, murmura-t-elle à l'attention de son ex-mari. Il aura fallu que tu me bottes les fesses pour me réveiller, et je t'en suis infiniment reconnaissante !

Rose dut se faire violence, mais elle résista à l'envie d'appeler son père sur son portable ou de lui envoyer un texto. Elle aurait eu l'air de l'espionner. Ne pouvant plus tenir, elle composa néanmoins le numéro de sa ligne fixe.

À 21 h 30, elle était sûre qu'il serait rentré. Elle eut cependant la désagréable surprise de tomber sur sa messagerie.

« Salut, c'était moi. Je suis en train de rédiger mon rapport d'intervention et tout d'un coup j'ai pensé que j'avais oublié de te dire que j'avais assuré comme une championne, en tant que chef des opérations. Si je ne peux pas fanfaronner devant mon père, devant qui je le pourrais ? J'en ai encore pour une petite heure à terminer ma paperasse. Ensuite, j'irai sûrement faire un tour, histoire de me changer les idées. Rappelle-moi. J'espère que ton rendez-vous s'est bien passé. »

Elle raccrocha.

– Un rendez-vous avec une cliente qui dure deux heures et demie, c'est ça, oui, grommela-t-elle.

Au fond, elle ne demandait pas mieux que son père ait une vie sociale. Ce qui la contrariait, c'était de ne pas savoir qui était cette cliente. Lucas Tripp avait du charme, et une affaire prospère. Il était la proie rêvée pour une opportuniste.

Rose se devait de veiller sur son papa célibataire, riche, naïf et aveuglément confiant envers la gent féminine. Peut-être pouvait-elle essayer de le joindre sur son portable, après tout…

Non, non, non, se raisonna-t-elle. *Il y a des limites à ne pas franchir. Il a soixante ans, tout de même.*

Elle termina son rapport, l'envoya à Michael, sortit faire un tour, un long tour maussade, puis regagna sa chambre, où elle tourna en rond avant de se coucher, irritée contre elle-même.

Et, à plus de minuit, elle finit par sombrer dans le sommeil.

Des voix la réveillèrent. Des éclats de voix provenant de sous sa fenêtre, derrière sa porte. Un instant, encore à moitié endormie, elle crut être dans son cauchemar habituel, juste après le saut fatal de Jim, lorsque tout le monde hurlait de panique, de terreur, de colère. Elle ouvrit les yeux dans la pénombre, cependant, les voix étaient toujours là. Il se passait quelque chose. Instinctivement, elle se précipita dans le couloir.

– Que se passe-t-il ? demanda-t-elle à Dobie.

– Quelqu'un est entré dans la salle d'embarquement. D'après Gibbons, tout a été saccagé.

– Hein ? Ce n'est pas…

Dobie ne prit pas la peine de s'arrêter, apparemment pressé de voir par lui-même. Pieds nus, dans le pantalon de coton et le débardeur qui lui tenaient lieu de pyjama, Rose lui emboîta le pas.

La fraîcheur nocturne lui donna la chair de poule, tout autant que la consternation sur les visages des uns et des autres. Il était arrivé quelque chose de grave.

Sur le seuil de la salle d'embarquement, elle se fraya un passage entre ses collègues. Les parachutes, d'ordinaire si méticuleusement pliés, gisaient au sol, enchevêtrés, tels des ballons dégonflés. Des outils étaient éparpillés aux quatre coins de la pièce. Des outils habituellement rangés avec soin, dont on s'était servi pour lacérer les voiles de soie, éventrer les sacs, déchirer les combinaisons.

Bombé à la peinture rouge sang, un message s'étalait sur le mur :

CREVEZ AU BOUT DE VOS PARACHUTES ET BRÛLEZ EN ENFER

ATTAQUE ÉTENDUE

On éteint sans peine avec le pied une légère étincelle,
mais si on la néglige, un fleuve d'eau n'éteindra plus l'incendie.

WILLIAM SHAKESPEARE

11

Passé l'instant de choc et de stupéfaction, tous les membres de la caserne furent mis à contribution, répartis entre la réserve, l'atelier et le hangar. Parachutes, sacs, housses, ponchos... tout le matériel en attente de réparation devait être remis en état au plus vite. Dans le bourdonnement et le cliquetis des machines à coudre, Rose savait que chacun n'espérait qu'une chose : que la sirène reste muette. Faute d'équipement, la base était temporairement dans l'impossibilité de répondre à une alerte. Il fallait donc procéder d'urgence aux travaux, une course contre la montre et les caprices de la nature.

En face de Rose, Cards raccommodait une voile avec application.

– On pourrait peut-être partir à huit, maintenant. On a du matos pour huit, non ?

– Prions plutôt pour qu'on ne nous appelle pas. Heureusement qu'elle ne s'est pas introduite dans la réserve. Elle a déjà fait bien assez de mal comme ça.

– Tu crois vraiment que c'est Dolly ?

– Qui d'autre ?

– Pourquoi tant de haine ? Elle faisait partie des nôtres, en quelque sorte. J'ai même...

– Comme tous les mecs de la base...

Méticuleusement, Rose rassembla les suspentes d'un parachute en deux faisceaux bien nets. Une corde emmêlée, et le saut pouvait virer au cauchemar.

– Qui, à part elle, pourrait nous en vouloir à ce point et commettre un acte aussi stupide ? asséna-t-elle.

127

– Tu as raison, approuva Cards. Quand je pense que je ne me suis pas couché avant 1 heure du matin et que je n'ai rien entendu… Elle a dû faire du boucan, tout de même.

Rose haussa les épaules.

– Elle connaît les lieux.

– De toute façon, intervint Gull en s'arrêtant près de leur table, une voile dépliée dans les bras, si un incendie se déclare et qu'on n'est pas prêts, ils enverront des paras d'autres bases. À qui essaie-t-elle de nuire ?

– Quand on est timbré, on ne réfléchit pas.

– D'accord… Mais sa bêtise ne nous coûte que du temps, de l'argent et de l'énervement. Sans compter que les flics vont venir frapper à sa porte, cette fois.

– La vengeance est aveugle.

Gull s'apprêtait à répondre lorsque Gibbons appela Rose.

– La police veut te parler, Rose. Ils nous interrogeront tous chacun notre tour, ajouta-t-il, quand les machines se turent.

– Cinq minutes, je finis de plier ce parachute.

– Cards, dès que tu auras terminé ce que tu es en train de faire, tu pourras aller à la salle à manger. L'inspecteur Rubio y prend aussi nos dépositions.

Cards opina de la tête.

– Gull, Matt, Janis, quand les flics nous y autoriseront, vous viendrez avec moi faire le ménage dans la salle d'embarquement. Si vous avez faim, Marg a préparé un buffet. Remplissez-vous le ventre, on risque d'être bien occupés pour le restant de la journée. Franchement, c'est le bordel.

Là-dessus, Gibbons repartit avec un air de dégoût.

Rose acheva de plier sa voile, concentrée sur sa tâche, puis la rangea et quitta la réserve, contente d'échapper au tintamarre qui lui donnait la migraine. Mais, avant de se rendre dans le bureau de Michael, elle fit un détour par la salle d'embarquement.

Deux officiers de police et deux agents en civil s'y affairaient. Elle connaissait la femme qui prenait des photos du message peint au mur, Jamie Potts. Elles avaient été dans la même classe, au lycée. Elle connaissait aussi l'un des policiers en uniforme, avec qui elle était brièvement sortie, à la même époque.

Le spectacle des dégâts ne faisait qu'attiser sa mauvaise humeur. Les mains dans les poches du sweat à capuche qu'elle avait enfilé par-dessus sa tenue de nuit, elle prit le chemin du centre des opérations. Gull sortit de la salle à manger et vint à sa rencontre avec une canette de Coca.

– Tiens, j'ai pensé que tu avais besoin d'un remontant.

– Merci. Je croyais que tu étais allé prendre ton petit déjeuner.

– C'est fait. Ce n'est pas grave.

– Quoi donc ?

Du bras, il désigna la salle d'embarquement.

– C'est lamentable, mais on ne va pas se laisser abattre par des dommages matériels. Celle ou celui qui a fait ça n'a réussi qu'une chose : renforcer notre motivation à faire ce métier.

– Attitude positive, c'est ça ? répliqua-t-elle sur un ton irrité. Honnêtement, je ne verrai le bon coté des choses que lorsque cette folle sera sous les verrous.

– Le FBI va sûrement intervenir. La caserne est la propriété des Eaux et Forêts, il s'agit d'un acte de haute trahison.

Rose se figea net. Elle n'avait pas envisagé la situation sous cet angle.

– Les Feds ne se déplaceront pas pour si peu.

– Je n'en suis pas si sûr. Si quelqu'un décide de pousser l'affaire jusqu'au bout, Dolly risque de graves ennuis, pour atteinte à une propriété fédérale. Alors qu'elle a seulement besoin d'une injonction de soins.

Gull passa un bras autour du cou de Rose et l'embrassa tendrement.

– On ira courir, tout à l'heure. Ça nous fera du bien.

– Tu ne voudrais pas arrêter d'essayer de me réconforter, s'il te plaît ?

– Non. Je ne veux pas que tu ailles parler à un flic dans cet état. Tu es tellement remontée que tu serais capable de lui sauter à la gorge.

Il la prit par les épaules et la força à le regarder. Son expression n'était plus aussi calme, plus aussi patiente.

– Tu es une fille intelligente, Rose, poursuivit-il. Conduis-toi intelligemment. Cet incident est déplorable, mais ce n'était pas une attaque personnelle contre toi. C'est un coup bas porté contre nous tous. C'est ça qu'il faut te dire.

– Elle est…

– Elle n'est rien. Dis-toi qu'elle n'est rien du tout et recentre-toi sur l'essentiel. Va donner à la police les informations dont ils ont besoin, retourne réparer les dégâts, et après nous irons courir ensemble.

Il l'embrassa de nouveau, rapidement, avant de tourner les talons. Agacée autant par lui que par le déchaînement de violence de Dolly, Rose entra dans le bureau de Michael.

Le lieutenant Quinniock était assis derrière la table de travail encombrée, une tasse de café et un calepin devant lui. Par-dessus des lunettes de lecture à monture noire perchées sur un nez en lame de couteau, il leva un regard d'un bleu délavé. Une petite cicatrice barrait sa pommette droite, dessinant la forme d'un hameçon. Dans ses cheveux grisonnants, il avait une large mèche complètement blanche. Il portait un costume noir à fines rayures, d'une coupe impeccable, sans un pli, et une cravate rouge nouée près du cou.

Son look vestimentaire ne colle pas avec son physique, pensa Rose, en se demandant si l'effet était voulu.

Il se leva lorsqu'elle entra dans la pièce.

– Mademoiselle Tripp ?

– Oui. Rose Tripp.

– Je vous remercie de vous être libérée un instant. Je sais que c'est une journée stressante. Voulez-vous fermer la porte, s'il vous plaît ? Asseyez-vous, je vous en prie. J'aurais quelques questions à vous poser.

Elle prit place en face de lui.

– J'ai eu l'occasion de rencontrer votre père, dit-il. Un grand monsieur, dont je me suis laissé dire que vous suiviez les traces.

– Merci.

– Bien… Vous avez eu une altercation avec Mlle Dolly Brakeman il y a quelques jours.

– On peut dire ça comme ça.

– Comment diriez-vous ?

Elle avait envie d'exploser, de lui arracher sa cravate rouge. « Conduis-toi intelligemment », avait dit Gull. Elle s'efforça de se détendre et de parler calmement.

– Elle est entrée dans ma chambre à mon insu et y a commis un acte de vandalisme. Et de manière plus générale, je dirais qu'elle est folle à lier. Mais cela n'engage que moi.

– Vos collègues partagent votre avis. Vous avez surpris Mlle Brakeman en train de verser du sang d'animal sur votre lit, dans votre chambre, ici, à la base. Est-ce exact ?

– Elle en a aussi jeté sur les murs, par terre, sur mes vêtements et d'autres objets personnels. Et elle a écrit sur le mur : « Crève en enfer ».

– Oui, j'ai vu les photos prises par M. Little Bear avant que votre chambre soit nettoyée et repeinte.

Rose ignorait que Michael avait pris des photos. Elle aurait toutefois pu s'en douter. Le chef pensait toujours à tout.

– Que s'est-il passé lorsque vous l'avez trouvée dans votre chambre ?

– J'ai essayé de lui casser la figure, mais mes collègues m'ont retenue.

– Vous n'avez pas porté plainte ?

– Non.

– Pourquoi ?

– Dolly a été immédiatement renvoyée de la base. Ça me suffisait. Elle a un enfant, je ne voulais pas lui créer d'ennuis. Et puis, dans l'heure qui a suivi, nous sommes partis en intervention. J'avais d'autres chats à fouetter.

– Mlle Brakeman est mère d'une petite fille dont James Brayner serait le père, un pompier parachutiste de Missoula décédé accidentellement en août dernier.

– C'est exact.

– Mlle Brakeman s'est mis dans la tête que vous êtes responsable de cet accident.

– Jim était mon partenaire de saut, ce jour-là. Elle en veut à toute l'équipe, mais plus particulièrement à moi, en effet.

– Juste pour que je me couche moins bête, que signifie exactement « partenaire de saut » ?

– Nous sautons deux par deux, l'un derrière l'autre. Le premier largué, moi, en l'occurrence, ce jour-là, est chargé de tracer la trajectoire, d'ouvrir la voie au second, en quelque sorte. Si l'un des deux paras a un problème, l'autre est censé en tenir compte. Nous veillons l'un sur l'autre, dans la mesure du possible.

– L'enquête a déterminé que M. Brayner avait commis une erreur.

Rose avait du mal à dissimuler son émotion. L'évocation du décès de Jim lui était encore douloureuse. Sans doute le serait-elle toujours.

– Nous avons été pris dans un mauvais courant. Au lieu de me suivre, il est parti dans la direction opposée. Je ne pouvais rien faire pour l'aider. Il a atterri hors zone, dans les flammes.

– Ce doit être difficile de perdre un collègue.

– Oui, très.

– À cette époque, Mlle Brakeman était employée aux cuisines de la base.

– Oui.

– Aviez-vous eu des problèmes avec elle avant l'accident ?

– Elle cuisinait, je mangeais. Nos relations s'arrêtaient là.

– On m'a dit que vous vous connaissiez depuis longtemps. Que vous étiez allées à l'école ensemble.

– C'est vrai, mais nous n'avons jamais été proches. Je ne sais pas pourquoi, elle a toujours été jalouse de moi. J'étais aussi à l'école avec Jamie et Barry, qui recueillent en ce moment des éléments de preuve dans la salle d'embarquement. Ni l'un ni l'autre n'est jamais venu décorer ma chambre comme pour le tournage d'un film d'horreur.

Quinniock l'observait par-dessus son long nez pointu.

– Saviez-vous qu'elle était enceinte lorsque Brayner s'est tué ?

– Non. Pour autant que je sache, personne n'était au courant, à part Jim, d'après ce qu'elle a raconté. Dolly est partie juste après l'accident, je ne sais pas où et je m'en fiche. Je n'ai plus eu de ses nouvelles jusqu'à ce qu'elle revienne demander du travail à la base, accompagnée de sa mère et de son pasteur.

Afin de s'accorder un moment de réflexion, Rose but quelques longues gorgées de son Coca.

– J'ai essayé de lui parler, je voulais crever l'abcès. Elle m'a fait comprendre très clairement qu'elle me haïssait. Et pour me le prouver elle a barbouillé ma chambre de sang. Michael l'a renvoyée sur-le-champ. Voilà.

Elle changea de position sur sa chaise, fatiguée de rester assise, fatiguée de répondre à des questions dont son interlocuteur connaissait déjà les réponses. « Recentre-toi sur l'essentiel », se souvint-elle.

– Écoutez, dit Rose en soupirant, je comprends que vous deviez mener votre enquête, mais je ne crois pas que mes relations avec Dolly aient beaucoup d'intérêt pour vous. Elle s'est introduite dans la salle d'embarquement et y a endommagé du matériel. Du matériel indispensable à l'exercice de nos fonctions. Si on nous appelle et que nous ne pouvons pas partir, des forêts entières risquent d'être ravagées, avec toute la faune et la flore qu'elles abritent. Sans parler du danger pour les vies humaines.

– Je comprends bien. Nous entendrons Mlle Brakeman. Pour l'instant, toutefois, à part les dégâts qu'elle a commis dans votre chambre, rien ne la lie aux actes de vandalisme perpétrés dans la salle d'embarquement.

– Elle nous a dit de vive voix qu'elle souhaitait notre mort à tous. Comme elle l'a écrit sur le mur. J'imagine qu'elle n'avait plus de sang de cochon sous la main, alors elle a utilisé une bombe de peinture.

– Sans équipement, vous ne pouvez pas sauter. Si vous ne sautez pas, il ne peut rien vous arriver.

– La logique n'est pas le fort de Dolly.

– Si elle est vraiment responsable de cette situation, je devrai en convenir. Je vous remercie pour votre temps, mademoiselle Tripp, et pour votre franchise.

– Il n'y a pas de quoi.

Rose se leva puis s'arrêta avant d'ouvrir la porte et ajouta :

– Je ne vois pas pourquoi vous parlez au conditionnel. Nous formons une équipe soudée, nous aimons tous notre métier et nous savons pourquoi nous l'exerçons. Il n'y a que Dolly qui ait pu faire une chose aussi stupide.

– Les trois hommes avec qui vous vous êtes battus à La Corde au cou, le mois dernier, auraient de bonnes raison de vous en vouloir, non ?

Rose fit face au lieutenant.

– Pensez-vous sincèrement qu'ils seraient revenus à Missoula, qu'ils se seraient introduits dans la base et auraient trouvé la salle d'embarquement ?

Quinniock enleva ses lunettes, les plia et les posa sur le bureau.

– C'est une piste parmi d'autres. Mon rôle consiste à les explorer toutes.

Rose n'avait pas vraiment faim, elle se rendit néanmoins au buffet où elle se confectionna un sandwich qu'elle mangea en regagnant la réserve.

Personne ne se plaignait. Ni du surcroît de travail ni de son côté fastidieux. Janis avait branché son iPod sur des enceintes, si bien que du R&B, de la country, du rock et du hip-hop adoucissaient le vacarme des machines. Les bras chargés de sacs à outils, Dobie exécuta une démonstration de boogie au son d'un morceau de Shania Twain.

Ça pourrait être pire, se dit Rose.

Ça pouvait toujours être pire. La seule attitude intelligente était donc de faire contre mauvaise fortune bon cœur. Lorsque Gull apporta des parachutes à réparer, elle en déduisit que la police en avait terminé dans la salle d'embarquement. Elle délaissa sa machine afin de l'aider à étaler les voiles, commença à marquer les déchirures et les accrocs.

– Les mécanos installent des tables dehors, l'avertit Gull. Il paraît que Marg prépare un barbecue. Elle s'est fait livrer un plein camion de côtes de bœuf.

Rose poursuivit sa tâche. Personne ne s'était douché ni même peigné, ce matin-là. Les hommes n'étaient pas rasés. L'ambiance était un peu étrange.

– En cas de coup dur, rien ne vaut une bonne grosse côte de bœuf, dit-elle avec un petit sourire. On a recousu pratiquement tous les parachutes de la réserve, et vérifié la moitié de ceux-ci. Il nous reste à réparer les sacs à dos perso, les sacs à outils, les ponchos et les housses qui étaient dans la salle d'embarquement. On aura peut-être le temps d'aller courir.

– Quand tu veux, acquiesça Gull en soutenant son regard.

– Je déteste me tromper. Cela dit, je reconnais m'être trompée en pensant qu'elle ne visait que moi. Mais j'aurais préféré une vendetta personnelle plutôt que ce carnage.

– Grâce à elle, on aura eu le plaisir d'entendre Southern et Trigger nous interpréter *Wanted Dead or Alive* en duo. Tu vois, tout a toujours un côté positif.

Il n'a pas tort, pensa-t-elle.

Il lui avait fallu un peu de temps, mais, à présent, elle parvenait à dédramatiser.

Elle examina chaque centimètre carré du parachute étalé devant elle avant de le placer dans la pile « à réparer », puis passa au suivant. Elle était tellement absorbée dans sa tâche qu'elle n'entendit pas Michael s'approcher derrière elle. Sa main sur son épaule la fit sursauter.

– Prends une pause, lui dit-il.

– Il y a quelques voiles à recoudre, mais la plupart n'ont que de petits accrocs à patcher.

– Je sais. Viens, on va prendre l'air.

– D'accord…

À force de rester debout immobile, courbée, Rose avait le dos raide et noué. Elle avait besoin de courir, afin d'évacuer la tension tant physique que nerveuse. Et cette odeur de viande grillée qui montait du barbecue commençait enfin à lui ouvrir l'appétit.

– Je viens d'avoir Quinniock au téléphone, lui dit Michael. Dolly prétend être restée chez elle toute la nuit. Sa mère confirme.

– Tu m'étonnes !

– Le problème, c'est qu'ils n'ont pas de preuve du contraire. J'espère qu'ils en trouveront en poussant leurs investigations. Des empreintes, peut-être.

Bien qu'il eût déjà un bonbon dans la bouche, Michael en déballa un autre. La cigarette devait lui manquer cruellement.

– Pour l'instant, en tout cas, continua-t-il avec une haleine parfumée à la cerise, Dolly nie. Ils ont interrogé ses voisins. Aucun n'a pu affirmer avec certitude si elle était chez elle ou pas. Et comme personne ici ne l'a vue, ils ne peuvent pas l'inculper. Quinniock voulait nous prévenir qu'elle évoque la possibilité de nous intenter un procès pour diffamation.

– Quel culot !

– Je suis bien d'accord avec toi.

Michael contempla la fumée qui montait du barbecue, et Rose imagina le nombre de tracas auxquels il devait faire face, le poids qui pesait sur ses épaules.

– Aux flics de faire le jour sur cette affaire, de toute façon, dit-elle.

– Tout à fait. L'essentiel, c'est que nous soyons prêts si on nous appelle. Pour l'instant, nous pouvons partir à vingt.

– Vingt ?

– Les mécanos nous ont donné un bon coup de main dans la salle d'embarquement. Et j'ai commandé du matériel neuf pour remplacer tout ce qui était irrémédiablement endommagé. Tout ça n'aura été qu'un contretemps. Tu es de nouveau de garde.

– Je veux qu'elle paie.

– Je sais, et moi aussi, tu peux me croire. S'ils arrivent à prouver que c'est elle qui a fait ça, je veux qu'on la jette en prison. Je me suis laissé amadouer, je lui ai donné une deuxième chance, puis une troisième, en la virant au lieu d'appeler la police. Crois-moi, je suis le premier à espérer qu'elle paiera.

Le portable de Rose vibra dans sa poche.

– Vas-y, réponds, lui dit Michael. Je transmettrai le message de Quinniock aux autres pendant la pause-déjeuner. Il va y avoir du sport !

Rose consulta l'écran de son téléphone. Son père. Elle avait presque oublié les messages qu'elle lui avait laissés la veille.

– Enfin…, dit-elle en prenant l'appel.

– Désolé de ne pas t'avoir rappelée plus tôt, ma chérie. Je suis rentré tard, hier soir, j'ai eu peur de te réveiller. Et ce matin, je n'ai pas eu une minute à moi.

– On a été bien occupés, nous aussi.

Elle lui raconta le saccage et son entrevue avec la police.

– Mon Dieu ! s'exclama-t-il. Cette fille a vraiment un problème. Vous avez besoin d'aide ? Je peux peut-être repousser mes cours de cet après-midi, ou vous envoyer un ou deux gars.

– Je crois que ce ne sera pas nécessaire, mais je demanderai au chef.

– Tu m'as dit que c'était Quinniock qui s'occupait de l'affaire ? Je le connais un peu. Je l'ai rencontré l'année dernière, quand j'ai participé à cette journée caritative. Il est venu visiter le club avec ses enfants.

– Au fait, comment s'est passé ton rendez-vous, hier soir ?

– Très bien. Je vais travailler sur un projet pédagogique avec des lycéens et Emma, ma cliente, la principale du lycée.

– Super !

– Oui, tu auras sûrement l'occasion de la rencontrer. Son projet comporte un volet qui se déroulera à la base, je t'expliquerai. J'ai un groupe qui arrive.

– Passe à la caserne en fin de journée, si tu veux.

– Je dîne avec le comptable, ce soir. Je passerai plutôt demain.

– OK, à demain, alors.

Rose rejoignit ses collègues autour des tables. Matt et Libby riaient ensemble, Cards faisait un tour de magie pour un nouveau, Trigger et Janis discutaient base-ball. Elle mangea de bon appétit et participa gaiement aux conversations.

Gull avait raison. Les méfaits de Dolly n'étaient pas la fin du monde. Elle le héla avant de regagner son poste de travail.

– Rendez-vous à 16 heures sur la piste ?

– J'y serai.

Elle cherchait les ennuis, elle devait l'admettre. Mais, pour une fois, elle pouvait peut-être faire une entorse à la règle. Après tout, ils étaient tous les deux adultes. L'aventure durerait ce qu'elle durerait. Ils se plaisaient, ils étaient tous les deux célibataires, et suffisamment intelligents pour continuer à travailler ensemble dans un bon esprit quand la flamme retomberait. Pourquoi se refuser du plaisir ?

Janis la rejoignit dans la réserve.

– Tu as l'air bien réjouie…

– Je crois que je vais coucher avec Gull, reconnut Rose.

– D'accord… Je comprends mieux. J'avoue qu'il est craquant. Et ta règle d'or ?

– Temporairement abrogée. En fait, je crois que je serais restée fidèle à ma règle sans cette histoire avec Dolly. Ça m'a déprimée.

– Oublie Dolly, va, et éclate-toi avec Gull.

– Merci pour le conseil, docteur.

– En tout cas, grâce à elle, on s'amuse comme des petits fous. Tu savais que Matt lui avait filé cinq mille dollars ? chuchota Janis.

– Hein ?

– Pour sa fille. Elle est allée pleurer sur son épaule quand Michael l'a virée. Comment allait-elle payer les notes d'hôpital, et le pédiatre ? Il lui a dit qu'il avait quelques économies et qu'il pouvait lui prêter un peu d'argent, en attendant qu'elle retrouve un emploi. J'imagine qu'il a fait ça pour son frère, mais tu peux être sûre qu'elle ne va pas arrêter de le taxer, maintenant.

– Pourquoi travailler quand on peut demander la charité ? Si Matt veut faire quelque chose pour la fille de son frère, il ferait mieux de donner de l'argent à la mère de Dolly ou de payer directement l'hôpital.

– Tu devrais le lui dire.

– Peut-être, oui.

Rose n'aimait pas se mêler de ce qui ne la regardait pas – elle-même avait horreur qu'on lui donne des leçons. Pouvait-elle se permettre de dire à Matt ce qu'il devait ou ne devait pas faire ? La question la tarauda tout l'après-midi.

Courir me portera conseil, se dit-elle en enfilant une tenue de sport.

Gull la rejoignit alors qu'elle sortait du bâtiment des chambres.

– Pile à l'heure.

– Si j'étais restée enfermée dix minutes de plus, je crois que j'aurais étranglé quelqu'un.

– J'en avais ras-le-bol, moi aussi, de faire de la couture.

Sur le bord de la piste, Rose ôta sa veste et la posa dans l'herbe avec sa bouteille d'eau.

– Endurance ou vitesse ?

– Si on faisait la course ? proposa Gull.

– Non, car tu es sûr de gagner.

– Alors, je te laisse prendre de l'avance. Cinq cents mètres.

– Cinq cents mètres ? Tu crois que tu peux me battre avec un tel handicap ?

– Sinon, je me régalerai les yeux.

– OK, si tu veux mater mes fesses, allons-y.

Elle démarra son chronomètre et s'élança sur le couloir intérieur.

Gull alluma son MP3 et attendit en s'échauffant qu'elle eût parcouru cinq cents mètres, puis il s'élança à son tour sur la piste. L'air était chaud et sec, un beau soleil brillait dans le ciel. Il appréciait de se dégourdir les jambes, de respirer, d'avoir de la bonne musique dans les oreilles, et les courbes de Rose à admirer.

Il allongea progressivement la foulée, si bien qu'au bout d'un kilomètre et demi il avait réduit son retard de moitié. Rose était en short et débardeur. Il ne se lassait pas de contempler le galbe de ses mollets, ses épaules musclées et bronzées.

Elle le subjuguait autant par sa plastique que par sa personnalité. Aucune fille ne l'avait à ce point fasciné.

Au troisième kilomètre, il la talonnait. Rose jeta un coup d'œil par-dessus son épaule et accéléra. À quatre kilomètres, il la rattrapa. Elle soufflait comme un phoque. Il envisagea de ralentir, mais son esprit de compétition prit le dessus. Il franchit le cinquième kilomètre avec une bonne dizaine d'enjambées d'avance sur elle.

— Tu m'as écrasée, haleta-t-elle.

— J'ai failli te laisser gagner, mais j'ai trop de respect pour toi pour te faire cet affront.

— Merci.

Elle consulta son chronomètre.

— J'ai battu mon record, constata-t-elle. Tu me pousses vers l'excellence.

Il l'attrapa par les bretelles de son débardeur et l'attira contre lui.

— Attends, je peux à peine respirer.

Il plaqua ses lèvres contre les siennes. Elle était trempée de sueur. Son cœur battait à toute allure contre le sien. Un petit tremblement la parcourut, de fatigue ou de désir. Les deux, peut-être.

Quelqu'un leur adressa un sifflement suggestif. Ni l'un ni l'autre n'y prêta attention.

Mais, lorsque la sirène retentit, ils se séparèrent brusquement et se tournèrent vers la caserne.

— La suite au prochain épisode, dit Gull avec un soupir.

12

Du haut des airs, le lendemain après-midi, sanglé à un golfeur professionnel, Lucas observait la base en effervescence. Il ne dînerait pas avec sa fille ce soir.

Il était déçu, mais combien de fois avait-il dû la décevoir en lui faisant faux bond à la dernière minute lorsqu'il était lui-même pompier ? L'essentiel était que tout se passe bien pour elle, qu'elle rentre saine et sauve.

– C'est le plus beau moment de ma vie ! hurla son client.

Tu es encore jeune, pensa Lucas. *Tu as toute la vie devant toi, je te le souhaite.*

Quand ils eurent atterri, qu'il eut posé pour les photos de routine et accepté moult remerciements, Lucas consulta son portable. Sa fille lui avait envoyé un message : Désolée pour le dîner. Partie en inter'. À plus.

– À plus..., murmura-t-il.

Il appela la base, afin d'obtenir quelques informations sur l'incendie. Celui de la veille n'avait nécessité qu'une équipe de quatre hommes, et il avait été éteint en moins de dix heures ; celui-ci semblait plus violent.

Des campeurs imprudents en étaient à l'origine. Une équipe de seize paras, dont Rose, avait été envoyée sur les lieux, près de Lee Ridge. Lucas visualisait parfaitement le secteur. Il consulta néanmoins la carte affichée dans son bureau. Les pompiers pourraient puiser de l'eau dans la rivière de Lee Creek, l'une des plus belles de la région.

Il repéra les zones de saut possibles. L'atterrissage serait difficile, dans l'épaisse forêt de pins de Murray et de Douglas.

Rose a de la bouteille, se rassura-t-il. Il allait s'occuper de son courrier en attente, manger un morceau, puis s'installer pour attendre. Pendant cinq bonnes minutes, il contempla l'écran de son ordinateur avant d'admettre qu'il avait la tête ailleurs. Il envisagea un instant d'aller faire un peu de musculation à la salle de gym de la base ou de quémander un repas à Marg. Puis il se ravisa : il aurait eu trop l'air d'errer comme une âme en peine.

Il avait apprécié de dîner au restaurant avec Emma, l'autre soir. Boire un peu de vin, discuter autour d'un vrai repas. Seul, il avait tendance à se contenter d'un en-cas acheté au petit café attenant à la boutique de souvenirs du paraclub. Ou à se préparer un sandwich, quand il n'allait pas manger à la base. Il avait connu de grands moments de solitude quand il était pompier. Il ne mesurait toutefois ce qu'était vraiment la solitude que depuis qu'il passait de longues nuits seul dans une maison vide.

Il sortit son portable. S'il attendait trop, il n'aurait jamais le courage d'appeler Emma. Il composa donc son numéro sans prendre le temps de réfléchir.

– Allô ! répondit-elle d'une voix guillerette.

Il sentit la panique le gagner. *Iron Man de mes deux*, pensa-t-il.

– Emma ? Bonsoir, c'est Lucas.

– Ah ! Lucas… Comment vas-tu ?

– Bien… Bien… J'ai passé une excellente soirée, l'autre jour.

– Moi aussi. Je n'arrête pas de penser à toi, depuis.

– C'est vrai ?

– Bien sûr. J'espère que nous nous reverrons bientôt.

Lucas sourit béatement au combiné. Après tout, ce n'était pas si compliqué.

– Si nous retournions dîner ensemble ?

– Volontiers. Quand ?

– À vrai dire, je… Ce soir ? Je te prends au dépourvu, mais…

– Appelons cela de la spontanéité. J'adore la spontanéité.

– Je peux venir te chercher vers 19 heures.

– Et si tu venais plutôt dîner chez moi ? Je me sens d'humeur à cuisiner. Tu aimes les pâtes ?

– Oh oui ! mais je ne voudrais pas te causer de dérangement.

– Ne t'inquiète pas. Ce ne sera qu'un petit repas sans chichi ni tralala. Nous mangerons sur la terrasse. Je viens juste de finir de réaménager mon jardin. Je me ferai une joie de te le montrer.

– D'accord.

De la cuisine maison, une soirée dans un jardin... deux dîners en trois jours en charmante compagnie. Lucas était aux anges.

– Je t'attends vers 19 heures, alors. À tout à l'heure, Lucas.

– À tout à l'heure.

J'ai un rendez-vous galant, se dit-il, légèrement sonné.

Il espérait seulement ne pas le gâcher.

Tout en roulant vers chez lui, car il voulait se changer pour le dîner, Lucas pensa à Rose, qui devait être en pleine action, dans la fumée et la chaleur, chaque cellule de son corps et de son cerveau concentrée sur l'extinction du feu, et sur sa survie.

Il habitait à quelques minutes de la base, dans une maison dont il commençait à se demander sérieusement si elle n'était pas trop grande pour lui. Mais quand Rose était là elle avait besoin d'espace, et il lui fallait aussi de la place pour loger ses parents lorsqu'ils lui rendaient visite, plusieurs fois par an. Durant les longues périodes où il était tout seul, cependant, cette villa lui paraissait de plus en plus vide.

Son intérieur était au demeurant simple et dépouillé. Pour avoir été pompier pendant de nombreuses années, il aimait trouver chaque chose à sa place à l'instant précis où il en avait besoin. Sa mère le trouvait austère. Elle aimait quand il y avait des trucs et des bidules partout. Afin qu'elle se sente à l'aise chez lui, il sortait en son honneur des bibelots et des objets décoratifs qu'il rangeait sitôt qu'elle était partie. Autant de moins à épousseter.

Il enfermait aussi dans un placard les coussins multicolores qu'elle aimait disposer sur le canapé et les fauteuils... que lui avait horreur d'avoir à poser par terre chaque fois qu'il avait envie de s'allonger.

Dans sa chambre, un jeté marron couvrait le lit, un fauteuil en cuir occupait un angle. Des stores en bois sombre masquaient les fenêtres. Même Rose trouvait que la maison manquait de couleur et de fantaisie.

Ses chemises étaient soigneusement empilées dans son armoire, séparées des pantalons par une série de rayonnages qu'il avait lui-même fabriqués pour les chaussures. Sans chichi ni tralala, avait dit Emma. Il opta pour une tenue décontractée : pantalon kaki et chemise bleue. Après s'être habillé, il rappela la base, qui ne put lui communiquer de nouvelles informations : les opérations étaient en cours.

Il n'y avait rien d'autre à faire qu'à attendre. Et pendant quelques heures, pour une fois, il ne resterait pas seul à se ronger les sangs.

Comme Emma semblait aimer le jardinage, il s'arrêta en chemin pour acheter des fleurs. Un bouquet était toujours le bienvenu, il le savait. Des dizaines de questions se bousculaient dans sa tête. De quoi parleraient-ils ? N'aurait-il pas dû apporter une bouteille de vin ? Il n'y avait pas pensé. Du vin et des fleurs, n'aurait-ce pas été excessif ?

De toute façon, les magasins étaient fermés, maintenant. De plus, qu'aurait-il choisi ? Il ne savait pas ce qu'elle avait préparé à manger.

Il s'engagea dans l'allée et se rangea devant le garage d'une jolie maison de deux étages à la façade orange, une maison tout à fait à l'image d'Emma, se dit-il. De nombreuses fenêtres pour contempler les montagnes, les massifs du jardin, les innombrables plantes alignées sur la varangue.

N'était-il pas ridicule, avec son petit bouquet de roses ? Les jambes en coton, il descendit de son pick-up.

Des fleurs font toujours plaisir, se rappela-t-il.

Il aurait mieux fait d'aller s'acheter un hamburger et des frites au café, et de passer la soirée tranquillement dans son bureau. Il ne savait pas se comporter dans ce genre de situation. Il était trop vieux pour ce petit jeu. Il n'avait jamais rien compris aux femmes, comment voulait-il qu'elles le comprennent ?

Il se sentait idiot, emprunté. Pas question toutefois de battre en retraite. Il appuya sur le bouton de la sonnette.

Emma ne tarda pas à lui ouvrir avec un sourire accueillant, les cheveux ramenés en un chignon savamment décoiffé.

– Tu as trouvé facilement ? Oh, elles sont magnifiques ! s'extasia-t-elle en prenant le bouquet et en plongeant le nez dedans, comme le faisaient systématiquement toutes les femmes. Merci, il ne fallait pas.

– Elles m'ont rappelé ta voix.

– Ma voix ?

– Belle et gaie.

– C'est gentil, ce que tu me dis là. Viens, entre, dit-elle, en lui prenant la main.

Sa maison était pleine de couleurs, de trucs et de bidules qui auraient plu à la mère de Lucas. La pièce à vivre était chaleureuse, décorée dans des tons lumineux. Des bougies emplissaient le foyer d'une cheminée en galets.

– Tu as une très belle maison.

– Je l'aime beaucoup, affirma Emma en regardant autour d'elle avec un air satisfait. C'est ma première acquisition immobilière. Je

142

l'ai entièrement meublée et décorée moi-même. Elle est un peu trop grande pour moi, mais mes enfants viennent souvent. Accompagne-moi, je vais mettre les roses dans un vase.

La cuisine était immense, ouverte sur une vaste salle à manger et, de l'autre côté, un salon télé : un canapé, des fauteuils, un grand écran plat. Elle ressemblait à une photo de magazine : des plans de travail en granit, un îlot central, de l'électroménager chromé, des placards vitrés en bois sombre, où étaient exposés les verres et la vaisselle.

– Ta cuisine est superbe.

– C'est la seule pièce que j'ai laissée telle quelle. En vérité, c'est elle qui m'a fait craquer, avec la vue sur les montagnes. Dès la première visite, j'ai su que j'avais trouvé mon chez-moi.

Emma sortit une bouteille de vin d'un casier et la posa sur le comptoir avec un tire-bouchon.

– Tu veux bien l'ouvrir pendant que je m'occupe des fleurs ?

Elle ouvrit un placard, balaya les rayons du regard et choisit un grand vase bleu cobalt. Pendant qu'elle coupait les tiges dans l'évier de l'îlot central, Lucas déboucha la bouteille.

– Je suis contente que tu m'aies appelée. Je voulais travailler à mon doctorat, ce soir, mais je n'étais pas très motivée.

– Tu prépares un doctorat ?

– Depuis un certain nombre d'années. Mais je commence enfin à en voir le bout. Tu trouveras des verres à vin dans le placard à droite de l'évier. Tu as eu du monde au paraclub, aujourd'hui ?

– Pas mal, oui : un groupe du Canada, un autre d'Arizona, plus mes élèves réguliers. La journée a été bien chargée. Mais moins qu'hier, où j'ai tout juste eu le temps de faire un saut à la base. Tu es au courant de ce qui s'est passé ?

– Non...

– Quelqu'un s'est introduit dans la salle d'embarquement, pendant la nuit, et a tout saccagé.

– Qui a pu faire une chose aussi stupide ?

– Dolly Brakeman, on pense. Une fille du coin qui a eu une... une aventure avec le parachutiste qui s'est tué l'été dernier. Elle était enceinte de lui. Elle a accouché au printemps.

– Oh, mon Dieu ! Je connais sa mère, Irene, la cuisinière du lycée, une femme très sympathique avec qui je me suis liée d'amitié.

Lucas l'avait oublié, mais, en effet, Mme Brakeman travaillait au lycée.

— Désolé…, bredouilla-t-il. Je n'aurais pas dû accuser sa fille tant que nous ne sommes sûrs de rien.

— Irene est une personne, sa fille en est une autre, répondit Emma en arrangeant les fleurs dans le vase. Dolly lui en fait voir de toutes les couleurs. Cela dit, elle se trouve dans une situation difficile, avec ce qui est arrivé au père de son bébé, mais ce n'est pas une raison pour tomber dans la délinquance.

— Tu savais qu'elle avait été à nouveau embauchée à la cuisine de la base ?

— Je savais qu'elle y avait travaillé, mais pas qu'elle y était retournée cette année. Il faut dire que je n'ai pas vu Irene depuis que je lui ai apporté un cadeau de naissance.

— Ils ont voulu lui donner une seconde chance. Après l'accident de Jim, elle a agressé Rose et elle est partie en claquant la porte.

— Ta fille ? Irene ne m'a jamais parlé de ça…

— Rose était la partenaire de saut de Jim, ce jour-là. Dolly s'est mis dans la tête qu'il s'est tué par la faute de Rose. Quelques jours à peine après son retour à la caserne, elle a balancé du sang de cochon dans sa chambre.

— Mon Dieu… Je n'étais pas au courant, dit Emma, les mains sur les hanches, sans doute l'attitude qu'elle prenait pour sermonner les lycéens. Je passerai un coup de fil à Irene demain pour voir si elle a besoin de… de quoi que ce soit. Dolly lui a donné du fil à retordre, mais elle pensait vraiment qu'elle allait se calmer maintenant qu'elle est maman et qu'elle va à l'église. Apparemment, ce n'est pas le cas. Comment ta fille a pris ça ?

— Rose ? Elle était furieuse, évidemment. Heureusement, le matériel endommagé a vite été réparé. La base est de nouveau opérationnelle. Ils ont pu partir en intervention dès hier après-midi. Et ils sont repartis aujourd'hui, vers 16 h 30.

— Rose est en intervention en ce moment ? Tu dois être inquiet.

— Pas plus que d'habitude.

— En tout cas, tu as bien fait de m'appeler, au lieu de rester tout seul.

— Maintenant, c'est toi qui te fais du souci pour Irene.

— C'est bien que tu m'aies prévenue qu'elle a des problèmes. Je la voyais moins, ces derniers temps, depuis que Dolly s'est installée chez elle avec son bébé. Je ne voulais pas les déranger. Mais je vais reprendre contact. Elle a sûrement besoin de se sentir entourée. Tu peux apporter la bouteille et les verres sur la terrasse, s'il te plaît ? Je te rejoins dans deux minutes.

On accédait à la terrasse par une large baie vitrée. La vue sur les montagnes était splendide, et le jardin semblait tout droit sorti d'un magazine, lui aussi. Comme la maison, il respirait la joie de vivre et l'esprit de famille. Emma avait aménagé une aire de jeux pour ses petits-enfants : des balançoires, un toboggan, un tourniquet, sur un revêtement de sol spécial comme en voit dans les jardins publics, et une maisonnette avec, devant, une petite table surmontée d'un parasol, agrémentée de fauteuils de jardin miniatures.

Les massifs de fleurs remportaient toutefois la palme.

Lucas reconnaissait des rosiers, quasiment la seule espèce qu'il était capable d'identifier. Le reste, à ses yeux, formait un décor de conte de fées, une mosaïque de formes et de couleurs où serpentaient d'étroites allées dallées, avec des bancs dans des petits recoins, une tonnelle couverte de vigne vierge, une fontaine en bronze, une mangeoire pour les oiseaux sur laquelle était perchée une sturnelle de l'Ouest.

Emma sortit de la cuisine avec un plateau.

– Ton jardin est magnifique. Je n'en ai jamais vu d'aussi beau, à part dans les films.

– Ma fierté et ma joie, dit-elle, les joues roses de plaisir, peut-être aussi un peu une obsession. Les anciens propriétaires étaient des passionnés de jardinage. C'est eux qui ont fait le plus gros du boulot. J'ai juste apporté quelques petits changements, ma touche personnelle.

Elle posa le plateau sur une table entre deux chaises en toile bleu électrique.

– Je croyais que tu devais préparer quelque chose de simple, dit Lucas en regardant les verrines et les toasts disposés sur le plateau.

– Je dois te confesser mon vice secret : j'adore mettre les petits plats dans les grands.

– Il ne fallait pas te donner tout ce mal, mais j'apprécie d'être reçu comme un hôte de marque.

Emma s'installa en face de lui. La brise faisait tinter un carillon. Ils dégustèrent le vin et les amuse-bouche en parlant des petits-enfants d'Emma, ce qui amena Lucas à raconter des anecdotes sur l'enfance de Rose.

Pourquoi avait-il paniqué ? La conversation se déroulait tout naturellement. Il était très à l'aise, et sous le charme du sourire d'Emma, à tel point qu'il en avait presque oublié que Rose était en intervention – presque.

– Tu penses à ta fille ?

– Elle est toujours dans un petit coin de mes pensées. Elle connaît son métier et elle est avec une bonne équipe. Ce n'est pas comme si c'était la première fois qu'elle partait au feu.

– Que fait-elle en ce moment, à ton avis ?

L'extinction d'un incendie revêtait tant d'aspects, pensa-t-il, tous aussi épuisants et dangereux les uns que les autres.

– Oh, ils établissent sûrement un pare-feu. À l'heure qu'il est, ils ont déjà dû définir leur stratégie en fonction de la vitesse de propagation, du vent, etc. Sans doute est-elle en train de tronçonner des arbres.

– Parce qu'ils constituent du combustible.

– Exactement… Ou alors elle arrose les flammes. Il y a une rivière où ils peuvent puiser dans le secteur. Je sais qu'ils ont largué la sauce, tout à l'heure.

– La sauce ?

– Du retardant, largué par un bombardier.

– Ah… d'accord. Je vais commencer à préparer le dîner. Viens avec moi, tu continueras à m'expliquer ce qu'est la sauce.

– Ce n'est pas très intéressant.

– Détrompe-toi, ça m'intéresse, affirma Emma en se levant.

– C'est une espèce de gelée rose qui cause de graves brûlures si tu en reçois sur la peau.

– Pourquoi rose ? C'est une couleur de fille.

Lucas la suivit dans la cuisine.

– On y ajoute de l'oxyde de fer pour la teinter. Cette coloration rouge-rose permet aux pilotes des avions-citernes de mieux visualiser les zones qu'ils ont arrosées, et de ne pas laisser de manques.

Emma fit chauffer de l'huile dans une poêle, éminça de l'ail et coupa des tomates tout en continuant à poser des questions. Elle semblait réellement intéressée par le métier de pompier, mais Lucas avait du mal à se concentrer sur autre chose que sur la façon dont elle bougeait, ses gestes, ses mains, son sourire, son parfum, sa manière de prononcer son prénom.

Ses lèvres.

Il n'avait pas l'intention de se conduire de la sorte. Il agit sans réfléchir, sur une impulsion. Il se trouvait sur son passage lorsqu'elle se détourna de l'îlot central. Leurs corps se frôlèrent. Elle inclina la tête. Peut-être commença-t-il à parler… Peut-être lut-il dans ses yeux une demande, une invite.

Dieu seul savait… Il ne se posa aucune question. Il posa les mains sur ses épaules, ses lèvres sur les siennes. Elle se hissa sur la pointe des pieds et noua ses mains derrière son dos. Il appuya son front contre le sien.

– C'est ton sourire, murmura-t-il. Il m'a fait perdre la tête.

Elle encadra son visage de ses mains et plongea son regard dans le sien.

– Le dîner attendra, dit-elle avec une infinie tendresse, en arrêtant la flamme sous la poêle.

– Je…

– Nous ne sommes pas des enfants, Lucas. Profitons de l'instant présent.

Elle le prit par la main et l'entraîna.

– Tu n'as pas pitié de moi, j'espère ?

– Pourquoi aurais-je pitié de toi ?

– Je… je suis si maladroit, et si pressé…

– Tu crois que je ne suis pas pressée, moi ? répliqua-t-elle avec une lueur malicieuse dans ses beaux yeux verts. J'ai été obligée de faire une demi-heure de yoga pour me calmer les nerfs.

– Te calmer les nerfs, toi ?

– Les hommes de ton âge regardent les filles de trente ans, pas les vieilles peaux de plus de cinquante comme moi, lui rappela-t-elle en poussant la porte de sa chambre, où se répandait la douce lumière de fin du jour.

– Que voudrais-tu que je fasse avec une jeunette qui pourrait être ma fille ? J'ai déjà tellement peur de te décevoir. Je manque de pratique, Emma.

– Je dois être passablement rouillée, moi aussi, admit-elle en riant. Embrasse-moi. Au moins, ça, nous savons encore faire.

Il cessa de nouveau de réfléchir, de s'inquiéter, et laissa ses mains courir le long du dos d'Emma, sur ses hanches, sa taille, puis elles remontèrent jusqu'à sa nuque, ses cheveux, d'où il retira une à une les épingles. Sa chevelure se répandit en cascade soyeuse sur ses mains, entre ses doigts. Elle renversa la tête en arrière, offrant son cou à ses baisers. Un frémissement la parcourut lorsqu'il commença à défaire les boutons de son chemisier. Elle lui déboutonna sa chemise.

Elle ôta ses sandales, il se débarrassa de ses chaussures.

– Jusque-là…

– tout va bien, termina-t-il en cherchant à nouveau sa bouche.

Oh oui ! il maîtrise l'art du baiser.

Elle lui enleva sa chemise, lui caressa le torse. Un torse ferme et musclé par toute une vie d'entraînement, marqué par les traces d'une carrière de pompier. Son chemisier rejoignit sa chemise sur le plancher. Lorsqu'il posa les mains sur sa poitrine, elle oublia tous ses complexes. Dans son regard, elle était la plus belle des femmes.

Elle dégrafa sa ceinture. Son corps retrouvait le frisson de l'excitation, du désir partagé. Le pantalon qu'elle avait mis vingt minutes à choisir glissa au sol. Il la souleva dans ses bras. Submergée de bonheur, elle posa la tête sur son épaule.

— Toute ma vie, murmura-t-elle, j'ai rêvé qu'un homme m'emporte dans ses bras. Tu es le premier à le faire, Lucas.

Dans la pénombre du soir tombant, ils se découvrirent, redécouvrirent des gestes et des sensations oubliés. Quand il la pénétra, elle susurra son prénom, la plus langoureuse des mélodies. Le plaisir les emporta vers la plénitude.

Un long moment, ils restèrent allongés côte à côte en silence.

— Eh bien, dit-elle enfin, je pourrais sortir plein de clichés : l'amour, c'est comme le vélo, ça ne s'oublie pas… ou : on se bonifie avec l'âge, comme le bon vin et le fromage. Mais je me contenterai d'un « waouh ! ».

Elle se blottit contre lui, la tête au creux de son épaule.

— J'écrirais un poème sur tes cheveux, si je savais écrire des poèmes, répliqua-t-il en enroulant une mèche autour de son doigt.

Elle éclata de rire, les larmes aux yeux.

— Tu es si gentil, dit-elle en l'embrassant. Je vais te préparer des pâtes comme tu n'en as encore jamais mangées.

— Ne te donne pas de mal. On peut se faire des sandwichs.

— Des pâtes, insista-t-elle, avec des tomates fraîches et le basilic du jardin. Tu as besoin de prendre des forces. La nuit commence à peine.

— Dans ce cas, dit-il avec une petite tape sur ses fesses nues, descendons tout de suite et mettons-nous à la cuisine.

13

Tandis que son père dormait du sommeil du juste entre les draps d'Emma, Rose entamait sa huitième heure de combat. Ils avaient circonscrit l'incendie, l'avaient presque sous contrôle, lorsqu'une pluie de braises s'était abattue de l'autre côté de la ligne d'arrêt, allumant une chaîne de foyers secondaires. En quelques minutes, l'équipe s'était retrouvée prise entre deux feux.

Grêlons de l'enfer, des tisons fusaient de toutes parts, rebondissant sur les casques, brûlant la peau à nu. Avec un rugissement, un pin s'embrasa comme une torche dans un nuage de fumée aveuglante. Catapultés par le souffle des flammes, des brandons volaient par-dessus le pare-feu anéanti. Alors que la victoire était proche, une nouvelle bataille se déclarait.

Sur l'ordre du chef des opérations, Rose et la moitié de l'équipe partirent attaquer le nouveau front.

– Au cas où, on se barre par là ! cria-t-elle à ses collègues en leur indiquant l'itinéraire de repli.

Si le nouveau flanc alimentait la tête, elle savait qu'ils risquaient d'être pris au piège.

– On l'aura ! On va l'éteindre, pas de souci ! hurla Cards en réponse, le visage empreint de la fièvre du dragon.

À mesure qu'ils avançaient, ils étouffaient des foyers, creusaient, sciaient.

– Il y a un cours d'eau à une cinquantaine de mètres, dit Gull en rattrapant Rose.

– Je sais, répondit-elle, surprise qu'il fût aussi bien informé. C'est là qu'on va pomper. On va l'arroser, on va le noyer !

– Je suis dégoûté, on avait presque éteint la tête.

– Gibbons et les autres vont reprendre les choses en main.

Le visage de Gull rougeoyait dans la lueur des flammes. Des cris de sauvages et des rires déments se mêlaient au grondement animal de l'incendie.

La fièvre du dragon, elle le savait, pouvait se propager tel un virus – pour le meilleur ou pour le pire. Elle la sentait se répandre dans ses veines ; le moment était décisif, ils n'avaient pas droit à l'erreur.

– Sinon, ajouta-t-elle, attrape tout le matos que tu peux et emporte-le aussi loin que tu peux. À la vitesse où tu cours, Gull, tu devrais être plus rapide que le dragon.

À une cadence infernale, ils montèrent la pompe et déroulèrent les tuyaux, tandis que leurs camarades entreprenaient de construire un nouveau pare-feu.

– C'est bon, ouvrez ! hurla Rose en s'emparant d'une lance et en se campant solidement sur ses jambes.

Lorsque jaillit le jet puissant, elle poussa un cri de guerre. Ses bras tremblaient de fatigue, mais ses lèvres affichaient un sourire féroce.

– Tiens ! Prends ça ! proféra-t-elle à l'intention du feu.

Avec un rire démoniaque, elle se tourna vers Gull.

– Regarde, la tête faiblit. Trop beau !

Une heure avant le lever du jour, l'incendie capitula. Avant la phase de nettoyage, les soldats du feu s'allongèrent au bord de la rivière, la tête sur leurs sacs à dos. Ils pouvaient à présent s'accorder une heure ou deux de sommeil. Rose ne protesta pas lorsque Gull se laissa tomber près d'elle, encore moins lorsqu'il lui offrit une canette de bière.

– Où as-tu trouvé ça ?

– Je suis un petit malin.

Elle en but la moitié d'un trait puis s'allongea et contempla la voûte étoilée au travers du brouillard de fumée.

L'aube était son moment préféré, un moment hors du temps entre la nuit et le jour, un moment de silence et de sérénité où les créatures nocturnes se taisaient avant que la forêt, la montagne et le ciel s'éveillent.

– Une nuit de boulot devrait toujours être suivie d'une bière et du spectacle des étoiles, dit-elle.

– Tu tombes dans le romantisme, toi aussi ?

– La fumée m'est montée à la tête. Je suis ivre de fumée comme une abeille de pollen.

– Je suis sorti avec une apicultrice, une fois, lâcha Gull.

– Ah oui ?

– Katherine Anne Westfield. Une jolie brune avec des jambes interminables et des yeux couleur chocolat. J'étais tellement mordu que je l'aidais à s'occuper de ses ruches. Mais ça n'a pas duré.

– Tu t'es fait piquer ?

– Même pas ! Elle voulait que je l'appelle Katherine Anne. Pas Katherine, ni Kathy, ni Kate ou Kat. Ça me prenait la tête.

– Tu l'as quittée parce qu'elle avait un prénom trop long ?

– Entre autres. De toute façon, les abeilles me faisaient flipper.

– J'aime bien écouter leur bourdonnement. Ça me berce. Ah, Cassiopée s'est éteinte…

Sur ces mots, Rose ferma les yeux et s'endormit.

Elle se réveilla blottie contre Gull, la tête au creux de son épaule, elle qui d'ordinaire détestait la promiscuité.

Gênée, elle tenta de reprendre ses distances, mais le bras de Gull la retint.

– Attends une minute.

– Il faut qu'on se remette au boulot.

– Ouais… Ouais… Le café est prêt, femme ?

– Très drôle, rétorqua-t-elle, bien qu'un petit sourire étirât ses lèvres. Allez, pousse-toi.

– Je te ferai remarquer que je n'ai pas bougé, moi. C'est toi qui es venue te coller contre moi. Cela dit, je ne m'en plains pas.

– Je devais avoir froid.

Il tourna la tête et lui embrassa le sommet du crâne.

– Tu es chaude comme une braise.

– Tu sais, Gull, on ne fait pas du camping sauvage en amoureux. On a une bonne journée de nettoyage devant nous.

– Laisse-moi encore rêver cinq minutes que nous allons faire l'amour en pleine nature et que tu me prépareras ensuite du café et des œufs au bacon, en minishort et débardeur moulant. Attention ! Un ours s'approche de notre campement. Je me bats contre lui, dans un combat brutal, et je réussis à le faire fuir. Tendrement, tu panses mes blessures, et nous refaisons l'amour.

– Tu as l'imagination fertile.

– C'est ce qui fait ma force.

– Il était gros comment, cet ours ?

– Oh, c'était au moins un grizzli.

– Et je suppose que je porte des talons aiguilles, avec mon short…

– Évidemment.

– Tu sais de quoi je rêve, moi ? D'un Jacuzzi et d'un massage aux pierres chaudes.

Rose tira une barre énergétique de son sac et la mangea tout en observant Gull. Il s'était un peu débarbouillé, mais il avait encore le visage noir de suie, et ses cheveux avaient l'aspect d'une serpillière.

Elle se tourna vers les montagnes, la forêt illuminée par les premiers rayons du soleil. Qui avait besoin de fantasmer en se réveillant dans un cadre aussi beau ? pensa-t-elle. Elle asséna une claque sur la cuisse de Gull.

– Allez, bouge-toi, le bleu ! Assez fainéanté, on a du pain sur la planche.

Gull se leva, sortit une ration des caisses qu'on leur avait parachutées et s'installa avec un café à côté de Dobie.

– Comment ça s'est passé pour toi ?

– C'était la plus dure journée de ma jeune vie, répondit Dobie en versant du Tabasco sur ses *hash browns*. Et peut-être la meilleure. Tu crois savoir à quoi t'attendre, ajouta-t-il en engloutissant son petit déjeuner goulûment, mais tu ne peux pas savoir tant que tu ne t'es pas colleté avec la réalité.

– Le dragon t'a embrassé ?

Dobie porta les doigts aux cloques qu'il avait dans la nuque.

– Ouais, il m'a donné quelques coups de langue, le salaud. J'ai cru qu'on allait rôtir comme des poulets quand il s'est mis à pleuvoir du feu. Tu as vu Trigger ? Il s'est pris un tison ici. (Dobie indiqua le côté de sa gorge.) Ça lui a fait un trou gros comme ça.

– Ah bon ? Je ne savais pas.

– Ça s'est passé quand tu es parti sur le deuxième front. Il pissait le sang. Il s'est collé une compresse de coton sur la brûlure et il a continué à tronçonner. Ça, c'est un dur !

– Et maintenant, on est assis là à prendre notre petit déjeuner devant une vue magnifique.

– Un job de dingue, dit Dobie avec un soupir en ouvrant une deuxième ration. T'en es où avec la blonde ?

Gull jeta un coup d'œil en direction de Rose.

– Ça progresse.

– Dépêche-toi, l'été ne durera pas toute la vie.

Tout en travaillant, ruisselant de sueur, Gull méditait ces sages paroles. Il se comportait avec Rose comme s'ils s'étaient rencontrés à l'extérieur, comme s'il avait tout le temps devant lui pour l'inviter à dîner, au cinéma, l'emmener en balade, à la plage. Alors qu'ils étaient dans un tout autre monde.

Peut-être devait-il l'aborder comme il abordait son travail. Certes, les pique-niques au champagne avaient leur charme, mais certaines situations exigeaient une approche un peu moins... élégante.

Lorsque vint enfin l'heure de remballer, il n'avait toutefois plus qu'une idée en tête : se sentir propre et savourer le confort d'un matelas pendant huit heures d'affilée. Rien d'étonnant, se dit-il en montant dans l'avion, si les femmes, en dépit de leurs merveilleux appas, l'intéressaient si peu, en saison. D'ordinaire... Il s'endormit avant même le décollage.

Arrivé à la base, il alla d'un pas titubant déposer son matériel et accrocher son parachute dans le hangar. Puis il prit le chemin des chambres, derrière Rose, qui tapait un texto sur son portable. Ses bottes lui paraissaient lourdes comme du plomb. Il avait hâte de les enlever et de se débarrasser de ses vêtements qui empestaient. Harassé, encore sous tension, il se sentait tout à coup les nerfs à fleur de peau.

S'il avait faim, ce n'était pas d'une femme, ni même de Rose Tripp. Mais, s'il était épuisé, c'était à force de penser à elle jour et nuit. Il était grand temps de mettre un terme à cette torture mentale.

Quand elle entra dans sa chambre, il s'y engouffra derrière elle.

– Qu'est-ce que tu...

Il ferma la porte en poussant Rose contre le battant et l'embrassa avec la fougue de la frustration accumulée au cours des semaines précédentes.

Puis il recula d'un pas et planta son regard dans le sien.

– Je suis fatigué. Je suis énervé.

– Dans ce cas...

– Laisse-moi finir ! la coupa-t-il en lui prenant les poignets. Cette situation devient ridicule. Peut-être que c'est moi qui suis ridicule, peut-être que c'est toi. Je m'en fiche. Tu es belle, forte, intelligente et courageuse. Et j'ai envie de toi. Mais tu sais comme moi que le courant qui passe entre nous ne se limite pas à une attirance purement physique.

Comme elle ne lui avait pas encore envoyé son genou dans l'entrejambe, il estima disposer d'un petit laps de temps pour terminer de plaider sa cause.

– Il faut qu'on arrête de se tourner autour, Rose. Oublie tes règles qui ne riment à rien. Tu me plais, je te plais, nous voulons tous les deux la même chose, alors qu'attendons-nous ? Si ce n'est qu'une passade, ce ne sera qu'une passade, nous n'en ferons pas un drame ni l'un ni l'autre. Mais j'en ai marre de jouer au chat et à la souris.

Rose ne s'attendait pas à un tel éclat. Elle n'aurait pas pensé non plus être capable d'éprouver le moindre frémissement de désir après trente-six heures au feu…

En guise de réponse, elle attira ses lèvres contre les siennes, puis dégagea ses poignets d'entre les siens et inversa les positions, le plaquant contre la porte.

– À la douche, le bleu ! dit-elle en déboutonnant sa chemise.

– C'est drôle, c'est justement ce que j'avais l'intention de faire. Et puis, je ne sais pas ce qui m'a pris, tu es passée en tête de mes priorités.

Il lui ôta sa chemise, dégrafa son pantalon.

– Mes bottes, parvint-elle à articuler entre deux baisers.

Elle s'assit sur les toilettes pour les enlever. Il se laissa tomber par terre et se débarrassa des siennes.

– Pas très sexy, tout ça, dit-il. Je suis peut-être trop pressé.

– Dépêche-toi !

En riant, elle se défit de son pantalon, se releva afin d'enlever son T-shirt et son soutien-gorge.

– Alléluia, murmura-t-il.

– À poil ! ordonna-t-elle en retirant sa culotte et en ouvrant le robinet de la douche.

C'est une folie, se dit-elle. Sans doute le contrecoup de la fièvre du dragon. Elle prit Gull par la main et l'attira sous le jet.

– On est dégueulasses, dit-elle en nouant ses bras autour de son cou et en se frottant contre lui.

– On s'en fiche, répliqua-t-il. L'eau est un peu froide à mon goût.

Dans son dos, il tourna le robinet, puis s'abandonna au plaisir de ces lèvres impatientes, affamées.

Le bonheur, se dit-elle. Le contact de l'eau chaude et des mains de Gull sur sa peau. Pourquoi avoir tenté de refouler ce désir qui la dévorait depuis le premier instant où leurs regards s'étaient croisés ? Depuis le début, il était évident qu'ils en arriveraient là. Elle laissa courir ses mains le long de son dos, dénouant par des gestes instinctifs ses muscles noués par des heures d'effort acharné.

Il gémit de bien-être lorsqu'elle lui massa les épaules. La tête dans son cou, il pressa ses doigts tout le long de sa colonne vertébrale, du haut vers le bas puis du bas vers le haut jusqu'à trouver les points douloureux et les zones érogènes à la base de sa nuque.

Elle versa du shampoing au creux de sa paume et lui savonna les cheveux. Tandis qu'elle lui frictionnait le cuir chevelu, il déboucha le flacon de gel douche. La cabine s'emplit du parfum des pêches mûres. En de lents gestes circulaires, il étala la mousse sur son ventre, sa poitrine.

Elle renversa la tête en arrière lorsque ses doigts glissèrent entre ses cuisses. Un son rauque s'échappa de sa gorge. Il garda un instant la main contre son sexe chaud et humide, tout en observant son visage. Elle se mit à onduler du bassin, sa respiration s'accéléra.

Pas tout de suite, s'ordonna-t-il, *pas tout de suite*.

Elle poussa un gémissement lorsqu'il la retourna face au mur ruisselant.

– Gull…

– Il faut que je te lave le dos.

Un dragon rouge crachant des flammes dorées était tatoué au creux de ses reins. Il le couvrit de savon et de baisers. Remonta jusqu'à son cou, le mordilla et le lécha. D'un bras, elle le pressa contre elle. Il l'enlaça et posa les mains sur sa poitrine. Si ferme, si pleine.

Il la fit de nouveau pivoter et embrassa tour à tour chacun de ses seins. Son corps tout entier vibrait de plaisir et de désir.

Elle ne s'attendait pas à tant de sensualité de la part de l'homme en colère qui l'avait poussée brutalement contre la porte un instant plus tôt. Elle ne savait pas jusqu'où elle pourrait résister à ces préliminaires.

Dans la cabine emplie de vapeur, il parcourut son corps de ses lèvres, faisant frémir chacun de ses muscles. Lorsque sa bouche s'arrêta sur son sexe, elle se cambra, en proie à une excitation presque douloureuse. Alors seulement il se redressa et la pénétra.

Il n'était plus question de sensualité, à présent. Agrippé à ses hanches, il laissa libre cours à son désir, stimulé par le bruit humide de leurs corps l'un contre l'autre, le mouvement de son bassin s'offrant à lui.

Dans ses yeux, il vit qu'elle se livrait corps et âme. Oubliant lui-même toute retenue, il se laissa emporter par le plaisir.

Elle garda la tête sur son épaule jusqu'à ce qu'elle retrouve son souffle. Un instant qui lui parut durer une éternité.

– Une minute, haleta-t-elle enfin.

Il répondit par un grognement avant d'articuler :

– Si on essaie de bouger, on va se casser la figure et se fracasser le crâne sur le carrelage.

– Une chance que ce ne soit pas déjà arrivé.

– Sans doute. Au moins, on serait morts propres et heureux. Je vais fermer le robinet. L'eau devient froide.

S'il le disait, il avait probablement raison. Son corps à elle dégageait néanmoins encore assez de chaleur pour faire fondre un bloc de glace. Il lui embrassa les cheveux. Elle ne savait tout simplement pas comment réagir à tant de douceur.

– Tu tiens sur tes jambes ? lui demanda-t-il.

– J'espère.

Il la lâcha et attrapa des serviettes de bain.

– C'est un sacrilège de cacher ce corps, dit-il en l'enveloppant et en déposant un baiser sur ses lèvres. Il y a un problème ?

– Non. Pourquoi ?

Il posa le doigt entre ses sourcils.

– Tu as l'air inquiète.

– Mon visage reflète l'humeur de mon estomac, qui se demande pourquoi il est toujours vide. Je crève de faim.

– Moi aussi. Allons manger.

Le précédant dans la chambre, elle se tourna vers lui, souriante.

– Je le savais d'avance, mais tu m'as fait grimper aux rideaux.

– Je suis doué aussi en position horizontale.

En riant, elle sortit un T-shirt et un jean de son armoire.

– Il va falloir me le prouver.

– Maintenant ou après manger ?

– Après, sans hésitation, répondit-elle en enfilant ses vêtements. Je vais m'évanouir tellement… Tu ne t'habilles pas ?

– Il est hors de question que je remette ces fringues puantes. Il va falloir que je t'emprunte ton drap de bain.

– Reste ici. Je vais te chercher des vêtements propres.

– Tu crois ?

– Je sais où est ta piaule.

Là-dessus, elle disparut dans le couloir.

La chambre de Gull était impeccablement rangée. Ses placards également. Elle y prit ce dont elle pensait qu'il avait besoin et s'attarda un instant devant une photo de lui entouré probablement de son oncle, de sa tante et de ses cousins, se tenant tous par le cou devant l'arcade de jeux, beaucoup plus grande qu'elle ne l'avait imaginée. Leur langage corporel parlait d'affection et de joie de vivre. Une belle photo de famille.

Elle referma la porte de la chambre derrière elle et lui apporta ses vêtements.

– Dépêche-toi de t'habiller avant que je tombe d'inanition.

– Dépêche-toi de te déshabiller, dépêche-toi de t'habiller. À vos ordres, mon commandant ! railla-t-il. Les dominatrices m'excitent. Au fait, j'adore ton tatouage.

– Mon porte-bonheur, un dragon pour me protéger du dragon. Et le tien, c'est quoi ? s'enquit-elle en se mettant derrière lui pour observer l'inscription calligraphiée sur son omoplate gauche.

– « Teine ». C'est du gaélique. Ça se prononce « teen » et ça veut dire « feu ». Un porte-bonheur, aussi.

– Et ça, d'où ça vient ? demanda Rose en traçant du bout de l'index une cicatrice à son flanc.

– Une baston dans un bar de La Nouvelle-Orléans.

– Sérieux ?

– Souvenir du carnaval. Tu es y déjà allée ?

– Jamais.

– Tu ne perds rien. J'étais avec des copains de fac. Un connard a branché une fille. Le même genre de connard que celui qui t'a cherchée, l'autre fois, en plus bourré et plus dangereux. Et la fille n'était pas aussi musclée que toi.

– Il n'y a pas beaucoup de filles aussi musclées que moi.

– C'est vrai. Comme je voyais que ça risquait de mal tourner, je lui ai dit de la laisser tranquille. C'est lui qui a frappé le premier, j'ai riposté. Sans doute n'a-t-il pas apprécié de se faire dérouiller en public. Il a sorti un couteau.

Le sourire de Rose se mua en une expression choquée.

– Et il m'en a filé un coup, poursuivit Gull. Heureusement, l'entaille n'était pas très profonde. Je lui ai explosé la mâchoire. Pour me témoigner sa reconnaissance, la fille a passé la nuit avec moi. J'étais un voyou, quand j'étais jeune, conclut-il en laçant ses baskets.

– Tu me surprendras toujours.

Il lui tendit la main.

– Allez viens, je t'offre à dîner et quelques bières bien fraîches.

– Les repas étant gratuits à la caserne, ton invitation est un peu mesquine, mais je l'accepte.

Tard dans la nuit, lorsque Gull eut prouvé ses talents en position horizontale, Rose le repoussa d'un geste ensommeillé.

– Rentre chez toi.

– Pas question, protesta-t-il en se calant confortablement contre elle.

– Gull, ce lit est trop petit pour deux.

Coucher avec un collègue était une chose, dormir à ses côtés en était une autre.

– On se serrera, rétorqua Gull. En plus, tu as vu la liste de garde : on est tous les deux du premier avion, premier binôme. Si on est appelés, on n'aura qu'à sauter dans les fringues présentement éparpillées sur le plancher et filer à la salle d'embarquement. Du temps de gagné.

– Tu couches toujours avec ton partenaire de saut pour être prêt plus vite ?

– Non, tu es la première. Qui sait, si le gain de temps est significatif, ça deviendra peut-être le règlement… S'il n'y a pas d'alerte, on ira courir demain matin ?

Rose se sentait parfaitement détendue, apaisée par la main de Gull qui montait et descendait doucement le long de son dos. Elle avait déjà dérogé à l'un de ses principes. Au point où elle en était, elle pouvait bien en transgresser un autre.

– Dis-moi, on refera l'amour ? murmura la jeune femme.

– Volontiers, mais accorde-moi au moins vingt minutes de récupération.

– Ce n'est pas ce que je voulais dire. Pour ce soir, j'ai eu mon compte.

– Ah, d'accord… Oui, oui, bien sûr qu'on refera l'amour.

– Dans ce cas, il y a une règle.

– Toi et tes règles…

– Quand je couche avec un gars régulièrement, je ne couche avec personne d'autre, et j'exige l'exclusivité. Si l'un de nous a envie d'aller voir ailleurs, pas de problème, mais entre nous ce sera fini. À cette règle-là, je n'accepte aucune exception.

– C'est normal. Juste une question : pourquoi aurais-je envie d'aller voir ailleurs alors que je t'ai, toi ?

– Parce que l'être humain n'est jamais content de ce qu'il a.

– Je suis le plus heureux des hommes. Crois-moi, je me ferai une joie de me plier à ta règle.

– Très bien, acquiesça-t-elle en fermant les yeux.

Un corps brûlait plus vite qu'une forêt. Brûler un cadavre était certes affreux, mais rapide. Bien sûr, on ne pouvait pas éviter de mettre en même temps le feu à la forêt, mais ces dommages collatéraux joueraient en sa faveur. Elle ne pesait pas lourd. La traîner sur le sentier n'était pas difficile.

Entre les arbres, la lune éclairait le sous-bois – tel un signe. La musique des créatures nocturnes avait quelque chose d'apaisant.

Le chemin bifurqua et devint plus escarpé. La marche n'était toutefois pas désagréable, dans l'air frais et parfumé de l'odeur des pins.

De toute façon, il ne fallait pas penser au côté désagréable, horrible de la scène. Mieux valait se concentrer sur la lueur de la lune, la brise vivifiante, les oiseaux de nuit.

Au loin, un coyote hurla. Un cri sauvage, affamé.

Oui, il était plus humain de la brûler que de l'abandonner aux charognards.

Ils étaient probablement assez loin de tout, maintenant.

La tâche ne demandait guère d'efforts et ne nécessitait pas beaucoup d'outils. Il s'agissait juste de couper quelques branches sèches, de les imbiber et d'imbiber ses vêtements. Son corps.

Ne pas réfléchir.

Vider le bidon d'essence sur le cadavre.

Ne pas regarder son visage, ne pas penser à ce qu'elle avait dit ni à ce qu'elle avait fait.

Allumer le feu. Sentir la chaleur. Observer les formes dansantes et la couleur des flammes. Écouter les craquements et les crépitements du bois.

Un spectacle magnifique. Fascinant, dangereux, destructeur. Créé par sa main. Sublime.

Poussière, elle retournerait à la poussière. Gommée de la surface de la Terre. Qu'elle aille en enfer… Les animaux ne la dévoreraient pas comme les chiens avaient déchiqueté Jézabel, la séductrice. Mais elle ne méritait que l'enfer.

Elle ne ferait plus de mal, désormais, elle ne serait plus une menace. Dans le feu, elle cesserait d'être.

Spectacle fascinant qui lui procura un frisson d'excitation. Le goût du pouvoir. Pas de larmes, pas de regrets. C'en était fini, enfin, des larmes d'amertume.

14

Pour la deuxième fois, Rose se réveilla pelotonnée contre Gull, la tête sur son épaule, en se demandant comment diable il pouvait dormir alors qu'elle pesait sur lui de tout son poids.

En lui mordillant l'oreille, elle laissa glisser sa main le long de son ventre. Comme elle s'y attendait, elle le trouva déjà en érection.

– Je l'aurais parié, murmura-t-elle.

– Continue, marmonna-t-il.

Elle monta sur lui et introduisit doucement son sexe en elle puis redressa le buste. Le soleil filtrant à travers les stores dessinait sur son corps des rais d'ombre et de lumière. Un vers de Tennyson revint à la mémoire de Gull : « Une fille des dieux, divinement grande et divinement blonde. »

Oui, elle était une déesse, en cet instant, et en cet instant elle prit les commandes de son cœur romantique.

Il caressa la courbe de ses hanches. Elle ondulait sur lui en se caressant langoureusement, les paupières closes. Il se laissa paresseusement envahir par le plaisir qu'elle lui donnait...

Quand la sirène retentit.

– Merde ! lâcha-t-elle en ouvrant les yeux.

Il la maintint contre lui un bref instant, frustrant, puis ils se séparèrent et s'habillèrent à la hâte.

– C'est ta faute, l'accusa-t-elle. Tu as parlé d'alerte, hier soir, avec tes histoires de gain de temps.

– À dix minutes près, on aurait pu vérifier ma théorie, répliqua Gull.

Dix minutes plus tard, ils enfilaient leurs combinaisons dans la salle d'embarquement, tout en écoutant le rapport de situation.

– La fumée a été repérée aux premières lueurs du jour, les informa Michael, dans la Lolo National Forest. Ça flambe sur le versant sud au-dessus de Lolo Creek. Les conditions sont sèches. Rose, tu dirigeras les opérations, et toi, Gibbons, la construction du pare-feu.

Le sol vibra lorsque le bombardier prit son envol avec la première cargaison de retardant.

Dès qu'elle fut montée dans l'avion, Rose sortit le sandwich aux œufs et le Coca qu'elle avait glissés dans ses poches. Elle mangea en faisant le point avec le pilote et le largueur.

– Le voilà, dit-elle, en se penchant vers le hublot. Punaise, il a l'air violent !

Le foyer actif s'étendait sur une cinquantaine d'hectares, estima-t-elle, dans l'un des secteurs les plus sauvages et les plus beaux de la forêt nationale de Lolo. Mais il ne la détruira pas, conclut-elle lorsque le vent s'engouffra dans la carlingue. Elle se sentait pleine d'énergie.

Son saut fut magnifique. Elle s'assura que Gull la suivait et lui adressa un grand sourire.

– Ça ne vaut pas une partie de jambes en l'air, cria-t-elle, mais c'est super !

Elle entendit son rire. Elle savait qu'il ressentait exactement la même chose qu'elle : l'ivresse du parachutiste, libre et fort dans le ciel. Ils disparurent dans la fumée et atterrirent sans encombre dans une petite clairière ravissante.

Sitôt l'équipe et le chargement au sol, Rose définit une stratégie avec Gibbons. Pour commencer, elle allait effectuer un tour de reconnaissance, pendant que l'équipe commencerait à bâtir le pare-feu.

D'un pas alerte, elle longea le flanc droit de l'incendie, à une vingtaine de mètres des flammes, afin de jauger le terrain et le vent. Elle entendait le grondement de la tête, ses rugissements de bête vorace chaque fois qu'elle crachait des rouleaux de feu dans la majesté de la forêt encore indemne.

À l'aide de son pulaski et de sa pompe portable, elle éteignait sur son passage des foyers secondaires. Le feu cherchait à s'étendre, mais elle était résolue à ne pas le laisser se propager. En se consumant, les arbres dégageaient une forte odeur de résine. Les troncs craquaient en produisant des cris déchirants. L'incendie était déjà intense. Des spirales de fumée montaient du sol là où tombaient des braises ardentes.

Elle appela Michael par radio.

– Il est violent et rapide. Il faut larguer encore du retardant sur la tête et sur le flanc droit.

– Reçu. Tu es à l'abri ?

– Bientôt, dit-elle, en s'écartant vivement d'un foyer de la taille d'une balle de tennis. Il faut absolument qu'on contienne les foyers secondaires, si on veut éviter un nouveau départ de feu. Gibbons s'occupe du pare-feu, au sud-ouest. Je le rejoins au plus vite.

– On a une autre cargaison de chuteurs en alerte. Fais-moi signe si tu as besoin de renforts.

– Reçu. Je finis mon tour de reconnaissance et je vois avec Gibbons.

– Les bombardiers ont décollé. Mets-toi à couvert.

– OK. Terminé.

Tout en communiquant avec Gibbons, elle fit demi-tour et se dirigea vers le chemin de randonnée. En entendant un grondement derrière elle, elle poussa un juron et s'élança en courant vers le sous-bois calciné. Des pommes de pin enflammées sifflaient autour d'elle, projetées par les courants de convection d'une échappée de feu. Des langues de feu jaillissaient au travers de la fumée.

Dès qu'elle fut en sécurité, Rose consulta sa boussole puis se remit en marche. Gibbons avait dû envoyer l'équipe sur le nouveau front et…

Elle manqua de peu marcher dessus. L'instinct et une peur atavique la firent bondir en arrière, à trois pas des restes carbonisés de ce qui avait été un corps humain. Des bras et des jambes, il ne restait que les os calcinés, recroquevillés. Elle savait qu'ils s'étaient rétractés sous l'effet de la chaleur. On aurait dit cependant que le mourant avait tenté de se rouler en boule pour se protéger du feu.

Les mains tremblantes, elle sortit sa radio et appela la caserne.

– Allô, la base ?

– Ici la base. À toi, Rose.

– J'ai trouvé un corps.

– Tu peux répéter ?

– Je suis à une dizaine de mètres du chemin de randonnée, là où le sentier de la boucle courte fait demi-tour. J'ai trouvé un cadavre. Brûlé.

– Oh, merde ! Bien reçu. Ça va, toi ?

– Oui, oui, il n'y a plus de foyer actif par ici.

– Ne bouge pas. Je contacte le service des Forêts. Je te rappelle.

– Michael ? Je n'en suis pas sûre à cent pour cent, mais j'ai l'impression que le cadavre a été brûlé. Je veux dire… que quelqu'un l'a fait brûler. Et je crois aussi qu'il a la nuque brisée.

– Oh, bon sang… Ne touche à rien. Tu m'entends, Rose ? Ne touche à rien.

– Bien sûr que non. Je préviens Gibbons. Michael ? Il me semble que c'est une femme, ou un enfant… d'après la taille.

– Ne bouge pas, Rose. Je te rappelle.

– Reçu. Terminé.

Rose se blinda. Elle avait déjà vu des corps brûlés. Celui de Jim, notamment, quand on l'avait enfin retrouvé. Mais jamais encore il ne lui était arrivé de tomber sur un cadavre, seule, en pleine intervention.

Elle prit une profonde inspiration et appela Gibbons.

Une heure et demie plus tard, après que deux gardes forestiers furent arrivés sur les lieux, elle rejoignit ses collègues, soulagée de se remettre au travail dans la chaleur et la fumée. Gibbons et son équipe avaient déjà bâti un solide pare-feu.

– Ça va, Rose ? lui demanda-t-il en s'essuyant le visage du bras.

Elle avait encore un peu la nausée.

– Mieux que quand je poireautais là-bas, répondit-elle. Les rangers ont pris la relève et un agent du FBI va arriver. Un spécialiste des incendies criminels aussi.

– Des incendies criminels ?

– Il n'est pas exclu que celui-ci ait été délibérément allumé, pour couvrir un meurtre.

La jeune femme ajusta son casque. La migraine qui lui enserrait le front ne disparut pas pour autant.

– On n'en sait encore rien, ajouta-t-elle. C'était peut-être un gamin qui jouait avec des allumettes. En tout cas, j'ai bien l'impression que c'est de là que le feu est parti. Notre priorité à nous est de l'éteindre. Les Feds mèneront leur enquête. Où puis-je me rendre utile ?

– Tu peux rentrer à la base, Rose, si tu veux. Personne ne te le reprochera.

– Terminons le boulot.

Elle tronçonna des arbres sur la ligne d'arrêt, tandis qu'une autre partie du groupe renforçait les pénétrantes, les allées coupe-feu permettant de rejoindre les flancs du foyer. Des renforts avaient été parachutés et attaquaient le front créé par le nouveau départ de feu.

Régulièrement, elle s'interrompait dans sa tâche pour faire le point avec l'autre équipe et Gibbons.

Plusieurs heures s'écoulèrent ainsi, jusqu'au moment où elle estima que l'incendie serait bientôt sous contrôle. En principe, elle passerait la nuit à la base.

– Que se passe-t-il ? lui demanda Gull en s'arrêtant près d'elle. Le bruit court qu'il s'est passé quelque chose…

Elle s'apprêtait à l'envoyer promener mais se ravisa en se rappelant qu'elle avait partagé son corps avec lui. Et son lit.

– Le feu est presque maîtrisé, dit-elle. Si Gibbons n'a plus besoin de toi, tu peux venir avec moi vérifier s'il reste des foyers partiels.

Ils s'éloignèrent de la ligne d'arrêt, et elle lui raconta sa macabre découverte.

– Tu penses qu'il s'agit d'un meurtre et que l'assassin a allumé le feu pour couvrir son crime ?

– Je n'en sais rien.

Elle en avait pourtant l'intime conviction. Et de nouveau le cœur au bord des lèvres au souvenir du cadavre calciné.

– Ç'aurait été plus malin de l'enterrer. Un incendie de cette ampleur attire l'attention. Inévitablement.

Le ton calme et posé de Gull, très terre à terre, apaisa son envie de vomir.

– Je n'ai jamais tué personne, mais il me semble que ça doit t'embrouiller les idées. Et puis il y a plein de pyromanes qui ne se font jamais pincer. Il est possible aussi qu'il s'agisse d'un feu naturel.

– Le feu a été repéré à l'aube. Vu son intensité au moment où nous avons sauté… à quelle heure, vers 8 heures ?… et les ravages qu'il avait déjà causés, il a dû démarrer dans la nuit.

– Ouais, acquiesça-t-elle.

Étrangement, le fait d'examiner la situation d'un point de vue pratique lui apportait un certain réconfort.

– Le camping n'est pas très loin, mais il se trouve à l'ouest de l'endroit où tu as découvert le cadavre, alors que, d'après ce que tu me dis, le feu s'est propagé dans l'autre sens. Heureusement pour les campeurs…

Sa migraine commençait à se calmer. Réfléchir lui permettait de relativiser. Jusqu'à présent, elle n'avait eu qu'une réaction émotive.

– Ce sont peut-être des campeurs qui se sont battus, spécula-t-elle. Une dispute de couple. Par accident, ou volontairement, il l'a tuée. D'après la taille du corps, je pense que c'est une femme ou un enfant. Je préfère penser que c'était une femme. Il l'a traînée, ou portée, à l'écart du sentier. Peut-être qu'il voulait l'enterrer, qu'il est parti chercher des outils, et que le feu s'est déclaré pendant ce temps. Ou alors il s'est dit que, tout compte fait, il serait plus rapide et plus facile de la brûler. Le temps était sec, il lui suffisait de rassembler quelques branchages.

– S'il a allumé le feu vers 2 ou 3 heures du matin, la forêt avait le temps de flamber jusqu'au lever du jour. Avant qu'on découvre son crime, il avait une bonne marge pour prendre le large.

Oui, bien sûr, pensa Rose, *l'assassin a dû penser à lui avant tout.*

– Et si je n'étais pas passée par là, on n'aurait peut-être pas découvert le cadavre avant des jours et des jours. En fait, c'est à cause de l'échappée de feu que j'ai coupé à travers la zone sinistrée. Sinon, j'aurais suivi le sentier.

Tout en discutant, ils continuaient à avancer et à éteindre des foyers. Soudain, Rose s'arrêta.

– Tu sais, ça m'a secouée, confessa-t-elle.

– Ça aurait secoué n'importe qui, Rose.

– Tu as déjà vu…

– Oui, c'est une image qui reste gravée en toi à jamais.

Gull savait aussi qu'il fallait en parler pour surmonter le traumatisme.

– Cette saison commence bizarrement, enchaîna Rose. D'abord Dolly qui fait des siennes, puis mon père qui sort avec une de ses clientes, et maintenant un cadavre.

– Tu places les rendez-vous galants de ton père sur le même plan que les actes de vandalisme, le meurtre et l'incendie criminel ?

– Non, bien sûr que non, mais il se passe toutes sortes de choses inhabituelles. Sans parler de moi qui couche avec un bleu, ce qui ne m'était pas arrivé depuis l'époque où j'étais moi-même une bleue.

– Je suis fier de moi, plaisanta le jeune homme.

Après deux heures à arpenter le sous-bois et à éteindre les foyers résiduels, tous deux rejoignirent leurs collègues et passèrent à la phase de nettoyage. Ils venaient de commencer lorsque Rose reçut un appel radio du centre des opérations.

– La première équipe est démobilisée, lui dit Michael. La seconde s'occupera du nettoiement avec les forestiers.

– Entendu.

– Les Feds veulent te parler dès que tu seras de retour.

– Ça ne peut pas attendre demain ? J'ai déjà tout dit aux rangers.

– Apparemment, non. Remballe tes affaires. Un véhicule de transport terrestre t'attend au départ du sentier de randonnée.

– Reçu.

Après tout, se dit-elle, *plus vite je serai interrogée, plus vite je serai débarrassée de cette corvée.*

Elle n'eut même pas le temps de prendre une douche. À peine eut-elle déposé son matériel dans le hangar qu'une jeune femme en tailleur l'interpellait.

— Rose Tripp ?

— Oui.

— Agent spécial Kimberly DiCicco. J'aurais quelques questions à vous poser.

— Les rangers ont déjà toutes les réponses, mais, bon, puisqu'il faut se plier aux lourdeurs de la bureaucratie…

— M. Little Bear nous prête son bureau pour que nous puissions nous entretenir en privé.

— Il est hors de question que j'empeste le bureau de Michael. Au cas où vous n'auriez pas remarqué, je pue la fumée et la transpiration.

Elle a forcément remarqué, pensa Rose.

L'agent Kimberly DiCicco était tirée à quatre épingles, pas un cheveu ne dépassait du petit chignon serré au bas de sa nuque.

— J'ai conscience que vous avez une longue journée derrière vous, dit-elle. Je serai aussi brève que possible.

— Nous pouvons parler dehors, suggéra Rose en enlevant sa veste.

— Attrape !

Gull lui jeta une canette de Coca dans une élégante passe de basketteur.

— Merci. Garde-moi des lasagnes.

— Je ferai ce que je peux.

Du geste, Rose invita l'agent DiCicco à sortir du hangar.

— Je suis à vous. Je vous écoute, posez-moi vos questions.

— Peut-être pourriez-vous commencer par me raconter comment vous avez découvert le corps.

Patiemment, Rose lui refit le récit qu'elle avait déjà fait aux gardes forestiers.

— Je terminais mon tour de reconnaissance. Je me dirigeais vers le chemin de randonnée. La violence de l'incendie a subitement augmenté. J'ai dû me réfugier dans la zone brûlée. C'est là que j'ai trouvé le cadavre.

— Vous avez dit à votre supérieur qu'il s'agissait d'une femme.

— Je ne peux pas l'affirmer avec certitude, mais le corps me paraissait petit pour un homme.

– Vous ne vous êtes pas trompée : la victime est effectivement de sexe féminin.

– Tant mieux.

– Pardon ?

– Ç'aurait pu être un enfant.

– Avez-vous contacté le centre des opérations immédiatement après la découverte ?

– Oui.

DiCicco feuilleta son calepin.

– Vous avez couvert une distance considérable en peu de temps…

– Quand vous avez le feu aux fesses, vous ne traînez pas, croyez-moi !

– Vous avez également signalé au centre des opérations que vous pensiez que la victime avait été assassinée et le feu allumé pour couvrir le crime.

N'aurait-elle pas mieux fait de se taire ? s'interrogea Rose. Lui poserait-on toutes ces questions si elle avait gardé ses spéculations pour elle ?

– C'est l'impression que j'ai eue, répondit-elle. Je suis pompier depuis huit ans. Je ne suis pas spécialiste des incendies criminels, mais je sais quand un feu paraît suspect. Je ne suis pas non plus médecin, mais je sais quand une tête et un cou forment un angle anormal.

Et voilà qu'elle avait de nouveau cette sinistre image à l'esprit.

– J'ai raconté ce que j'avais vu, ajouta-t-elle sèchement, de façon à ce que les autorités compétentes puissent être prévenues. Il y a un problème ?

– Je rassemble les faits, mademoiselle Tripp, répliqua DiCicco d'un ton posé. Le rapport préliminaire du médecin légiste indique en effet que la victime avait la nuque brisée.

– Elle a donc été assassinée !

– Le légiste déterminera s'il s'agit d'un homicide ou d'un accident, et si cette fracture des cervicales est la cause du décès ou une lésion post mortem.

– Êtes-vous allée voir au camping ? Il n'est pas très loin de l'endroit où je l'ai trouvée.

– Les procédures d'identification sont en cours. Selon les informations en ma possession, une certaine Dolly Brakeman, qui était employée ici en tant que cuisinière, a délibérément commis des dégâts dans votre chambre. Vous l'avez surprise en flagrant délit et il a fallu vous retenir, physiquement, pour vous empêcher d'exercer des violences à son encontre.

Rose sentit la moutarde lui monter au nez.

– Comment réagiriez-vous si vous trouviez quelqu'un en train de verser du sang de cochon sur votre lit ? rétorqua-t-elle.

– Mlle Brakeman a également été interrogée par la police à propos des actes de vandalisme perpétrés dans la salle d'embarquement, poursuivit DiCicco, imperturbable.

– Lesquels nous ont coûté plusieurs heures de travail inutile, enchaîna Rose, et auraient pu nous coûter beaucoup plus si nous avions été appelés avant que les dommages soient réparés.

– Vous ne vous entendiez pas avec Mlle Brakeman.

– Non, je ne m'entendais pas avec elle, pour la simple et bonne raison que cette fille est une fouteuse de merde, si vous me passez l'expression. Je suis contente que la police locale ait fait appel au FBI. J'espère que vous lui flanquerez une bonne frousse. Maintenant, écoutez, je suis fatiguée, j'ai faim et j'ai besoin de prendre une douche.

– Je n'en ai plus pour longtemps. Quand avez-vous vu Dolly Brakeman pour la dernière fois ?

– Quand elle a salopé ma chambre.

– Vous ne l'avez pas revue ni ne lui avez parlé depuis ?

– Non. Moins je la vois, mieux je me porte. Et je ne vois pas le rapport entre Dolly et le cadavre que j'ai trouvé dans la forêt de Lolo.

– Nous attendons les résultats de l'identification, mais Dolly Brakeman n'est pas rentrée chez elle hier soir au domicile de ses parents où elle réside actuellement avec sa fille ; la victime étant de sa taille, et aucune autre disparition n'ayant été signalée, il est plausible que le corps que vous avez découvert soit le sien.

L'agent DiCicco ne quittait pas Rose des yeux.

– C'est…, bredouilla celle-ci, prise de vertige. Beaucoup de femmes sont de la taille de Dolly.

– Mais aucune n'a été portée disparue dans la région.

– Elle est probablement avec un gars. Posez-lui donc quelques questions sur sa vie sentimentale. Je ne vois pas ce qu'elle serait allée faire dans la forêt. Elle n'aime pas la randonnée. C'est une fille de la ville.

– Pouvez-vous me dire ce que vous avez fait la nuit dernière, entre 20 heures et le moment où vous êtes partie en intervention ?

– Je suis suspectée ? répliqua Rose, sous le choc. Vous croyez que c'est moi qui lui ai tordu le cou, qui l'ai traînée dans la forêt et qui ai allumé le feu ? En sachant qu'il ravagerait la forêt, et que mes collègues et amis risqueraient leur peau pour l'éteindre ? Tout ça parce que je n'ai jamais eu d'atomes crochus avec Dolly ?

– Vous avez failli vous battre avec elle. Vous l'avez menacée.

– J'étais furieuse, comme n'importe qui l'aurait été à ma place. Je regrette de ne pas lui avoir collé mon poing dans la figure, mais de là à la tuer… Je vous en prie.

– Vous me faciliteriez la tâche si vous pouviez me dire où vous étiez la nuit dernière entre…

– C'est très simple, l'interrompit Rose, j'ai dîné au réfectoire vers 19 heures, 19 h 30. Au moins une trentaine de mes collègues vous le confirmeront, ainsi que le personnel des cuisines. Nous avons discuté jusqu'aux environs de 22 heures. Je suis ensuite allée dans ma chambre et je n'en ai pas bougé jusqu'à l'appel de la sirène, ce matin. Pour tout vous dire, j'ai passé la nuit avec le garçon qui m'a lancé un Coca, tout à l'heure.

– Pouvez-vous m'indiquer son nom ? demanda DiCicco, sans l'ombre d'une réaction.

– Gulliver Curry. Vous le trouverez sans doute dans la salle à manger. Allez lui demander. Moi, je vais me doucher.

Là-dessus, Rose tourna les talons et s'éloigna d'un pas rageur en direction du bâtiment des chambres.

– Salut, Rose ! lui lança Trigger dans le couloir. Tu…

– Fiche-moi la paix ! rétorqua-t-elle en le bousculant pour entrer dans sa chambre.

Du pied, elle claqua la porte derrière elle puis balança un coup de pied dans sa commode. La soucoupe où elle déposait sa menue monnaie se brisa en tombant sur le plancher.

– Pauvre connasse, marmonna-t-elle. D'abord, ce n'était pas Dolly, ça ne peut pas être elle !

Dolly était une petite maligne, pensa-t-elle en se déshabillant et en jetant ses vêtements en boule par terre. Elle savait retourner la situation à son avantage. Elle savait se faire plaindre. Elle mettait les hommes dans sa poche en couchant avec eux ou en leur faisant miroiter monts et merveilles. Elle se débrouillait toujours pour obtenir ce qu'elle voulait, et quand elle n'y arrivait pas elle trouvait quelqu'un à qui faire porter la responsabilité de ses misères. Égoïste, calculatrice, pleurnicheuse, exactement comme sa mère, et là résidait peut-être l'une des raisons pour lesquelles elle n'avait jamais porté Dolly dans son cœur. Pour autant, Dolly ne méritait pas de finir comme sa mère à elle. Assassinée. Personne ne méritait une fin aussi sordide.

Sous la douche, Rose ouvrit le robinet à fond et, les mains contre le mur, arrondit le dos sous le jet.

Elle en avait marre de ces histoires, ras-le-bol de ces coups foireux.

De quel droit cette pimbêche du FBI se permettait-elle de l'accuser ? C'était grâce à elle qu'on avait retrouvé le corps aussi rapidement. Et grâce à elle aussi que les fédéraux avaient été immédiatement prévenus.

Quand elle eut terminé sa toilette, sa colère était retombée. Pour laisser place à une angoisse viscérale. Elle s'habilla les mains tremblantes, en essayant de se convaincre qu'elle était en hypoglycémie. Elle n'avait rien mangé de la journée et brûlé des milliers de calories. Voilà pourquoi elle se sentait faible. C'était normal.

En entendant la porte s'ouvrir, elle se retourna d'un bond. Gull entra dans la chambre et referma doucement le battant derrière lui. Elle lui lança aussitôt :

– Tu as raconté tes prouesses à cette mijaurée?

– Je lui ai dit que nous avions passé la nuit ensemble, dans un lit une personne, toi coincée entre le mur et moi… que si tu t'étais levée il aurait fallu que tu me passes sur le corps et que je m'en serais forcément rendu compte.

Rose le repoussa brutalement lorsqu'il s'approcha d'elle.

– Ne me touche pas. Je ne suis pas d'humeur.

Il l'enlaça. Elle se contorsionna pour essayer de se dégager. Il la maintint contre lui.

– Laisse-moi tranquille, protesta-t-elle. J'ai de bonnes raisons d'être en colère : je suis soupçonnée de meurtre et d'incendie criminel.

Soudain, elle s'interrompit.

– Oh, mon Dieu… Oh, mon Dieu, gémit-elle. Ils pensent que c'est Dolly et que c'est moi qui l'ai tuée…

– Écoute-moi, dit Gull en posant les mains sur ses épaules et en la regardant droit dans les yeux. Le corps n'a pas encore été identifié. Pour l'instant, personne ne sait si c'est Dolly.

– Oh, Seigneur, Gull ! Oh, mon Dieu…

– Et si c'est elle, personne n'ira jamais penser que tu aurais pu la tuer. Plein de gens nous ont vus entrer dans ta chambre ensemble, et plein de gens nous ont vus en ressortir ensemble. Si tu es suspectée, je le serai forcément moi aussi. Je ne crois pas que cette hypothèse tienne la route. DiCicco devait t'interroger. Elle a peut-être manqué de tact, mais elle n'a fait que son boulot.

Gull laissa descendre ses mains le long des bras de Rose et glissa ses doigts entre les siens.

– Tu trembles. Tu es crevée. Elle ne t'aurait pas mise dans cet état si tu avais été au top de ta forme.

– Peut-être, mais je t'assure qu'elle m'a fichu un sacré coup au moral.

Il lui embrassa le front, les lèvres.

– Oublie-la. Voici ce qu'on va faire. On va aller dîner. Les autres te diront ce qu'ils pensent de cette fliquette qui ose te demander un alibi.

– Tu as raison, acquiesça-t-elle. Ça me fera du bien.

– Rien de tel que la solidarité. Ensuite, nous reviendrons ici et je te donnerai un alibi pour cette nuit. Allez, viens, allons manger avant que ces morfales finissent toutes les lasagnes.

Il lui donna une petite tape sur les fesses et la poussa vers la porte.

– Et, Rose, tu sais quoi ? ajouta-t-il. Ne t'inquiète pas. Si tu te fais arrêter, je paierai la caution.

Elle se surprit elle-même en éclatant de rire.

15

Après sa séance d'exercice matinale, Rose se rendit aux cuisines.

– Lynn dresse le buffet, lui dit Marg. Tu veux quelque chose de particulier ?

– Ça ne t'embête pas si je prends mon petit déjeuner ici ?

– Pas du tout. Comment va ton amoureux ?

– Je n'ai pas d'amoureux, que des amants. À usage unique, ou presque.

Marg remplit un verre de jus de fruits.

– Ha ! Celui-ci ne sera pas facile à jeter. Tiens, voici un plein de vitamines.

En levant les yeux au ciel, Rose goûta l'épaisse mixture.

– Carotte, comme d'hab', canneberges et... (Elle prit une autre gorgée.) Ce n'est pas vraiment de l'orange... Mandarine ?

– Orange sanguine.

– Délicieux. Des nouvelles de Dolly ?

Tout en battant des œufs, Marg secoua la tête avec un air apitoyé.

– On a retrouvé sa voiture sur une piste forestière, à quelques kilomètres de la 12, avec un pneu à plat.

– Sa voiture, seulement ?

– Avec les clés sur le contact, paraît-il, mais elle a emporté son sac à main. On peut imaginer qu'elle a crevé, qu'elle s'est garée à l'écart de la route et qu'elle est partie à pied.

– Pourquoi se serait-elle engagée dans les bois avec un pneu crevé ?

– Va savoir...

Marg versa les œufs battus dans une poêle et y ajouta des morceaux de jambon, de fromage, de tomate et d'épinards.

– On ne sait toujours pas si le corps calciné… On ne sait pas encore qui c'était ? reprit Rose.

– Ne t'en fais pas, Dolly est une débrouillarde, répliqua Marg d'un ton qui se voulait rassurant.

– Je regrette sincèrement de ne pas lui avoir collé mon poing dans la figure, au moins une fois. Mais maintenant qu'il lui est peut-être arrivé quelque chose, je culpabilise…

Marg déposa l'omelette devant Rose, avec des toasts de pain complet et un pot de confiture de prunes.

– Mange, lui dit-elle. Tu as maigri. Il est trop tôt dans la saison pour perdre du poids.

– Merci, Marg. Tu es une mère pour moi.

La cuisinière lui passa un bras autour des épaules et la serra affectueusement.

– Vide ton assiette, ordonna-t-elle.

Son petit déjeuner terminé, Rose partit à la recherche de Michael, qu'elle trouva dans la salle de gym, en sueur, sur un banc de musculation.

– Je suis tout en bas de la liste de garde, dit-elle sans préambule.

Il se redressa, s'épongea le visage et rejeta sa longue tresse noire dans le dos de son débardeur de sport.

– Exact, acquiesça-t-il en saisissant un haltère et en attaquant une série de biceps.

– Pourquoi ?

– Parce que je t'y ai mise. Je t'en aurais bien complètement rayée, mais ça flambe dans l'Idaho et on risque d'être appelés en renfort.

– Je suis en pleine forme. Remets-moi en haut de la liste. Stovic est avant moi, alors qu'il boite encore.

– Tu étais quasiment de toutes les interventions. Tu as besoin de te reposer.

– Je ne…

– C'est moi qui décide de ce genre de chose, l'interrompit-il en prenant son poids dans l'autre main.

– Ce n'est pas juste. J'ai besoin de travailler, j'ai besoin d'argent. Je ne suis ni blessée ni malade.

– Tu as besoin de te reposer, répéta-t-il. Si tu as peur de t'ennuyer, il y a du boulot à l'atelier. Je reverrai peut-être la liste demain.

– J'ai découvert un corps, je l'ai signalé, comme il était de mon devoir de le faire, et je suis punie.

– Tu es de garde, Rose, lui rappela-t-il. Et tu sais que tu n'es pas là seulement pour sauter en parachute.

Rose le savait : lorsque Michael Little Bear employait ce ton à la fois doux et ferme, il était inutile d'insister. Elle pouvait râler, se mettre en colère, rien ne le ferait revenir sur sa décision.

– Je vais peut-être aller voir mon père.

– Excellente idée ! Préviens-moi si jamais tu t'éloignes davantage de la caserne.

– Je connais le règlement, maugréa-t-elle en enfonçant les mains dans ses poches, puis elle se figea à l'apparition du lieutenant Quinniock. Tiens, voilà les flics, chuchota-t-elle.

Michael posa son haltère et se leva.

– Bon, je vous laisse, lança Rose.

– J'aimerais aussi m'entretenir avec vous, mademoiselle Tripp, précisa le lieutenant. Si nous sortions, mademoiselle ?

Quinniock, chaussures lustrées et costume gris clair, lui indiqua la porte d'un large geste du bras.

– Épargnez-moi le « mademoiselle », vous serez gentil, lui dit-elle en le précédant vers la sortie. Appelez-moi Tripp, ou Rose. Tant que je ne suis pas en état d'arrestation, ne vous sentez pas obligé de me prendre avec des pincettes.

Il lui sourit.

– Bien, Rose. Allons nous asseoir dehors. Nous serons plus tranquilles.

– Vous voulez que je vous raconte mon… Comment dites-vous, déjà ? Mon altercation avec Dolly ?

– Avez-vous quelque chose à ajouter à ce sujet ?

– Non.

– Pour information, elle s'est procuré le sang de porc dans un ranch par le biais d'un membre de son église. Elle est allée le chercher la veille du jour où elle venue demander du travail à la base.

Rose leva des yeux perplexes vers Quinniock.

– Ce qui laisse à penser que son acte était prémédité, ajouta-t-il.

– Ce n'est donc pas à cause de ce que je lui ai dit ?

– Vraisemblablement, non. Mais le fait que vous ayez découvert ce corps vous place dans une position délicate.

– Parce que Dolly a disparu ?

– L'enquête relève à la fois de la juridiction du service des Forêts et de celle du FBI. C'est pourquoi je suis amené à collaborer avec l'agent DiCicco.

– À propos de mes relations avec Dolly, je suppose.

– Tout à fait. Dolly Brakeman vous tient pour responsable de l'accident de son fiancé James Brayner. Vous et vos collègues. Ce qu'elle a crié sur tous les toits.

Rose n'était pas étonnée, mais elle n'en voulait plus à Dolly.

– Je ne sais pas comment elle a pu travailler ici, dit-elle, côtoyer les pompiers tous les jours sans comprendre ce que nous faisons, comment nous le faisons, et les risques auxquels nous sommes constamment exposés.

Elle se tourna vers Quinniock et observa l'éclair blanc qui zébrait ses cheveux, sa cravate au nœud impeccable.

– Et je ne suis pas sûre de savoir pourquoi vous me dites ça, ajouta-t-elle.

– Il est possible qu'elle se soit fait réembaucher à la caserne dans le seul but de se venger. Et il se peut aussi qu'elle ait eu un complice. À son retour, s'est-elle liée plus particulièrement avec certains des membres de la caserne ?

– Non.

– Je pense notamment à Matthew Brayner.

Rose se raidit.

– Matt et sa famille se sont tous pris d'affection pour le bébé de Dolly. Les connaissant, je sais qu'ils feront tout ce qu'ils peuvent pour aider Dolly à élever cet enfant. Il a fallu à Matt beaucoup de courage pour revenir travailler ici après ce qui est arrivé à Jim. Si vous pensez qu'il est impliqué dans les dégâts que Dolly a commis dans ma chambre ou dans la salle d'embarquement, vous vous trompez. Et vous l'insultez.

– Étaient-ils amis quand Jim était en vie ?

– Amis, non, mais Matt est sympa avec tout le monde. Cela dit, je n'aime pas parler de mes collègues dans leur dos.

– J'essaie seulement de me faire une idée du contexte général. On m'a aussi dit que Mlle Brakeman avait eu des aventures avec plusieurs des hommes de la base, avant de fréquenter Jim Brayner.

– Elle couchait avec n'importe qui, et pas seulement avec les pompiers.

– Jusqu'à Jim Brayner.

– Effectivement, elle avait l'air de lui être fidèle. Jim était mignon, drôle, gentil. Elle était peut-être tombée amoureuse de lui, je n'en sais rien. Dolly et moi ne nous faisions pas de confidences.

– Vous devez savoir que nous avons retrouvé sa voiture.

– Oui, on me l'a dit, acquiesça Rose en fermant les yeux un bref instant. C'est probablement elle qui a pris feu dans la forêt…

L'endroit où sa voiture était garée n'est pas très éloigné de celui où j'ai découvert le corps. Je la détestais, mais elle ne méritait pas de finir comme ça. Personne ne mérite une fin aussi sordide.

— Hélas, beaucoup de malheurs ne sont pas mérités. Je vous remercie d'avoir répondu à mes questions.

— Quand connaîtrons-nous les résultats de l'identification ? demanda Rose lorsque le lieutenant se leva.

— Mlle Brakeman était suivie par un dentiste de Missoula, qui nous a fourni ses empreintes dentaires. Nous devrions être fixés d'ici la fin de la journée. Juste par curiosité… à votre avis, combien faut-il de temps pour aller de l'endroit où on a retrouvé sa voiture à celui où vous avez découvert le corps, avec un fardeau d'une soixantaine de kilos, dans le noir ?

Rose se leva elle aussi, de façon à se trouver à la même hauteur que Quinniock.

— Une heure, à peu près, je dirais. Mais pour un bon marcheur en bonne condition physique et qui connaît le secteur, il y en a pour moins de trente minutes.

— Intéressant. Encore merci.

Tandis que le lieutenant s'éloignait en direction du centre des opérations, Rose se rassit et tenta de rassembler ses idées.

Michael avait raison, même si elle répugnait à l'admettre : elle avait besoin de se reposer. Oui, elle allait passer voir son père. À pied. Marcher lui éclaircirait les idées, et son héros de toujours la réconforterait.

Munie d'une bouteille d'eau et d'une casquette, elle s'apprêtait à quitter la caserne lorsqu'elle croisa Gull dans la cour.

— J'ai vu que tu parlais avec un policier, tout à l'heure. Il faut que je signe le chèque de caution ? plaisanta-t-il.

— Pas pour l'instant. On a retrouvé la voiture de Dolly.

— Ouais, je sais.

— Et… il y a autre chose. Je t'en parlerai plus tard, il faut d'abord que j'y réfléchisse. Je partais voir mon père au paraclub.

— Tu veux que je t'accompagne ?

— Non, j'ai besoin d'être seule.

Il lui caressa la joue affectueusement. Elle repoussa sa main.

— Fais-moi signe quand tu seras de retour, lui dit-il.

— OK. Tu es du deuxième départ, lui lança-t-elle en s'éloignant. Il se peut que l'Idaho ait besoin de quelques Zulies. Si tu pars, bon saut.

Sur le chemin du paraclub, elle observa le spectacle : les avions s'élevant dans le ciel, les parachutistes qui en sautaient. Au-dessus des montagnes, de gros nuages blancs glissaient paresseusement d'ouest en est.

De la musique, des éclats de voix et des bruits métalliques s'échappaient des hangars. Rose ne s'arrêta pas pour saluer les mécaniciens comme elle l'aurait fait un autre jour. Elle n'avait pas envie de parler. Juste d'être seule. Avec les milliers de questions qui se bousculaient dans sa tête.

L'assassin avait un véhicule : personne n'aurait traîné Dolly de l'endroit où elle s'était garée jusqu'à celui où elle avait trouvé la mort. Avait-elle fait du stop ? Était-elle tombée sur un détraqué ? Seigneur... Quoi qu'il se fût passé, Dolly était morte, et sa petite fille n'avait plus ni père ni mère.

Que faisait Dolly sur la 12 ? Il y avait plusieurs motels le long de la route. Avait-elle rendez-vous avec un amant ? Avec ce fameux « complice » ?

Maintenant qu'elle avait un bébé, pourquoi diable avait-elle encore besoin de chercher des aventures ? Sa vie n'était-elle pas suffisamment remplie ? Et tout ce temps qu'elle avait passé à concocter de stupides plans de vengeance, à ruminer sa haine, n'aurait-elle pas mieux fait de l'employer à chérir sa petite fille, à s'efforcer d'être une bonne mère ?

— Encore une qui délaisse ses enfants, bougonna Rose, en pensant à sa propre mère.

Agacée contre elle-même, elle accéléra le pas.

Tout d'un coup, elle regrettait d'avoir refusé la proposition de Gull. Il lui aurait changé les idées sur le chemin, il l'aurait fait rire ou, tout au moins, aurait trouvé les bons mots pour apaiser sa tristesse et sa colère.

Arrivée sur la pelouse du paraclub où des gens pique-niquaient, Rose s'accouda à la barrière et se concentra sur les parachutistes. Une silhouette s'élança d'un avion. Un amateur, sans aucun doute, mais qui ne se débrouillait pas mal.

Une seconde silhouette se jeta dans le ciel. Rose inclina la tête, plissa les yeux. Elle n'en était pas tout à fait sûre, c'était encore difficile à dire, mais elle aurait parié qu'il s'agissait de son père.

Les corolles se déployèrent, provoquant les applaudissements et les acclamations des spectateurs : la première à rayures bleues et blanches, puis le parachute que Rose avait elle-même customisé pour le soixantième anniversaire de son père en y cousant IRON MAN en lettres rouges (la couleur préférée de Lucas), et la silhouette d'un parachutiste du feu.

Elle aimait depuis toujours le regarder sauter. Position parfaite, remarqua-t-elle, maîtrise absolue de la trajectoire, à travers les nuages nimbés de soleil.

Elle avait eu le bon réflexe en venant là, se félicita-t-elle. Autour d'elle, le monde vacillait dangereusement. Ici, elle était assurée de retrouver la stabilité. Quoi qu'il arrive, elle pouvait toujours compter sur son père.

Elle relégua son stress tout au fond de ses pensées. Elle ne pouvait pas l'oublier complètement, mais au moins en faire momentanément abstraction et savourer l'instant présent.

Elle déjeunerait avec son père, lui raconterait ce qui se passait. Il l'écouterait, la laisserait vider son sac et, d'une manière ou d'une autre, il saurait lui remonter le moral. Elle avait toujours l'esprit plus clair et se sentait toujours plus légère après s'être confiée à son père.

Le parachutiste amateur atterrit sans encombre et se remit sur pied rapidement. *Une femme*, constata Rose.

Rose se joignit au concert d'applaudissements et lança un sifflement d'approbation, puis elle agita les bras afin d'attirer l'attention de son père.

L'élève décrocha son harnais et enleva son casque, libérant une somptueuse chevelure rousse. Un sourire étira les lèvres de Rose tandis que la femme courait vers son père. Elle comprenait cette exubérance, cette bouffée d'euphorie : elle avait assisté à cette scène entre élève et instructeur à d'innombrables reprises. La femme se jeta dans les bras de Lucas, comme des dizaines d'autres l'avaient fait avant elle.

En revanche, Rose n'avait jamais vu son père faire tournoyer une élève dans les airs. Son sourire amusé se mua en un froncement de sourcils. Et lorsque Lucas « Iron Man » Tripp planta un long baiser sur les lèvres de ladite élève, au plus grand ravissement de la foule, Rose en resta bouche bée. Elle n'aurait pas été plus choquée si son père avait brandi un luger et tiré sur la foule. Qui diable était cette bimbo rousse ? Et depuis quand Iron Man embrassait-il ses clientes ? En public, par-dessus par le marché.

La femme se retourna, rayonnante – tout compte fait, elle n'avait rien d'une bimbo –, et exécuta une révérence exagérée à l'attention des spectateurs. Lucas restait planté à côté d'elle avec un sourire niais. Était-il drogué ?

Les mains crispées sur la barrière, Rose se sentait sur le point d'exploser.

Enfin, son père remarqua sa présence et tourna vers elle son sourire béat. Puis il prit la main de son élève et lui dit quelque chose. La rouquine eut le culot d'adresser un geste de la main à Rose. Main dans la main, ils s'avancèrent vers elle.

– Salut, ma chérie. Je ne savais pas que tu étais là.

– Je… Je suis en queue de la liste de garde, donc…

– Ça me fait plaisir de te voir. Emma, je te présente ma fille, Rose. Rose, Emma Frazier, qui vient de sauter pour la première fois en solo.

– Enchantée de faire votre connaissance. Lucas m'a beaucoup parlé de vous.

– Ah oui ? Eh bien, moi, je n'ai jamais entendu parler de vous.

– Tu as été occupée, ces derniers temps, intervint Lucas. Emma est la principale du lycée Orchard Homes Academy.

Principale de lycée ? Décidément, cette femme n'avait rien d'une bimbo.

– Son fils lui a offert un saut en tandem, poursuivit Lucas, et elle y a pris goût. Tu aurais dû inviter ta famille à venir aujourd'hui, Emma. Tes petits-enfants auraient été épatés.

Grand-mère, donc, de surcroît, nota Rose.

– Je les inviterai la prochaine fois, convint Emma. D'ailleurs, il faut que j'aille fixer avec Marcie la date de mon prochain cours. Ravie de vous avoir rencontrée, Rose. J'espère que nous aurons l'occasion de nous revoir plus longuement.

Emma s'exprimait d'une voix douce et polie. Dans son regard, néanmoins, on lisait qu'elle percevait l'hostilité de Rose.

– À tout à l'heure, Lucas, ajouta-t-elle en s'éloignant.

Tu as raison, casse-toi, pensa Rose.

– Alors, qu'en penses-tu ? lui demanda Lucas gaiement. J'espérais que tu aurais bientôt un jour de congé pour que je puisse te présenter Emma. C'est bien tombé que tu sois là pour son premier saut en solo.

– Elle s'est plutôt bien débrouillée pour une débutante. On va manger un morceau au café ?

– On a prévu de pique-niquer, avec Emma. Viens avec nous, ça vous permettra de faire plus ample connaissance.

– Non, je te remercie, je n'ai pas envie de tenir la chandelle.

– Allons, ne fais pas ta râleuse. Telle que je la connais, Emma a dû prévoir à manger pour dix. Et c'est une excellente cuisinière.

– Dis-moi… Tu…, bafouilla Rose. Depuis quand la connais-tu ? Qu'y a-t-il entre vous ? Tu l'embrasses devant tout le monde, tu la tiens par la main… C'est quoi, ce délire, papa ? Tu couches avec elle ?

Le visage de Lucas se ferma.

– Écoute, Rose, répliqua-t-il, ma relation avec Emma ne regarde que moi. Il y a un problème ?

– Oui, outre le fait que tu te donnes en spectacle avec elle, je voulais te parler… mais puisque tu as mieux faire, tant pis.

– Ne sois pas désagréable, s'il te plaît, Rose. Si tu as quelque chose à me dire, allons à l'intérieur.

– Laisse tomber, répliqua-t-elle froidement. Je retourne à la base.

La jeune femme lisait sur le visage de son père de la colère et de la déception, une expression qu'il affichait rarement. Elle tourna les talons, le dos raide et le cœur gros, pleine de ressentiment. Elle se sentait trahie.

En entendant la sirène, elle regagna la caserne au pas de course. Quand elle arriva, l'avion était déjà sur la piste de décollage. Elle rejoignit ses collègues dans la salle d'embarquement, reléguant son amertume, comme elle l'avait fait de son stress, dans un coin de son cerveau. Elle ruminerait plus tard.

– Idaho? demanda-t-elle à Cards en l'aidant à rassembler son matériel.

– Ouais, confirma-t-il en glissant sa corde de descente dans la poche prévue à cet effet. Les Zulies à la rescousse !

Elle le regarda dans les yeux.

– J'espère que tout se passera bien.

– C'est dans les cartes ! lui assura-t-il en riant avant de se diriger vers l'avion.

Elle vérifia ensuite l'équipement de Trigger, pendant que Gull inspectait celui de Dobie.

Quelques secondes plus tard, elle regardait l'avion décoller sans elle.

– Augmentation subite de la violence d'un foyer secondaire, expliqua Gull, lui aussi resté à la base. L'Idaho a besoin de renforts. L'un de leurs hommes s'est cassé le bras en sautant, et ils ont deux blessés sur les lieux.

– Tu es bien informé, dis donc.

– Toujours à la page, dit-il, en ajustant la visière de sa casquette de façon à se protéger les yeux pour suivre l'avion dans le ciel. Tu n'es pas restée longtemps avec ton père.

– Tu me surveilles ?

– J'exploite juste mes excellentes capacités d'observation... qui me signalent par ailleurs que tu es de très mauvais poil.

– Je suis dégoûtée de rester à la base alors que je suis en forme pour sauter.

– Et ?

– Et quoi ?

– Quelle est l'autre raison de ta mauvaise humeur ?

– Si tu continues, c'est toi qui vas m'énerver, riposta-t-elle en tournant les talons, puis elle se ravisa, trop contrariée pour tout garder pour elle. Je voulais parler à mon père, mais il était avec une cliente, une rouquine... à qui il roulait des patins...

– Et c'est pour ça que tu te mets dans tous tes états ? On dirait que tu n'as jamais vu ton père embrasser une femme.

Rose ne répondit pas. Elle fixait sur Gull un regard bleu glacé. Il laissa échapper un rire de surprise.

– Sérieux ? Tu n'as jamais vu ton père embrasser une femme ? Il doit être d'une discrétion surhumaine.

Avec une petite tape sur l'épaule de Rose, il secoua la tête.

– Allez, Rose, tu ne vas pas me dire que tu crois qu'il est resté chaste depuis... Quel âge as-tu exactement ?

– Si !

– Cette rouquine, c'est celle avec qui il est allé prendre un verre, l'autre jour ?

– Sans doute. Elle est principale de lycée. Ils couchent ensemble, c'est évident.

– Tu es jalouse ? Serais-tu jalouse parce que ton père s'intéresse à une autre femme... que sa fille ?

– Sûrement pas, se défendit Rose en rougissant, de honte autant que de rage.

– Tu es vexée parce que ton père a une liaison. C'est mesquin et égoïste de ta part.

Quelque chose de très semblable à la déception qu'elle venait de voir sur les traits de son père se peignit sur ceux de Gull.

– À quand remonte la dernière scène qu'il t'a faite parce que tu sortais avec un garçon ? insista Gull.

Il avait raison, elle était minable, et ce constat ne faisait qu'alimenter sa colère.

– Mes sentiments et mes relations avec mon père ne te regardent pas. Tu ne sais rien de notre vie. Et j'en ai ras-le-bol de tes conseils et de tes leçons de morale…

La sirène l'interrompit. La plantant là, Gull fonça vers la salle d'embarquement. C'en était plus qu'elle ne pouvait supporter. Encore une fois, elle resterait à terre pendant que les autres partiraient au feu.

Matt se glissa à côté d'elle.

– Si ça continue, ça va être notre tour.

– Avec la chance que j'ai, bougonna-t-elle, Michael va me rayer de la liste et envoyer Marg en intervention à ma place si on a un autre appel. Et toi, tu n'es pas de garde ?

– Michael pense que je suis trop impliqué dans l'affaire de Dolly à cause de ma nièce. Il a sûrement raison.

– Excuse-moi. Je n'avais pas pensé à ça.

– Ce n'est pas grave. J'ai encore l'espoir qu'elle réapparaisse, que tout ça ne soit qu'une erreur.

Il triturait nerveusement sa casquette. Ses cheveux blonds voletaient au vent.

– Ce serait trop injuste, ajouta-t-il, qu'un bébé qui a perdu son père avant même de naître perde aussi sa mère quelques mois après sa venue au monde.

Rose se tourna vers lui. Il paraissait terriblement jeune et vulnérable. Elle lui passa un bras autour de la taille. Il s'appuya contre elle.

– C'est peut-être encore plus dur pour toi que pour moi, dit-il.

– Pourquoi ?

– C'est toi qui l'as trouvée. Si c'est elle. Et même si ce n'est pas elle, c'est toi qui as découvert ce cadavre. C'est horrible que ce soit toi qui l'aies trouvé.

– Soyons forts, Matt.

– C'est ce que je me répète sans cesse. Je n'arrête pas de penser à Shiloh, et je me dis que, quoi qu'il arrive, on fera tout pour elle. Ce n'est qu'un bébé.

– Les Brakeman et ta famille veilleront sur elle.

– Ouais… Bon, je vais voir à l'atelier s'il y a des trucs à faire.

– Bonne idée. Je te rejoins dans cinq minutes.

Rose se rendit dans sa chambre, où elle s'enferma à double tour. Elle avait conscience de s'apitoyer sur elle-même, mais elle s'assit par terre, la tête sur son lit, et laissa couler ses larmes.

16

Les larmes la vidèrent de sa colère et de son accablement. En contrepartie, Rose accepta une migraine lancinante, avala un antalgique et s'aspergea le visage d'eau fraîche.

Comme chaque fois qu'elle avait pleuré, ses joues s'étaient couvertes de plaques rouges. *L'un des inconvénients d'être une vraie blonde à la peau claire*, se dit-elle en s'observant avec sévérité dans le miroir. Elle s'allongea sur son lit, un gant humide sur le visage, et resta immobile une dizaine de minutes, le temps de laisser le comprimé faire son effet.

Elle avait encore eu une réaction excessive, stupide.

Elle devrait s'excuser auprès de son père pour s'être mêlée de ce qui ne la regardait pas. Puisqu'il y avait désormais des choses dont il ne voulait pas qu'elle se mêle.

Et elle attendait la même courtoisie de la part d'un certain bleu aux pieds agiles. Il avait donc intérêt à rentrer en bon état.

Elle s'examina de nouveau dans le miroir et s'estima présentable. Peut-être pas en grande beauté, mais au moins on ne voyait plus qu'elle avait passé vingt minutes recroquevillée par terre à pleurnicher comme un bébé.

Alors qu'elle se dirigeait vers le centre des opérations pour s'informer du déroulement de l'intervention, elle croisa l'agent spécial DiCicco.

– Ah, mademoiselle Tripp, je…

– Écoutez, je sais que vous devez mener votre enquête, mais nous avons deux équipes au feu. Je n'ai pas le temps de vous répéter ce que je vous ai déjà raconté.

– Je suis désolée, mais il faut que je vous parle… à vous ainsi qu'à vos collègues. Le corps que vous avez découvert hier a été identifié : il s'agit de Dolly Brakeman.

– Merde ! lâcha Rose, prise d'un léger vertige, en se massant le front. Oh, merde ! Comment ? Comment est-elle morte ?

– Puisque vous l'auriez appris de toute façon au journal télévisé de ce soir, je peux vous dire que le décès est dû à une fracture des cervicales, peut-être causée par une chute.

– Une chute ? Il faudrait tomber vraiment brutalement, et vraiment mal. Cette chute ne serait donc sûrement pas accidentelle.

DiCicco conserva une expression impassible.

– Nous enquêtons sur un meurtre, et sur un incendie criminel. Votre instinct ne vous a pas trompée.

– Ce qui fait de moi un suspect ?

– Vous avez un alibi pour l'heure du crime. Le fait est que vous entreteniez avec la victime des relations conflictuelles. C'est une piste que je devrai explorer.

– Explorez ! Ce n'est pas moi qui lui ai déclaré la guerre. Si j'avais pu lui fiche une raclée, le jour du sang de cochon, je l'aurais fait. Et elle l'aurait mérité. Je pense qu'elle aurait dû être inculpée pour les dégâts qu'elle a commis à la base, et écoper d'une peine de prison. Mais je ne souhaitais pas sa mort. Elle était…

Rose s'interrompit brusquement. Un camion franchit le portail de la base à toute allure, fonçant droit sur elles. Elle tira vivement DiCicco par le bras pour la mettre à l'abri. Le véhicule s'immobilisa dans un crissement de pneus, soulevant une gerbe de poussière.

– Ça va pas ! hurla Rose.

Leo Brakeman, le père de Dolly, bondit hors du camion.

– Ma fille est morte.

Les poings serrés, tremblant de tout son corps, le visage écarlate, il resta immobile devant sa portière ouverte.

– Monsieur Brakeman, je suis désolée…

– Vous êtes responsable. Il ne reste d'elle qu'un tas d'os calcinés et c'est de votre faute.

– Monsieur Brakeman…

DiCicco s'interposa entre lui et Rose, laquelle fit un pas de côté, refusant le bouclier.

– Je vous ai expliqué, poursuivit DiCicco, que tout serait mis en œuvre pour identifier l'assassin de votre fille. Rentrez chez vous. Votre femme et votre petite-fille ont besoin de vous.

Il tendit l'index vers Rose. Sa rage et son chagrin l'atteignirent comme un coup de poignard en plein cœur.

– Ma fille serait encore en vie, sans elle. Elle a fait flanquer Dolly à la porte parce qu'elle ne supportait pas qu'elle lui rappelle sans cesse comment elle a laissé Jim Brayner mourir, continua-t-il. Si elle n'a pas tué ma fille de ses propres mains, elle est la cause de sa mort. Tu te prends pour qui ? vociféra-t-il à l'attention de Rose. C'est pas parce que tu es la fille de Tripp que tu peux tout te permettre ! Tu étais jalouse de Dolly parce qu'elle t'a piqué Jim, tu ne pouvais pas l'accepter. Tu l'as laissé mourir plutôt que de les voir tous les deux ensemble.

– Leo, intervint Michael en s'approchant, un mur de pompiers derrière lui. Je suis désolé pour Dolly. Nous sommes tous peinés par son décès. Mais je vous prie de bien vouloir quitter la caserne.

– Pourquoi vous ne la virez pas, elle ? Pourquoi vous ne la fichez pas dehors comme une malpropre, comme vous avez fait avec ma fille ? Ma fille est morte et elle, elle reste là comme si de rien n'était.

– Vous n'avez rien à faire ici, Leo, répéta Michael d'une voix calme. Votre place est auprès d'Irene.

– Ce n'est pas à vous de me dire ce que je dois faire. Ma petite-fille n'a plus de maman, mais ça, tout le monde s'en fiche. Vous allez payer pour ce qui est arrivé à ma Dolly. Vous allez payer cher, tous.

Brakeman cracha par terre et remonta dans son camion. Des larmes coulaient sur ses joues.

– Rose, ordonna Michael en lui passant un bras autour des épaules, viens avec moi à l'intérieur. Agent DiCicco, si vous souhaitez parler à Rose, vous le ferez plus tard.

Michael la conduisit directement à son bureau et referma la porte derrière eux.

– Assieds-toi, lui ordonna-t-il.

Elle s'exécuta, tremblante.

– Tu sais que Leo Brakeman est un enquiquineur de première, commença son chef. Pour une fois, il a des circonstances atténuantes.

– Je comprends tout à fait sa réaction. Il lui faut un coupable. Dolly m'accusait de tous les maux. Mais que les choses soient claires : il n'y a jamais rien eu entre Jim et moi.

– Je sais. Je parlerai à DiCicco, de façon à ce qu'elle ne se fasse pas d'idées fausses sur ce point.

Rose haussa les épaules. Étrangement, l'agression verbale de Brakeman l'avait raffermie.

– Ne t'inquiète pas pour moi, Michael, tu as d'autres chats à fouetter, avec nos équipes en intervention. J'ai de la peine pour Brakeman, mais c'est la dernière fois qu'il se défoule sur moi. Dolly était une menteuse et le fait qu'elle soit morte n'y change rien. Je t'ai dit ce matin que j'étais en pleine forme, ajouta-t-elle en se levant. Ce n'était pas un mensonge, mais ce n'était pas non plus tout à fait vrai. Ça l'est, maintenant. Personne ne me traitera plus comme Dolly et son père l'ont fait. Je ne suis pas responsable du pétrin dans lequel elle est allée se fourrer.

– Effectivement, tu m'as l'air en pleine forme…

– Je peux te donner un coup de main au centre des opérations, si tu veux, ou bien monter à l'atelier voir ce qu'il y a à faire.

– Allons voir où en sont nos filles et nos gars.

DiCicco trouva les cuisines vides. Elle s'apprêtait à se rendre à la salle à manger lorsque du mouvement derrière la fenêtre retint son attention.

Margaret Colby, la cuisinière en chef, désherbait l'allée d'un impressionnant potager. Elle se redressa en voyant l'agent du FBI et repoussa en arrière le grand chapeau de paille qu'elle portait par-dessus son bandana.

– Vous me cherchiez, ou vous prenez le frais ?

– J'aimerais vous parler un instant ainsi qu'à votre collègue, Lynn Dorchester.

– Lynn n'était pas dans son assiette, je lui ai dit de rentrer chez elle. Elle sera de retour vers 16 heures, l'informa Marg en jetant une poignée de mauvaises herbes dans le seau posé à ses pieds. Je boirais bien une citronnade. Vous en voulez ?

– Si ça ne vous ennuie pas.

– Si c'était le cas, je ne vous en aurais pas proposé. Asseyez-vous là. Nous serons mieux dehors par une aussi belle journée. Je passe suffisamment de temps enfermée.

DiCicco s'installa dans l'un des fauteuils en plastique et contempla le jardin, les terrains d'entraînement et, au loin, les montagnes couronnées de nuages.

Marg revint rapidement avec un pichet et une assiette de cookies au chocolat.

– Oh ! vous avez trouvé mon point faible.

– Personne n'est parfait.

Marg posa le plateau, s'installa confortablement et se débarrassa de ses sabots en caoutchouc.

– Lynn a été très affectée par la mort de Dolly, je lui ai donné son après-midi. Elles n'étaient pas les meilleures amies du monde, mais elles ont travaillé ensemble un bout de temps et, globalement, elles s'entendaient plutôt bien.

— Vous avez vous aussi travaillé avec Dolly pendant un certain temps. Vous étiez sa supérieure.

— Tout à fait. C'était une bonne cuisinière. Sur le plan professionnel, je n'ai jamais rien eu à lui reprocher. Son problème, tout au moins l'un de ses problèmes, c'est qu'elle considérait le sexe comme un accomplissement, et comme une monnaie d'échange.

Marg prit un cookie et en croqua une bouchée.

— Les parachutistes du feu sont des hommes forts, courageux, poursuivit-elle. Leur physique ne laisse pas les femmes indifférentes. La plupart sont jeunes, aussi, et beaucoup sont loin de chez eux. Ils font un boulot difficile, dangereux, dans des conditions extrêmes. Quand ils ont l'occasion de s'envoyer en l'air, ils en profitent. Dolly était plus ou moins à leur disposition.

— Ça ne faisait pas d'histoires ? Ça ne créait pas de rivalités ?

— Tout le monde savait que Dolly était une fille facile, Jim comme les autres. Elle prétendait qu'ils allaient se marier, mais je n'y crois pas du tout… Disons qu'elle devait prendre ses désirs pour des réalités, pour ne pas être méchante.

Bien qu'il eût employé des mots différents, Michael avait exprimé la même opinion.

— Quelles étaient les relations de Jim avec Rose Tripp ?

— Avec Rose ? Eh bien, c'est elle qui l'a formé quand il est arrivé à la base. Ils sautaient souvent en binôme…

Marg s'interrompit, puis se renversa contre le dossier de son siège en riant.

— Je ne sais pas ce que vous vous imaginez, agent DiCicco, reprit-elle. Si Jim avait fait du gringue à Rose, elle l'aurait rembarré. Jim était un séducteur dans l'âme, il draguait toutes les femmes, moi comprise. Il ne pouvait pas s'en empêcher, mais il était tellement bon enfant… Il n'y avait rien de plus entre lui et Rose que cette amitié qui unit des compagnons d'armes. Du reste, Rose n'a jamais fricoté avec aucun de ses collègues. Jusqu'à cette saison. Jusqu'à Gulliver Curry. Je suis curieuse de voir comment cette histoire va évoluer…

— Leo Brakeman prétend que Rose et Jim avaient une liaison, et qu'il aurait rompu pour Dolly.

Marg but une autre gorgée de citronnade tout en contemplant les montagnes.

– Leo a du chagrin. J'ai beaucoup de peine pour lui et son épouse, mais il se trompe. À mon avis, Dolly lui a fait gober des salades.

– Dans quel but ?

– Pour se rendre intéressante, et pour rabaisser Rose. Je vous l'ai dit, Dolly n'avait pas d'amies. Elle a toujours vu une menace en Rose, et elle savait que Rose avait d'elle une piètre opinion.

– Il est clair qu'elles ne s'aimaient pas.

– Jusqu'au décès de Jim, elles se toléraient. Je les connais toutes les deux depuis qu'elles étaient hautes comme trois pommes. Rose ignorait Dolly. Par contre, Dolly observait tout ce que Rose faisait. Si vous pensez toujours que Rose est impliquée dans ce qui est arrivé, vous gaspillez du temps que vous feriez mieux d'employer à coincer le meurtrier.

DiCicco n'avait pas le sentiment de perdre son temps. Tout élément du contexte avait son importance.

– Êtes-vous au courant que Dolly serait allée chercher du travail à Florence ?

Marg poussa un long soupir.

– Son curé est venu me demander de lui faire une lettre de recommandation, continua-t-elle. J'ai refusé. Ce type était désagréable au possible, mais je ne l'aurais pas fait, de toute façon. Elle ne le méritait pas. Je suis désolée qu'elle se soit sentie obligée de quitter Missoula pour trouver du travail, mais elle en aurait trouvé ici, même sans références.

Marg resta un instant silencieuse, à scruter l'horizon.

– Revenait-elle de Florence quand c'est arrivé ? demanda-t-elle enfin.

– Je ne sais pas. C'est une question à laquelle je devrai répondre. Vos cookies étaient délicieux, je n'en ai jamais mangé d'aussi bons. Sincèrement.

– Je vous en donnerai à emporter.

– Ce n'est pas de refus.

À la tombée de la nuit, les pompiers de l'Idaho avaient circonscrit l'incendie. Au nord, cependant, la bataille continuait de faire rage.

Sortie prendre l'air, Rose imaginait les flammes et la fumée, les silhouettes en veste jaune brandissant leurs outils telles des armes.

Si des renforts se révélaient nécessaires, Michael l'enverrait au front. Elle était prête. À la vue des phares d'un camion, elle se raidit puis se détendit quelque peu en constatant qu'il ne s'agissait pas de Leo Brakeman.

Lucas descendait de son pick-up, visiblement contrarié.

– Pourquoi tu ne m'as rien dit ? demanda-t-il d'emblée en posant une main ferme sur l'épaule de sa fille.

– Je pensais que tu savais.

– Je ne savais pas.

– Tu étais occupé avec ton élève.

– Ne joue pas à ce petit jeu avec moi, Rose. Tu m'as envoyé un SMS pour me dire que l'intervention s'était bien passée. Tu ne m'as pas dit que tu avais découvert un cadavre, tu ne m'as pas dit que Dolly avait disparu…

– Je voulais t'en parler de vive voix. Voilà pourquoi je suis venue te voir au paraclub…

Il l'attira simplement contre lui et la prit dans ses bras.

– Les flics me soupçonnent.

– Chut…, murmura-t-il en lui embrassant le sommet du crâne.

– Les agents du service des Forêts m'ont interrogée deux fois. J'ai eu des altercations avec Dolly et, comme par hasard, c'est moi qui ai trouvé son corps dans la forêt. Leo Brakeman est venu à la base, tout à l'heure.

Elle se libéra du poids qu'elle avait sur le cœur. Son père était de nouveau là pour la protéger.

– Leo est fou de douleur. À sa place, je ne sais pas ce que je ferais. Je n'ose même pas y penser. La police retrouvera l'assassin. Ce sera peut-être un soulagement pour la famille de Dolly. On dit que ça aide à faire son deuil. Je l'espère, mais je ne vois pas en quoi.

« Il est reparti en pleurant. De le voir dans cet état, j'ai compris qu'il était beaucoup plus à plaindre que moi. Jusque-là, je ne pensais qu'à moi.

– Tu n'as rien à te reprocher, Rose.

– Excuse-moi, papa, pour la façon dont je me suis comportée avec toi.

– Moi aussi, je te dois des excuses. Ce n'est pas grave, n'en parlons plus. Où est le gars avec qui tu t'entends bien ?

– Sur l'incendie de Flathead.

– Allons voir au centre des opérations où ils en sont.

– J'espère que tout se passe bien pour lui et pour les autres, même si je suis en colère contre lui. Parce qu'il m'a dit deux ou trois vérités.

– Je te comprends, je déteste qu'on me dise mes vérités. Cela dit, pour qui se prend-il, celui-là, à te faire la leçon ?

En riant, Rose posa la tête sur l'épaule de Lucas.

– Merci, papa.

Elle resta au centre des opérations jusque tard dans la nuit, à noter sur la carte les progrès de l'équipe et les revirements du feu, à mesurer les impacts de la foudre sur l'écran du radar.

À 2 heures du matin, tandis qu'un orage éclatait au-dessus de la base et qu'au nord Gull et ses camarades se glissaient sous les tentes, elle se résigna enfin à aller se coucher.

Elle sombra presque aussitôt dans un sommeil agité.

Les grondements du tonnerre se muèrent en ronflements de moteurs. Le vent qui soufflait dehors résonnait dans son rêve comme le bruissement de l'air à la porte de l'avion. Avant de s'élancer dans le vide, elle se tourna vers Jim et lut dans son regard une expression de terreur qui lui fit froid dans le dos. Il ne devait pas sauter. Il n'était pas en condition. Il fallait l'en empêcher.

– Tu n'y peux rien, personne n'y peut rien, lui dit-il, les yeux à présent emplis de tristesse. Face au destin, nous sommes impuissants.

Elle sauta, bascula sur elle-même et le vit plonger dans le ciel. Pour la dernière fois.

L'écho de son cri de détresse vibrant à ses oreilles, elle atterrit seule, à quelques pas du brasier, et s'élança aussi vite que ses jambes le lui permettaient à travers le nuage de fumée, dans une chaleur suffocante, en appelant Jim à pleins poumons.

Les flammes se jetaient à l'assaut des arbres et balayaient le sol en une danse macabre. « Rose ! » entendit-elle dans le vacarme.

Elle changea de direction, arriva dans la zone sinistrée. Des branches carbonisées dressaient leurs doigts crochus au milieu de foyers rougeoyants. Des troncs brûlés oscillaient derrière le rideau de fumée. La terre noircie craquait sous ses bottes. « Rose ! » entendit-elle de nouveau. Pleine d'espoir, elle redoubla de vitesse.

Soudain le silence, comme une respiration retenue. Elle s'immobilisa dans ce vide sonore, désemparée, désorientée, comme figée sur un instantané en noir et blanc. Rien ne bougeait. Elle reprit sa course. La terre demeurait silencieuse sous ses pas.

Il gisait sur le sol calciné, le visage tourné vers l'ouest, comme s'il s'était allongé pour admirer le soleil couchant. Sa propre voix résonna dans sa tête quand elle prononça son prénom. Saisie de vertige, elle se laissa tomber près de lui.

– Jim ! Dieu soit loué !

Elle sortit sa radio, silencieuse, comme tout ce qui l'entourait.

– Je l'ai trouvé ! Répondez-moi ! Venez m'aider !

– Impossible !

Elle eut un mouvement de recul lorsque la voix de Jim brisa le silence, lorsque, derrière son masque, ses yeux s'ouvrirent, lorsque, derrière son masque, ses lèvres s'incurvèrent en un rictus d'horreur.

– Nous sommes condamnés à brûler. Nous sommes tous condamnés à brûler.

Des flammes jaillirent derrière sa visière. Alors qu'un cri se formait dans sa gorge, il lui saisit la main. Le feu les engloutit tous les deux.

Rose s'extirpa de son lit et tituba jusqu'à la fenêtre. Elle l'ouvrit et aspira une grande bouffée d'air frais. La tempête s'était éloignée, la pluie avait cessé. Pendant son cauchemar, le ciel s'était dégagé. Elle observa les étoiles, puisant le réconfort dans leur éclat.

Une mauvaise journée, c'est tout, se dit-elle. Elle avait passé une mauvaise journée qui avait entraîné une mauvaise nuit. Les mauvaises vibrations étaient passées, à présent, elle pouvait se reposer.

Elle laissa la fenêtre ouverte et se remit au lit, les yeux ouverts, contemplant les étoiles, savourant la fraîcheur de la nuit.

Alors qu'elle commençait à s'endormir, une image du cauchemar revint flotter derrière ses paupières. Elle la chassa, se força à penser aux étoiles. Dans l'œil de son esprit, elle fixa leur lueur sereine et se laissa glisser dans un sommeil paisible, sans rêves.

Rose et une équipe sautèrent à Flathead en milieu de matinée. Bien qu'elle fût contente de retrouver le travail, la routine, aussi fastidieuse fût-elle, elle ne pouvait nier une légère déception : Gull et son équipe étaient partis avant son arrivée.

Tandis qu'elle s'acquittait de sa mission, l'agent spécial Kimberley DiCicco poursuivait la sienne. Elle avait rendez-vous avec Quinniock dans un snack-bar au bord de la 12.

– Merci d'être là, lieutenant, lui dit-elle, lorsqu'il s'installa en face d'elle.

– C'est normal. Juste un café, s'il vous plaît, commanda-t-il à la serveuse.

– Venons-en directement à l'affaire qui nous préoccupe, si vous le voulez bien, commença DiCicco sitôt que la serveuse eut rempli la tasse de Quinniock.

– Pas de perte de temps, acquiesça-t-il.

– Vous connaissez la région et les gens du coin mieux que moi, vous en savez davantage sur les relations et les frictions entre les uns et les autres, et vous avez récemment interrogé la victime à propos des actes de vandalisme commis à la base des Zulies. Votre collaboration me sera précieuse.

– Notre département est toujours ravi de coopérer avec vos services.

– Vous avez bonne réputation, lieutenant.

– Vous de même. Et selon Rose Tripp, nous sommes tous les deux des modèles d'élégance.

DiCicco esquissa un sourire.

– Vous avez une belle cravate.

– Merci. À mon avis, cette affaire relève de votre juridiction, agent DiCicco. La victime, en revanche, appartient à la mienne. Nous arriverons plus rapidement à nos fins en unissant nos forces. Si vous me disiez à qui vous vous intéressez, je pourrais peut-être vous prêter mon concours.

– Commençons par la victime. Au regard des faits, de mes interrogatoires et de mes observations, je crois avoir une petite idée de sa personnalité. Je dirais que Dolly Brakeman était une affabulatrice, par nature et par intérêt. Sans doute se mentait-elle aussi à elle-même.

– Je vous rejoins sur cette conclusion. Elle était également impulsive et semblait avoir le chic pour s'attirer des ennuis. Elle avait tendance à accumuler de la rancune, et à agir sur des coups de tête à la moindre contrariété.

– Par exemple en quittant Missoula après le décès de Jim Brayner, alors qu'elle aurait eu tout intérêt, dans ces circonstances, à rechercher la stabilité, le soutien de sa famille, à se faire aider.

– Elle s'était disputée avec son père.

DiCicco se renversa contre le dossier de son siège.

– Je m'en doutais, mais je n'en étais pas sûre.

– Je tiens cette information de Mme Brakeman, avec qui je me suis entretenu suite aux actes de vandalisme perpétrés à la base. Quand elle a appris l'accident de Jim, Dolly est rentrée chez elle. C'est là qu'elle a annoncé à ses parents qu'elle était enceinte et qu'elle démissionnait. Brakeman a très mal pris la nouvelle. Ils ont eu une discussion houleuse. En gros, il lui a dit que si elle ne retournait pas travailler à la caserne, il lui coupait les vivres. Elle a fait ses bagages et elle est partie. En emportant une enveloppe de cinq cents dollars que ses parents avaient mis de côté en cas de coup dur.

– Elle ne pouvait pas aller bien loin, avec cinq cents dollars.

– Sa mère lui envoyait de l'argent. Et quand Dolly a téléphoné à papa et maman, de Bozeman, juste avant d'accoucher, ils ont sauté dans leur voiture et tout le monde s'est réconcilié.

– Rien de tel qu'un bébé pour ramener la paix dans les chaumières.

– Dolly a prétendu avoir été sauvée par Dieu. Ses parents l'ont reprise sous leur toit et elle s'est mise à fréquenter l'église de sa mère.

– J'ai rencontré le révérend Latterly. Je ne peux pas dire que cet homme m'ait fait bonne impression. Je l'ai trouvé assez désagréable, imbu de sa personne, voire agressif, sous ses dehors mielleux. (Quinniock hocha la tête en signe d'assentiment.) Il reproche à Michael, à Rose Tripp et aux Zulies en général d'avoir manqué de charité chrétienne envers une âme égarée.

– Irene Brakeman affirme qu'il a tout fait pour arrondir les angles lorsque Dolly est revenue chez eux avec son bébé. Mais ce que Dolly a oublié de dire à ses parents, quand elle les a appelés au secours, et que j'ai découvert en furetant, c'est qu'elle avait organisé une adoption privée, ce qui lui a permis de régler ses frais d'hospitalisation.

– Elle voulait abandonner son enfant ?

– Apparemment. Mais elle n'a pas contacté les parents adoptifs quand elle a accouché, ni l'obstétricien qu'ils avaient payé. Elle est allée au service des urgences de l'hôpital public et elle a donné son adresse à Missoula. Lorsque le couple en question a compris ce qui s'était passé, elle était déjà de retour ici. Les mères porteuses ayant le droit de revenir sur leur décision, ils n'avaient aucun recours.

DiCicco ouvrit son calepin.

– Vous avez le nom de ces gens ?

– Oui, je vous le donnerai, mais ce ne sont sûrement pas eux qui ont tué Dolly et mis le feu à la forêt.

– Ils auraient eu un mobile, en tout cas.

– Soupçonnez-vous toujours Rose Tripp ?

DiCicco attendit que la serveuse ait à nouveau rempli leurs tasses.

– Mlle Tripp a du tempérament, une grande force physique et une grande force de volonté. Elle détestait Dolly, pour des raisons personnelles et générales. Son alibi est un homme avec qui elle a actuellement une liaison. Les hommes sont prêts à mentir pour des faveurs sexuelles.

DiCicco s'interrompit un instant et versa une demi-cuillerée de sucre dans son café.

– Dolly prétendait que Rose lui en voulait parce que Brayner l'avait plaquée pour elle. C'était une menteuse notoire, je sais, ajouta-t-elle avant que Quinniock soulève une objection. Rose Tripp, en revanche, est quelqu'un de très direct. Si Dolly avait lutté contre son assassin, j'aurais porté mes soupçons sur Tripp. Or Dolly a été tuée à l'écart de la route, on lui a brisé le cou, et on a allumé un incendie pour tenter de couvrir le meurtre. Tout cela ne ressemble pas à Tripp. Le meurtrier espérait que le feu réduirait le cadavre en cendres, ou tout au moins gagner du temps avant qu'on le découvre. Il aurait été idiot de la part de Tripp de signaler la découverte du corps, et elle n'est pas idiote.

– Nous sommes d'accord sur ce point.

– Revenons-en à la victime. J'ai essayé de vérifier si elle avait effectivement travaillé à Florence, comme elle l'a raconté. Jusque-là, rien ne le corrobore. Je me suis rendue dans plusieurs des restaurants situés le long de la route. Elle n'a été embauchée dans aucun, et personne n'a le souvenir qu'elle soit venue demander du travail. Du reste, étant donné le personnage, je ne vois pas pourquoi elle serait allée chercher un emploi aussi loin alors qu'elle venait de déposer dix mille dollars, en deux versements de cinq mille, dans une banque où elle n'était pas cliente. J'en déduis qu'elle ne voulait pas qu'on sache qu'elle était en possession de cette somme.

Quinniock ne s'était pas encore penché sur la situation financière de Dolly, un élément qui pourtant expliquait bien des meurtres.

– Les hommes tenaient en outre beaucoup de place dans sa vie, poursuivit DiCicco. C'est pourquoi je compte aller poser quelques questions dans les motels situés entre Florence et Missoula. Il n'est pas exclu qu'elle ait tenté de mettre le grappin sur l'autre frère Brayner.

– Sexe, argent, culpabilité, opina Quinniock. Le tiercé gagnant des mobiles de meurtre...

17

Assis sur son lit avec son ordinateur portable, Gull parcourait les pages sportives du journal régional. Il avait jeté un œil aux comptes bancaires de sa société, répondu à ses mails personnels, envoyé à sa famille des photos prises le matin des montagnes et du campement. Il savait que l'équipe de nettoyage était rentrée et se demandait combien de temps Rose mettrait avant de venir frapper à sa porte.

Elle viendrait, il en était persuadé, ne fût-ce que pour reprendre leur discussion. Elle n'était pas du genre à se défiler, et quand bien même l'aurait-elle été, en vivant tous les deux à la base, ils ne pouvaient pas s'éviter.

Il devait attendre.

Par curiosité, il lança une recherche sur Google avec les mots clés « enquête criminelle feu de forêt ». Il était plongé dans la lecture d'un article quand on toqua à sa porte.

– Ouais, c'est ouvert, répondit-il distraitement.

Rose poussa le battant, le laissa entrebâillé, s'avança dans la chambre et vint se pencher au-dessus de l'écran de l'ordinateur.

– Tu prépares un exposé sur les incendies criminels ?

– C'est d'actualité. Comment s'est passé le nettoyage ?

– Vous avez laissé les lieux dans un état dégueulasse, répondit-elle en se tournant vers lui. Il paraît que vous avez eu chaud aux fesses…

– Par moments, acquiesça-t-il. Tu m'as manqué.

– Pour mes compétences ou pour mon physique de déesse ?

Gull éteignit l'ordinateur.

– Les deux, mon capitaine. Si on allait se balader, pour admirer le coucher du soleil ?

– Si tu veux.

En sortant, Rose mit ses lunettes de soleil.

– Le fait que je sois étonnée et pas très contente que mon père fréquente une femme dont il ne m'a jamais parlé ne veut pas dire que je suis jalouse.

– Étonnée et pas très contente, dis-tu. J'aurais plutôt dit « outrée et furieuse ».

– Car étonnée, répliqua-t-elle sur un ton pincé.

– Bon, je veux bien l'admettre puisque, apparemment, tu n'as jamais vu de ta vie ton père embrasser une femme.

– Je ne crois pas avoir eu une réaction excessive. Pas trop.

– Pourquoi chipoter sur le degré de l'excès ?

– Je ne m'excuserai pas de t'avoir dit de te mêler de tes oignons.

– Dans ce cas, je n'ai pas à accepter poliment tes excuses.

– Alors je crois que nous sommes quittes.

– Presque… Quel magnifique coucher de soleil !

Aux côtés de Gull, Rose regarda l'astre du jour disparaître lentement derrière les sommets, dans une symphonie de rouge, d'or et du plus délicat des mauves.

Le silence peut être aussi éloquent que des mots, pensa Gull.

– Il paraît que le père de Dolly est venu t'insulter, reprit-il après un instant.

– Tu recommences à te mêler de ce qui te ne regarde pas ?

– Tu pourrais avoir un minimum de compassion pour un homme qui traverse un tel drame, et peut-être aussi un peu d'indulgence. Cela dit, il n'a pas intérêt à toucher à ma chérie.

– Ta chérie ? Je ne suis pas ta chérie.

– On est là, ensemble, à regarder le coucher du soleil, oui ou non ? Et n'y a-t-il pas de fortes chances pour qu'on passe aussi la nuit ensemble ?

Gull lui saisit le menton et lui posa un baiser sur les lèvres.

– Ne discute pas. Ça fait de toi ma chérie.

– Va te faire voir, Gull. Je commence à en avoir plein le dos de tes mièvreries.

Amusé, il lui passa un bras autour des épaules.

– Alors, on dort où, cette nuit, dans ta chambre ou dans la mienne ?

La luminosité devenant plus douce, Rose enleva ses lunettes de soleil.

– Tu as de la chance, je me sens bien avec toi.

Tout à coup, une détonation retentit. Gull plaqua Rose à terre et se coucha sur elle.

– Ne bouge pas, souffla-t-il.

Un deuxième coup de feu éclata et une balle ricocha sur le sol à moins de deux mètres d'eux.

— Accroche-toi à moi, ordonna-t-il, on va rouler.

Elle noua ses bras autour de sa taille et tous deux se donnèrent de l'élan afin de rouler jusque derrière une Jeep garée devant l'un des hangars.

Un troisième projectile heurta la paroi métallique de l'entrepôt.

— D'où ça vient ? haleta Rose.

— Je n'en sais rien, murmura Gull, toujours couché sur elle, dans l'attente d'une autre déflagration.

Plusieurs secondes s'écoulèrent dans le silence. Puis des cris et des pas précipités se firent entendre.

— Planquez-vous, ne restez pas à découvert ! hurla Gull. Il y a un mec armé.

Dobie plongea derrière la Jeep.

— Vous avez été touchés ? Vous… Oh, mince, Gull, tu saignes…

Rose tenta de se dégager de sous le corps de Gull.

— Pousse-toi ! Pousse-toi ! le supplia-t-elle. Fais voir !

— Ce n'est rien, la rassura-t-il. Je me suis éraflé sur le goudron. Reste couchée.

— Carabine, déclara Dobie. Je reconnaîtrais le bruit d'un tir de carabine entre mille. Le tireur est planqué là-bas, dans les arbres, j'en suis sûr. Heureusement qu'il vise comme un pied. Il aurait pu vous dégommer comme des canards.

— Eh ! lança Trigger depuis l'angle du hangar. Quelqu'un est blessé ?

— Tout va bien, répondit Rose. Reste où tu es. On ne sait jamais.

— Le chef a appelé la police. Ne bougez pas, pour le moment.

— Reçu. Pousse-toi, Gull, tu m'écrases.

— Il t'a taclée comme il faut, commenta Dobie lorsque Gull la libéra. Tu savais qu'il jouait au foot quand il était au lycée ?

— Je suis ravie de l'apprendre, marmonna-t-elle en examinant les écorchures sur les coudes et les avant-bras de Gull. Il y a du gravier dans les plaies.

— Je préférais le basket, dit-il sur un ton badin. Malheureusement, je n'étais pas assez grand pour faire de la compétition. Rapide, mais pas assez grand. J'ai pris vingt centimètres en dernière année de lycée, mais c'était trop tard. Alors je me suis mis au base-ball. J'avais déjà des biceps en béton, à l'époque. Je maniais la batte comme un dieu.

Bien qu'anodines, ses blessures devaient le faire souffrir, se dit Rose. Ce bavardage puéril devait l'aider à endurer la douleur.

– Je croyais que tu étais la star sur la piste de course ?

– C'est en course que j'étais le meilleur, c'est vrai, mais j'aimais les sports collectifs. Remarque, j'étais bon en tout. J'ai eu mon bac avec mention.

Dans la lumière déclinante, Rose observait son visage.

– On est planqués derrière une Jeep, à la merci d'un cinglé armé d'une carabine, et tu te vantes de tes réussites scolaires…

– Ça fait passer le temps, répliqua-t-il en essuyant une trace de poussière sur la joue de Rose. Détends-toi, c'est l'essentiel.

– Si vous avez l'intention de faire des cochonneries, tous les deux, intervint Dobie en s'adossant contre une roue, ne comptez pas sur moi pour regarder ailleurs. Si seulement j'avais une bière…

– Dès que ce petit interlude sera terminé, déclara Gull, je paie ma tournée.

– J'allais regarder la télé au salon. Je suis juste sorti une minute, et bam ! bam !

– Et au lieu de vite aller t'abriter à l'intérieur, tu t'es mis à courir à découvert ?

– Je vous ai vus rouler-bouler. Je ne savais pas si vous aviez été touchés.

Rose se pencha par-dessus Gull et embrassa Dobie sur la bouche.

– Merci.

– Merci, mais je ne t'embrasse pas, dit Gull. Le tireur a dû partir, je pense.

– Sûrement, acquiesça Dobie. Il fait presque nuit. À moins d'avoir un viseur à infrarouge, on n'y voit plus rien.

– Allons-y, décida Rose en se redressant. De toute façon, s'il veut nous tirer dessus, il peut très bien sortir de sa cachette et venir jusqu'ici, maintenant qu'il fait sombre.

– Elle a raison, approuva Gull. Ne courez pas en ligne droite. Direction les chambres ?

– Direction les chambres, opina Dobie.

Avant que les deux hommes puissent réagir, Rose piqua un sprint vers le bâtiment.

– Mais elle est marteau ! pesta Gull en s'élançant derrière elle.

Il aurait pu la rattraper, la doubler, ils le savaient tous deux. Il resta néanmoins sur ses talons, suivant chacun de ses zigzags.

– C'est bon ! cria-t-elle en franchissant la porte.

Il la saisit par le bras.

– Tu es complètement folle d'être partie comme ça.

– Je ne voulais pas que tu me serves de bouclier humain une deuxième fois.

– Ça, ça ne regardait que moi.

– Je fais ce que je veux.

Alors qu'un attroupement se formait autour d'eux, Libby poussa un sifflement perçant.

– Ça suffit ! cria-t-elle. Taisez-vous, bon sang, tous ! Gull, tu as les bras en charpie. Que quelqu'un aille chercher une trousse de secours. La police va arriver. La police est là, se corrigea-t-elle à l'approche des sirènes et des gyrophares. Michael veut que personne ne mette le nez dehors tant que… tant que nous n'en savons pas plus.

– Tout le monde est là ? s'inquiéta Rose.

– Là, dans la salle à manger ou au centre des opérations, tout le monde est à l'abri, la rassura Yangtree en la prenant dans ses bras et en la serrant à lui en faire craquer les côtes. Je regardais la télé, j'ai cru que c'était dans le film. Et tout d'un coup, Trig a déboulé dans le salon en criant que quelqu'un tirait et que vous étiez dehors. C'est quoi, cette histoire de dingue, Rose ?

– Je me pose exactement la même question, répondit celle-ci. Qui ça pouvait bien être ?

– Les gens sont cinglés, intervint Dobie en haussant les épaules. Peut-être un adepte de la théorie du grand complot qui nous met dans le même sac que le gouvernement. Il y a toutes sortes de milices de tarés dans le coin.

– Ce n'est pas avec trois balles qu'il allait nous faire peur.

– Il aurait pu vous toucher, souligna Trigger.

– Appelle ton père, Rose, suggéra Yangtree. Dis-lui que tu n'as rien, avant qu'il apprenne la nouvelle par quelqu'un d'autre.

– Tu as raison, acquiesça-t-elle, en jetant un regard vers la chambre de Gull avant de se diriger vers la sienne.

En serrant les dents, Gull laissa docilement Janis nettoyer ses blessures.

– Qu'est-ce qu'elle a ? Franchement, dis-moi…

– Rose ? Pas grand-chose. Le sang qu'elle avait sur elle était le tien. Mais je suppose que tu veux parler de la façon dont elle agit. Que veux-tu que je te dise, exactement ?

– Comment on peut passer quatre-vingt-dix pour cent de sa vie à travailler en équipe et être si perso les dix pour cent restants ?

– Les parachutistes du feu se serrent les coudes dans leur boulot, mais nous avons tous notre personnalité. Cela dit, dans le cas de Rose, c'est un mécanisme de défense, de la fierté, et une peur viscérale d'accorder sa confiance.

– De défense contre quoi ?

– Elle a peur d'être blessée dans son amour-propre ou trahie dans sa confiance. Personnellement, je trouve qu'elle s'en tire plutôt bien pour une môme qui a été abandonnée par sa mère. Mais je ne crois pas qu'on puisse sortir totalement indemne d'un tel traumatisme. Bon, il va falloir que j'enlève les gravillons à la pince. Ne te gêne pas pour m'insulter.

– Merde, bougonna Gull. Chaque fois que tu sautes en parachute, tu dois faire confiance au largueur, au pilote. Aïe ! Chaque fois que tu sors de chez toi, tu dois faire confiance au destin, qu'il ne t'envoie pas sous les roues d'un chauffard. Si tes relations sentimentales sont basées sur la méfiance, tu es voué à finir seul.

– Je crois que Rose s'est mis dans la tête qu'elle ne vivrait jamais en couple. Elle a son père, nous, ses collègues, elle est bien entourée, ça lui suffit. Elle ne croit pas au couple, encore moins pour elle que pour les autres. Elle n'a pas envie de s'engager dans une relation sérieuse.

Un gravillon tomba dans la coupelle que Janis avait placée sous le bras de Gull.

– Je travaille avec Rose depuis longtemps, poursuivit-elle. Dans le contexte professionnel, elle est toujours optimiste. Dans sa vie privée, par contre, elle joue la cynique qui prend ce qu'il y a à prendre là où elle peut le prendre. À l'écouter, le bonheur ne peut être qu'éphémère.

– Elle a tort.

– Personne ne le lui a encore jamais prouvé, rétorqua Janis. Si tu veux mon avis, tu es le premier à avoir une chance de le faire. Ne la gâche pas. Attends, ne bouge pas…

Janis retira encore quelques gravillons.

– Je crois que c'est bon, dit-elle enfin en lui appliquant du désinfectant sur les coudes. Tu t'es bien écorché, mais c'est un moindre mal.

– Ouais…

Gull se tourna vers la porte – quelqu'un venait de frapper. Rose se tenait dans l'encadrement, deux canettes entre les mains.

– J'ai apporté de la bière au patient.

– Il en a bien besoin, approuva Janis en bandant le bras droit de Gull. Du nouveau ?

– Les flics ratissent le terrain. Ils ont mis des projecteurs partout, on se croirait à Noël. S'ils ont trouvé quelque chose, ils n'ont encore rien dit à personne.

– OK, j'ai fait tout ce que je pouvais pour toi, déclara Janis à Gull en rassemblant les compresses sanguinolentes dans la soucoupe. Prends deux antalgiques et appelle-moi demain matin.

– Merci, Janis.

En se levant, elle exerça une pression sur sa jambe.

– Tu as été courageux, lui dit-elle en sortant de la chambre.

Rose s'avança vers Gull et lui tendit une bière.

– Tu veux te disputer ?

– Ouais, fit-il en buvant une longue gorgée.

– C'est idiot, mais comme tu veux… Choisis le sujet.

– Commençons par la façon dont tu as filé seule à découvert. On pourra toujours revenir en arrière.

– On avait décidé de foncer vers les chambres. C'est ce que j'ai fait.

– De nous trois, c'était moi le plus rapide. Et le plus apte à éviter les balles, s'il y en avait eu.

– J'ai dit que j'aimais les mecs sûrs d'eux, mais tu ne crois pas que tu abuses un peu, non ? Monsieur est à l'épreuve des balles, rien que ça… Je suis seule face au danger tous les jours, Gull. J'ai l'habitude de me débrouiller toute seule.

Gull s'estimait patient et conciliant… en général. Mais Rose poussait le bouchon un peu loin.

– Que tu n'aies peur de rien est l'un des aspects les plus séduisants de ta personnalité. Espèce de nouille ! Tu sautes en parachute, tu combats le feu, très bien. Mais là, c'était différent.

– En quoi ?

– On t'a déjà tiré dessus ?

– Non. Et toi ?

– Non, c'était une première pour moi aussi, et clairement une situation où tu aurais dû t'en remettre à moi.

– Je n'ai besoin de personne.

– J'ai bien laissé Janis s'occuper de moi. Ma fierté et mon amour-propre n'en ont pas été atteints.

– Elle t'a fait des pansements. Elle ne s'est pas jetée sur toi comme si tu étais une grenade qu'elle allait désamorcer de son propre corps pour sauver les gars dans les tranchées. Regarde dans quel état tu t'es mis. Alors que moi je n'ai même pas une égratignure.

– Je protège ce que j'aime. Si ça te pose un problème, ça va mal se passer entre nous.

Il s'approcha d'elle.

– Je tiens à toi, Rose. À la Rose qui rit comme une fille de saloon, à celle qui regarde les étoiles dans le ciel et qui sent bon la pêche mûre. Je tiens à cette fille-là autant qu'à la téméraire, la stratège, l'infatigable qui risque sa vie au feu chaque fois que la sirène retentit.

Les yeux de Rose s'embuèrent.

– Je ne sais plus quoi dire quand tu me parles comme ça.

– Quand tu me regardes, ne vois-tu en moi qu'un pompier avec qui tu travailles cette saison ?

– Non, dit-elle d'une voix légèrement tremblante. Non, je ne vois pas que ça, mais...

– N'en dis pas plus, ça me suffit.

Elle noua les bras autour de sa taille et, sentant les larmes lui monter aux yeux, se serra contre lui, puisant dans sa chaleur le réconfort de les savoir tous deux vivants, entiers.

Rien d'autre, se dit-elle. *Je n'ai besoin de rien d'autre.*

– Vous pourriez fermer la porte...

Trigger se tenait sur le seuil de la chambre.

– Entre, lui dit Gull.

– Désolé de vous déranger, mais ils vous attendent dans le salon.

– Qui ça, « ils » ? demanda Rose.

– Le lieutenant et l'agent du FBI. Si ça ne vous intéresse pas de savoir qui vous a tiré dessus, je peux leur dire que vous êtes occupés à vous faire des câlins.

– On arrive, dit Gull en s'écartant de Rose. Dans ma chambre, ajouta-t-il. On n'avait pas tranché la question, tout à l'heure. Dans ma chambre, ce soir, parce qu'elle est plus près du salon.

– Ce n'est pas une mauvaise raison, acquiesça-t-elle en prenant les deux bières puis en en tendant une à Gull. Allons voir les flics. Après, on pourra fermer la porte.

DiCicco et Quinniock étaient assis dans le salon avec Michael. D'ordinaire, à cette heure-ci, les pompiers regardaient la télé, vautrés sur les canapés et dans les fauteuils, ou bien ils jouaient aux cartes.

Quelqu'un se faisait peut-être réchauffer une pizza ou du pop-corn au micro-ondes. Et il y en avait toujours au moins un qui avait envie de parler boulot.

Aujourd'hui, la télé était éteinte, les canapés déserts.

Le chef se leva et donna tour à tour l'accolade à Rose et à Gull.

– Vous n'êtes pas blessés, c'est le principal. Reste maintenant à retrouver cet abruti.

– Nous aimerions entendre vos dépositions, annonça DiCicco. Vous nous aiderez peut-être à nous faire une idée plus claire de la situation.

– La situation est très claire, rétorqua Rose. On nous a tiré dessus. On nous a ratés.

– Lorsque vous rédigez un rapport d'intervention, vous contentez-vous d'indiquer : « Feu éteint » ?

– Commençons par le commencement, intervint Quinniock. Le témoin, Dobie Karstain, dit être sorti du bâtiment des chambres aux environs de 21 h 30. Quelques minutes plus tard, il vous a aperçus vous promenant ensemble entre le terrain d'entraînement et les hangars, à une dizaine de mètres approximativement de la lisière du bois. Cela vous paraît-il exact ?

– À peu près, répondit Gull, préférant ne pas laisser la parole à Rose. Nous étions sortis nous balader, admirer le coucher du soleil en sirotant une bière. Si vous voulez savoir où nous étions précisément, vous retrouverez les canettes là où nous les avons lâchées quand le premier coup de feu a éclaté.

Minutieusement, il relata la suite des événements.

– Dobie dit avoir reconnu le bruit d'une carabine, continua-t-il. D'après lui, le tir provenait d'entre les arbres. Il a grandi au fin fond du Kentucky, c'est un chasseur, je suis donc enclin à le croire. Nous n'avons vu personne. Le premier coup de feu a éclaté juste au moment où le soleil se couchait. Le dernier sans doute une dizaine de minutes plus tard, qui nous ont paru durer une éternité.

– L'un de vous a-t-il eu des démêlés avec quelqu'un, ou reçu des menaces ?

Rose arqua un sourcil.

– Autre que Leo Brakeman, ajouta DiCicco.

– Nous avons autre chose à faire que nous prendre la tête avec les gens.

– Vous avez été mêlés à une bagarre, au printemps, monsieur Curry, mademoiselle Tripp, ainsi que M. Karstain.

– Trois ivrognes ont manqué de respect à Rose et elle ne s'est pas laissé faire. Ils se sont vengés en tombant sur Dobie à l'extérieur de la boîte.

– Gull leur a fichu une trempe, termina Rose. C'était le bon temps…

– Franchement, poursuivit Gull, je ne les vois pas, ces crétins, revenir de l'Illinois pour vandaliser la base, et encore moins se planquer dans les bois pour nous tirer dessus.

– Comment savez-vous qu'ils sont de l'Illinois ? demanda DiCicco.

– C'était marqué sur la plaque d'immatriculation de leur pick-up. Et j'ai fait quelques recherches après les actes de vandalisme.

– Tu ne me l'avais pas dit, s'étonna Rose.

Gull haussa les épaules.

– Ça ne m'a pas mené à grand-chose d'intéressant. Le grand, le chef de la bande, tient un garage à Rockford. Il a déjà été interpellé plusieurs fois pour des rixes de bar, mais jamais rien de plus grave.

DiCicco le scrutait avec attention. Il haussa de nouveau les épaules.

– Internet, dit-il. On y trouve tout ce qu'on veut en cherchant bien.

– Tout à fait, acquiesça-t-elle. Bien. Vous sortez ensemble depuis peu. Cela pourrait-il déplaire à quelqu'un ? Un ancien partenaire ?

– Je ne sors pas avec le genre de femme susceptible de me tirer dessus, répondit Gull. À part peut-être celle-ci, ajouta-t-il avec un clin d'œil en direction de Rose. Soit c'est quelqu'un du coin qui nous en veut, à l'un de nous, à nous deux spécifiquement, ou aux Zulies en général. Soit c'est un dingue qui avait envie de s'en prendre à une institution fédérale.

– Un terroriste ?

– Un terroriste aurait été plus lourdement armé, non ? Dans tous les cas, c'est un mauvais tireur. À moins qu'il ait seulement voulu nous faire peur.

Rose fronça les sourcils.

– Je n'avais pas pensé à ça.

– Je pense beaucoup. Je ne pourrais pas le jurer, mais je dirais que la balle qui est passée le plus près du but a atterri à deux mètres de l'endroit où nous nous sommes jetés à terre. Pas très loin, mais pas non plus trop près. La suivante a heurté la paroi du hangar, très au-dessus de nos têtes. C'étaient peut-être juste des gamins qui voulaient nous provoquer : les Zulies se prennent pour des super héros, nous allons les faire caguer dans leurs frocs.

Rose leva les yeux au ciel.

– Ce n'est qu'une théorie, admit-il.

Un agent en uniforme entra dans le salon.

– Lieutenant ? Nous avons retrouvé l'arme.

– Où ?

– Dans le bois, à une vingtaine de mètres. Une Remington 700 à verrou, édition limitée. Elle était cachée sous un tas de feuilles mortes.

– Stupide de l'avoir laissée là, marmonna Rose.

– Encore plus stupide si le nom du propriétaire est gravé sur la crosse, renchérit Michael. Je suis allé à la chasse avec Leo Brakeman à l'automne dernier. Il avait une Remington 700, édition limitée. Il en était très fier.

– Dolly a raconté tellement de mensonges à son père qu'il est prêt à me tuer, murmura Rose tandis que DiCicco et Quinniock sortaient examiner la carabine.

– Tu sais, si Leo avait voulu te tuer, remarqua Michael, il ne t'aurait pas loupée. Je l'ai vu abattre un chevreuil à trente mètres.

– C'était peut-être mon jour de chance.

– Quelque chose s'est brisé en lui. Je ne l'excuse pas, Rose, rien n'excuse un tel geste. Mais quelque chose s'est brisé en lui. Que va devenir cette pauvre Irene maintenant ? Sa fille assassinée, son mari qui risque de finir derrière les barreaux, un bébé à élever. Elle n'a même pas encore enterré Dolly…

Là-dessus, Michael quitta le salon sans avoir touché à son gobelet de café.

18

Trop énervée pour rester assise, Rose arpentait la pièce. Gull but une gorgée du café abandonné par Michael.

– Il faut que je fasse quelque chose, dit-elle. Je sens que je vais péter un plomb. Pas toi ?

– Je fais quelque chose.

– Quoi ? Tu bois du café ?

– Je bois du café et je réfléchis. Si c'est la carabine de Brakeman, et si c'est lui qui a tiré, ça veut dire qu'il s'était posté en embuscade dans le bois et qu'il attendait que tu sortes…

– Je ne suis pas sûre qu'il en ait uniquement après moi. Il nous en veut à tous, à moi juste un peu plus qu'aux autres.

– OK, possible.

Gull trouvait le café amer. Il y aurait volontiers ajouté un peu de sucre, mais il avait la flemme de se lever.

– Bon, admettons que Brakeman se soit planqué derrière les arbres dans l'intention de faire un carton sur n'importe lequel des Zulies. S'il est aussi bon tireur qu'on le dit, comment se fait-il qu'il nous ait ratés ?

– Ce n'est pas aussi facile de tirer sur un être humain que sur un chevreuil. Il n'a pas osé. Ou bien il voulait juste nous faire flipper.

– Possible aussi. Et pourquoi avoir laissé l'arme sous un tas de feuilles mortes ? Il s'agit tout de même d'une édition spéciale. Elle a dû lui coûter cher. Et s'il a fait graver son nom dessus, c'est qu'il y tient. Sans compter qu'il se doutait bien que la police fouillerait les lieux.

– Il a paniqué, il s'est barré en se disant qu'il reviendrait la chercher plus tard. Ou alors il voulait s'en resservir.

Rose s'arrêta devant Gull et se massa la nuque.

– Si je comprends bien, ajouta-t-elle, tu penses que ce n'est pas lui qui a tiré.

Gull but une autre gorgée de café amer.

– Je pense qu'il serait intéressant de savoir qui avait accès à cette arme. Qui pouvait avoir à la fois envie de lui causer du tort et pas le moindre scrupule à te flanquer une trouille bleue. Cela dit, je n'exclus pas que ça puisse être Brakeman, qu'il ait agi sur un coup de tête, qu'il se soit ensuite affolé et qu'il ait fait n'importe quoi.

Rose se laissa tomber sur sa chaise. Gull avait raison : il n'était pas inutile de faire travailler ses petites cellules grises. D'autant que les circonstances de l'incident étaient loin d'être claires.

– Sa femme devait avoir accès à ses armes, dit-elle. Mais j'ai carrément du mal à l'imaginer épaulant une carabine. Je n'ai jamais entendu dire qu'elle pratiquait la chasse ou le tir à la cible. Elle est plutôt du genre à vendre des gâteaux pour les bonnes œuvres. Par contre, si c'était elle, il est clair qu'elle aurait paniqué. C'est une femme timorée. C'est peut-être un double bluff… Peut-être qu'il a fait exprès d'abandonner sa carabine juste pour pouvoir dire : « Voyons, je ne suis pas débile à ce point ! » Mais je ne suis pas sûre qu'il soit aussi malin. En fait, je ne les connais pas très bien. Autrement dit, je n'ai pas la moindre idée de celui qui pourrait avoir une dent contre les Brakeman et être suffisamment intime avec eux pour piquer une arme à Leo sans qu'il s'en rende compte.

– De toute façon, on ne va pas faire le boulot des flics à leur place.

– Rester passive me rend folle. Qui a tué Dolly ? C'est la première question. Seigneur, Gull, si c'était son père ?

– Pourquoi ?

Rose enroula ses jambes autour des pieds de la chaise et se pencha en avant.

– Je ne sais pas. Ils se sont peut-être disputés. Imaginons qu'elle ait crevé en revenant de Florence… si elle travaillait vraiment là-bas, comme elle le prétendait. Elle téléphone à son père pour qu'il vienne la dépanner. Je la vois mal changer une roue toute seule. Ils se prennent la tête, pour une raison ou pour une autre. Peut-être qu'il lui reproche de laisser trop souvent son bébé à sa mère, ou qu'il recommence à lui faire la morale parce qu'elle n'aurait pas dû tomber enceinte. Ou bien il est en colère d'avoir été réveillé au milieu de la nuit. Le ton monte, la situation dégénère. Elle perd l'équilibre, elle fait une mauvaise chute, elle se casse le cou. Il panique, il charge le corps dans son camion. Il ne sait pas quoi faire, il décide de la brûler… Il connaît la région, les sentiers forestiers, et il est suffisamment costaud pour la porter.

– Plausible. Peut-être qu'il s'est ensuite confessé à sa femme et on en arrive au chapitre deux. Mais il y a une autre hypothèse.

– Laquelle ?

– Jim est décédé en août dernier. On est bientôt en juillet. Est-ce que Dolly aurait été capable de rester célibataire pendant presque un an ?

Rose ouvrit la bouche, la referma, et se renversa contre le dossier de la chaise.

– Non, c'est certain. Pourquoi n'y ai-je pas pensé plus tôt ? Non, elle n'aurait jamais tenu aussi longtemps sans mec.

– Peut-être qu'elle s'en était trouvé un à Florence. Peut-être que c'est pour ça qu'elle avait pris un emploi là-bas ou qu'elle faisait croire qu'elle travaillait là-bas. Peut-être qu'ils se retrouvaient dans un motel sur la route.

– Connaissant Dolly, ça n'a rien d'improbable. Querelle d'amants, et il la tue. Ou bien son père apprend qu'elle fréquente quelqu'un et il pète un boulon. Mais si elle était avec un type de Florence, pourquoi habitait-elle chez ses parents ? Pourquoi ne s'être pas installée avec lui ? Parce qu'il était marié, conclut Rose avant que Gull puisse émettre un commentaire. Ça n'aurait pas été la première fois qu'elle se tapait un homme marié.

– Dans ce cas, il était sans doute plutôt de Missoula. Ça expliquerait pourquoi elle était revenue ici, pour être plus près de lui. Mais comme ils ne pouvaient pas se montrer ensemble parce qu'il était marié, ou pour une autre raison, ils se voyaient quelque part où personne ne les connaissait ni l'un ni l'autre.

– Tu ferais un bon détective, le félicita Rose.

– J'ai toujours aimé résoudre les énigmes. Ça m'amuse. Sauf que là, ce n'est pas un jeu avec des personnages imaginaires mais avec des personnes réelles.

– C'est plus facile si on considère que c'est un jeu. Et il y a autre chose… Dolly n'était pas aussi futée qu'elle le croyait. Si elle avait un mec, je mettrais ma main à couper qu'elle n'a pas pu s'empêcher d'en parler. À Marg, peut-être. Ou à Lynn. Ou peut-être à un membre de son église avec qui elle avait sympathisé.

– Ce serait intéressant de se renseigner.

– Ouais… Si on sortait faire un tour ? suggéra Rose, éprouvant de nouveau le besoin de bouger. Allons voir où en sont les flics, non ?

– Bonne idée.

– Quinniock m'aime bien, je crois. Il nous donnera peut-être quelques infos.

Dans la cour, Rose interpella Barry, qui se dirigeait vers son véhicule de patrouille.

– Eh, Barry ! Le lieutenant Quinniock est dans les parages ?

– Il vient de partir avec l'agent DiCicco. Tu as besoin de quelque chose, Rose ?

– D'être rassurée, répondit-elle.

– L'arme que nous avons trouvée appartient à Leo Brakeman. Le lieutenant et DiCicco sont allés lui parler.

– Lui parler, seulement ?

– Dans un premier temps. Le chef leur a dit que Leo était un sacré bon tireur, et je sais que c'est vrai, mais je ne crois pas qu'il te visait.

– Je voulais juste demander au lieutenant Quinniock s'ils savaient où Dolly avait trouvé du travail, répondit Rose. Peut-être qu'elle a été tuée par quelqu'un qu'elle a rencontré dans son nouveau job.

Barry hésita avant de répondre :

– Apparemment, elle ne travaillait pas. Ne te tracasse pas pour cette histoire, Rose.

Elle lui posa une main sur le bras.

– J'y suis mêlée, que je le veuille ou non. Qu'est-ce qu'elle fabriquait sur la route, alors, si elle ne revenait pas du boulot ?

– Je n'en sais rien. Tout ce que je sais, et je ne sais pas si je peux te le dire, c'est que le dessinateur de la police est convoqué demain avec quelqu'un pour établir un portrait-robot. Avec la femme de chambre d'un motel, je crois.

– Merci, Barry, dit Rose en lui donnant l'accolade. Erin a un mari en or. Tu lui donneras le bonjour de ma part, et tu feras une bise à tes deux garnements.

– Promis. Ne te fais pas de souci, Rose, on est là, il ne t'arrivera rien.

Tandis que Barry montait dans sa voiture, Gull enfonça les mains dans ses poches.

– Tu ne lui as pas volé dans les plumes, à lui, quand il t'a dit qu'il veillait sur toi…

– La police est censée veiller sur les gens. En plus, Barry a droit à un traitement de faveur. C'est le premier mec avec qui j'ai couché. Il était puceau, lui aussi. C'était cocasse, crois-moi. Heureusement qu'on avait tous les deux le sens de l'humour.

– Ma première s'appelait Becca Rhodes. Elle avait un an de plus que moi et de l'expérience. Ça s'est plutôt bien passé.

– Tu es resté ami avec elle ?

– Je ne l'ai pas revue depuis le lycée.

– Tu vois, l'humour crée des liens. Donc, Dolly n'a jamais travaillé à Florence. On avait vu juste. Un homme, un motel, un assassin présumé.

Rose leva la tête et contempla le ciel.

– Je me sens moins inutile, ajouta-t-elle. Ça fait un bien fou. Dès que j'en aurai l'occasion, je demanderai à Lynn si par hasard elle ne sait pas quelque chose.

Gull lui passa un bras autour des épaules.

– Montre-moi une constellation, dit-il. Pas la Petite ni la Grande Ourse. Même moi, je suis capable de les repérer.

– OK… Donc, tu vois la Petite Ourse, là ? dit-elle en lui prenant la main pour en désigner le contour. Dessous, tu vois cette longue suite d'étoiles qui l'entourent ? Elles ne brillent pas beaucoup, mais regarde… la tête, le corps, la queue. C'est le Dragon.

– Une bonne constellation pour un couple de parachutistes du feu. On dira que c'est la nôtre. Quelle pourrait être notre chanson ?

Décidément, pensa Rose, *il ne sait plus quoi inventer pour essayer de me changer les idées.*

– Tu sais que tu es un peu cucul-la-praline, Gull ?

– Cucul-la-praline ?

– Pour ne pas dire autre chose, répliqua-t-elle en l'embrassant. Allez, viens, allons nous coucher.

– Tu lis dans mes pensées.

– Vous savez qui a tué ma fille ? demanda Leo dès l'instant où il ouvrit sa porte aux enquêteurs.

– Entrons et asseyons-nous, suggéra Quinniock.

Durant le trajet en voiture, il s'était entendu avec DiCicco sur la tactique à adopter. Comme convenu, il menait la barque.

– Madame Brakeman, ajouta-t-il, nous souhaiterions que vous participiez aussi à l'entretien.

Irene Brakeman joignit les mains devant son cœur.

– Vous savez qui a fait du mal à notre Dolly ?

– Nous poursuivons les investigations, répondit DiCicco d'un ton sec. Il y a certains points que nous aimerions éclaircir avec vous. Pour commencer, monsieur Brakeman…

Quinniock lui toucha le bras. Ils ne jouaient pas le gentil et le méchant, plutôt le chaleureux et l'autoritaire.

— Asseyons-nous, répéta-t-il. Je sais qu'il est tard, mais nous vous serions reconnaissants de nous accorder quelques instants.

— Nous avons déjà répondu à vos questions, répliqua Leo sans bouger du seuil de la pièce, une main crispée sur la poignée de la porte. Nous allions monter nous coucher. Si vous n'avez rien de nouveau à nous apprendre, laissez-nous tranquilles.

— Nous ne connaîtrons pas le repos tant que nous ne saurons pas qui a fait ça à notre Dolly, intervint Irene d'une voix brisée. Monte te coucher si tu veux, dit-elle à son mari avec une pointe de dégoût dans la voix. Je répondrai aux questions. Entrez, je vous en prie.

Son mari s'écarta, la tête baissée, aussi penaud qu'un enfant venant d'essuyer une réprimande.

— Je suis fatigué, Irene, se défendit-il, je suis si fatigué. Tu vas t'épuiser, toi aussi, à t'occuper du bébé et à te ronger les sangs.

— Assumons notre fardeau. Voulez-vous du café, du thé, autre chose ?

Dans le living-room, Quinniock prit place dans un fauteuil à fleurs.

— Ne vous dérangez pas, madame Brakeman. J'ai conscience que tout cela est très dur pour vous.

— Nous ne pouvons même pas l'enterrer. On nous a dit que vous deviez la garder encore quelque temps. Nous ne pouvons même pas offrir à notre fille des funérailles chrétiennes.

— Nous vous la rendrons dès que possible. Madame Brakeman, la dernière fois que nous nous sommes vus, vous nous avez dit que Dolly avait trouvé un emploi à Florence, une place de cuisinière.

— Oui, acquiesça-t-elle en se tordant les mains, des mains de travailleuse, ornées seulement d'une modeste alliance en or. Notre Dolly ne voulait pas travailler à Missoula après ce qui s'est passé à la base. Je crois qu'elle avait honte. Oui, elle avait honte, Leo, insista-t-elle, alors que son mari faisait mine d'objecter.

— Ils ne l'ont jamais traitée correctement là-bas.

— Tu sais que ce n'est pas vrai, répliqua Irene d'une voix lasse, en effleurant la main de son mari. Ce n'est pas parce qu'elle est partie, maintenant, que nous devons prendre tout ce qu'elle racontait pour parole d'Évangile. Tu sais qu'elle avait tendance à mentir.

Leo garda le silence.

— Ils lui ont donné une seconde chance à la caserne, poursuivit Irene à l'attention de Quinniock. Le révérend Latterly et moi-même nous étions portés garants, mais elle nous a discrédités. Heureusement, elle a trouvé une autre place à Florence, continua-t-elle en maîtrisant le tremblement de ses lèvres. Notre fille était bonne cuisinière. Elle aimait bien cuisiner, depuis toute petite. Et elle était travailleuse, quand elle avait la tête au travail. Elle ne comptait pas ses heures, mais elle était bien payée.

— Vous ne vous souvenez toujours pas du nom du restaurant ? s'enquit DiCicco.

— Je crois qu'elle ne me l'a jamais dit. J'étais furieuse contre elle à cause de ce qu'elle a fait à Rose Tripp. C'est horrible, mais nous étions en froid quand elle est morte. C'est horrible...

Quinniock reprit la parole.

— L'agent DiCicco et moi-même avons contacté tous les restaurants, snack-bars et cafés entre ici et Florence. Dolly n'a travaillé dans aucun.

— Je ne comprends pas, s'étonna Irene.

— Votre fille ne travaillait pas dans un restaurant, dit DiCicco. Elle ne rentrait pas du travail la nuit où elle a trouvé la mort et elle ne venait pas non plus de chez vous. La nuit où elle a été assassinée, l'après-midi précédent et la veille au soir, Dolly a passé plusieurs heures au Big Sky Motel, au bord de la 12.

— C'est un mensonge ! hurla son père.

— Leo, tais-toi ! lança Irene en se tordant les mains.

— Plusieurs témoins l'ont identifiée sur sa photographie, poursuivit Quinniock. Je suis désolé, Dolly était là-bas avec un homme. Nous avons un témoin prêt à aider notre dessinateur à faire son portrait-robot.

Des larmes roulèrent sur les joues d'Irene.

— C'est bien ce que je craignais, murmura-t-elle. Je sentais qu'elle mentait, mais j'étais tellement furieuse contre elle... Qu'elle fasse ce qu'elle veut, je me disais, je m'occuperai du bébé. Et puis elle est morte... Je m'en suis voulu d'avoir été aussi dure, de l'avoir jugée aussi froidement... Je savais qu'elle mentait, répéta-t-elle en se tournant vers son mari. Je le voyais quand elle mentait.

— Avez-vous une idée de qui était cet homme ?

— Je vous jure que non. Mais ça devait durer depuis quelque temps. Je m'en doutais. Elle s'enfermait pour téléphoner, elle sortait en disant qu'elle allait juste faire un tour en voiture pour se changer les idées ou qu'elle avait des courses à faire, et elle me laissait Shiloh. Et quand elle rentrait, elle avait ce regard...

Irene poussa un soupir désespéré.

– Elle n'était pas prête à changer, dit-elle en pressant son visage contre l'épaule de Leo. Peut-être qu'elle ne pouvait pas.

– Pourquoi vous nous racontez ça ? demanda Leo.

– Je suis navrée, mais Dolly était avec cet homme la nuit où elle a été assassinée. Nous devons l'identifier et l'interroger.

– C'est lui qui l'a tuée ?

– Nous devons l'interroger, répéta Quinniock. Si vous avez la moindre idée le concernant, il faut nous le dire.

– Elle nous mentait. Nous ne savons rien. Nous ne pouvons pas vous aider. Laissez-nous tranquilles.

– Il y a autre chose, monsieur Brakeman, dont nous devons discuter, enchaîna DiCicco. À environ 21 h 30, aujourd'hui, Rose Tripp et Gulliver Curry ont été la cible de coups de feu, alors qu'ils se promenaient dans l'enceinte de la base.

– Nous n'avons rien à voir là-dedans.

– Il se trouve qu'une Remington 700 édition limitée a été trouvée cachée dans le bois en bordure de la base. La crosse est gravée à votre nom.

– Vous m'accusez d'essayer de tuer cette femme ? C'est pour ça que vous êtes là, pour traiter ma fille de menteuse et de catin et me dire que je suis un assassin ?

– C'est votre carabine, monsieur Brakeman, et vous avez récemment menacé Mlle Tripp.

– Ma carabine est enfermée dans un coffre. Je ne l'ai pas sortie depuis des semaines.

– Pourrions-nous la voir ? demanda DiCicco en se levant.

– Je vais vous la montrer, à condition que vous fichiez ensuite le camp de cette maison.

Leo se leva et alla dans la cuisine où il ouvrit une porte donnant accès au sous-sol. DiCicco le suivit dans l'escalier. En bas, des têtes d'animaux empaillées étaient accrochées aux murs lambrissés, au-dessus d'un fauteuil inclinable et d'un canapé élimé disposés face à une immense télévision à écran plat. Sur la table basse, devant le canapé, on voyait les marques laissées par des talons de bottes toujours posés au même endroit.

La pièce était également meublée d'un vieux frigo que DiCicco imagina rempli d'un stock de bières. Des photos de famille – *curieusement*, se dit DiCicco – y étaient aussi exposées, dont un portrait d'une jolie petite fille avec un serre-tête rose dans les cheveux. Dans un coin, il y avait un bureau, avec une lampe en forme de ballon de foot, un ordinateur, des piles de papiers. Au-dessus, au mur, une photo montrait Leo entouré d'autres hommes, devant un avion. DiCicco se souvint qu'il avait été mécanicien à l'aéroport.

Et à côté du bureau se dressait un grand coffre à fusils orange.

Vibrant de colère, Leo composa le code et ouvrit la porte en grand.

DiCicco n'avait rien contre les armes à feu, elle y était habituée. À la vue de cet arsenal, cependant, ses yeux s'écarquillèrent. Des carabines, des fusils, des revolvers, des pistolets, de tous calibres et de toutes sortes, tous entretenus avec le plus grand soin.

La Remington 700 brillait toutefois par son absence. La respiration de Leo se fit plus courte et plus rapide. Instinctivement, DiCicco porta la main à son holster.

— Vous avez une belle collection d'armes, monsieur Brakeman, mais on dirait qu'il vous en manque une.

— On me l'a volée, marmonna Leo.

Les doigts de DiCicco se refermèrent sur la crosse de son revolver lorsque Leo se retourna vers elle, le visage écarlate, les poings serrés.

— Quelqu'un me l'a piquée !

— Vous n'avez pas signalé de cambriolage, intervint Quinniock.

— Parce que je m'en étais pas aperçu. Quelqu'un cherche à nous jouer un sale tour, vous avez intérêt à trouver qui !

— Monsieur Brakeman, vous allez devoir venir avec nous.

DiCicco ne tenait pas à employer les grands moyens. Néanmoins, elle se tenait prête à recourir à la force.

— Je ne vais nulle part, protesta Leo.

— N'aggravez pas votre cas, dit Quinniock posément. Veuillez nous suivre, s'il vous plaît, ou nous devrons vous menotter.

— Leo…, murmura Irene en s'asseyant au pied de l'escalier. Mon Dieu, Leo…

— Je n'ai rien fait, Irene, Dieu m'en est témoin. Je ne t'ai jamais menti de ma vie, Irene. Je n'ai rien fait.

— Dans ce cas, je vous prie de bien vouloir nous suivre, dit Quinniock en posant une main sur l'épaule tremblante de Leo.

— C'est un coup monté, je suis innocent, affirma Brakeman. Lâchez-moi. C'est bon, je vous suis, à condition que vous me lâchiez.

— Très bien, Leo, c'est mieux comme ça.

D'un pas raide, Leo s'approcha de sa femme et prit ses mains entre les siennes.

– Irene, sur ma vie, je n'ai tiré sur personne ! Il faut que tu me croies.

– Je te crois, murmura-t-elle, en baissant toutefois les yeux.

– Ferme la porte à double tour. Ferme tous les verrous. Je serai de retour dès que ce malentendu sera réglé. Il n'y en aura pas pour longtemps.

Rose apprit l'arrestation de Brakeman le lendemain matin. En la voyant entrer dans les cuisines, Lynn posa la pile de pancakes qu'elle avait dans les mains et l'enveloppa de ses bras.

– Je suis si contente que tu n'aies rien ! Je suis si contente que personne n'ait été blessé.

En secouant tristement la tête, Lynn reprit son assiette de pancakes.

– Il faut que je les apporte au buffet, dit-elle. Je reviens.

Marg retira des tranches de bacon du gril et remplit un verre de jus de fruits qu'elle tendit à Rose.

– Bois, lui ordonna-t-elle. C'est bon pour toi. On a arrêté Leo Brakeman, hier soir, ajouta-t-elle en sortant des biscuits du four.

– C'était lui, alors ?

– Il jure ses grands dieux que non. Je suis comme Lynn, je ne sais pas quoi penser.

– Ce que je pense, moi, c'est que c'était idiot d'abandonner la carabine. Forcément, les flics viendraient fouiller les lieux. Cela dit, étant un chasseur émérite, à cette distance, il aurait pu me loger ses trois balles dans le corps, s'il avait voulu.

– Ne parle pas de malheur !

Rose s'approcha de Marg et lui passa une main réconfortante dans le dos.

– Il ne l'a pas fait. Tout va bien, regarde, je suis là pour déguster ton jus de carotte, pomme, poire et panais.

– Tu oublies la betterave.

– C'était donc ça. Je la préfère en jus qu'en salade.

Marg s'écarta de Rose et sortit un plateau d'œufs du réfrigérateur.

– Prends ton petit déjeuner, je te laisse te débrouiller, j'ai du boulot.

– Je voulais te demander… je voulais vous demander à toutes les deux, dit Rose lorsque Lynn revint, est-ce que Dolly avait un petit copain ? Elle sortait avec quelqu'un ?

– Elle savait qu'il valait mieux pour elle ne pas aborder ce sujet devant moi, répondit Marg. Elle jouait la veuve éplorée qui trouvait le réconfort en Dieu et son bébé. Si elle m'avait parlé de mecs, elle aurait entendu le reste… À côté de ça, je doute qu'elle appelait le bon Dieu quand elle sortait avec son téléphone portable en gloussant comme une dinde.

— Elle ne me faisait pas de confidences, dit Lynn. Mais plusieurs fois, elle m'a dit que j'avais de la chance d'avoir un papa pour mes enfants, que sa fille avait grand besoin d'un père, elle aussi. Elle priait le Seigneur de lui en envoyer un, et elle avait foi en Lui, qu'elle disait : elle savait qu'Il exaucerait ses vœux.

Lynn se dandina nerveusement d'un pied sur l'autre.

— Je n'aime pas dire du mal des défunts, poursuivit-elle, mais elle avait un drôle d'air quand elle me disait ce genre de chose… Comme si elle avait déjà l'œil sur un candidat.

— Tu l'as dit à la police ?

— Ils m'ont juste demandé si elle avait un homme dans sa vie. Je leur ai répondu que je n'en savais rien. J'aurais eu mauvaise conscience de leur dire que j'avais l'impression qu'elle en cherchait un. Tu crois que j'aurais dû ?

— Tu leur as dit ce que tu savais… Je crois que je vais aller courir, histoire de m'ouvrir l'appétit.

Voyant Lynn se mordre la lèvre, Rose ajouta :

— Les flics ont la carabine, et ils ont Brakeman. Je ne peux pas passer ma vie enfermée. À tout à l'heure.

Là-dessus, elle quitta la cuisine. Un frisson la parcourut lorsqu'elle jeta un coup d'œil vers les arbres. Elle ne pouvait pas non plus vivre avec le sentiment d'avoir une cible sur le dos. Si cette affaire traînait en longueur, elle risquait de se retrouver dans une situation très inconfortable. Il était toutefois hors de question qu'elle cède à la paranoïa. Elle chaussa ses lunettes de soleil, que Cards avait retrouvées là où Gull l'avait taclée.

Les nuages au-dessus des montagnes confirmaient les prévisions météorologiques : l'orage risquait d'éclater, et la foudre de tomber à tout moment. Tant mieux. Elle ne demandait qu'à partir au feu.

— Eh ! lui lança Gull en la rattrapant au pas de jogging. On se fait un cinq kilomètres ? J'ai besoin de me dégourdir les jambes, moi aussi.

— Je…

Par-dessus son épaule, Rose vit Matt, Cards et Trigger sortir du réfectoire et se diriger vers la piste de course.

— Lynn a annoncé à toute la base que j'allais courir ?

Gull ne répondit pas. Dobie, Stovic et Gibbons apparurent à leur tour.

— Elle n'avait qu'à appeler les marines tant qu'elle y était. Je n'ai pas besoin d'un troupeau de gardes du corps.

– Il y a des gens qui tiennent à toi. Tu n'es pas contente ?

– Si, mais je ne vois pas pourquoi…

Yangtree, Libby et Janis arrivaient de la salle de gym.

– Nom d'un chien, dans une minute, toute l'unité sera là.

– Je ne serais pas étonné.

– T'aurais au moins pu te mettre en tenue de sport ! lança Rose à Trigger, qui les rejoignait en jean et santiags.

– Quand tu cours, on court tous, répondit-il. Au moins tous ceux qui ne sont pas occupés à autre chose. La décision a été votée à l'unanimité.

– Moins une : je n'ai pas été consultée, protesta-t-elle. Et toi, tu as voté ? demanda-t-elle à Gull.

– Évidemment.

– Bon, je m'écrase. On court.

Sur ces mots, elle s'élança vers la piste et piqua un sprint dès l'instant où elle posa le pied dessus. Juste pour le plaisir de voir qui parviendrait à la suivre, à part Gull, qui ne la lâchait pas d'une semelle. Elle entendit des martèlements de pieds lorsque la bande prit le départ, puis des sifflements quand Libby se détacha du peloton.

– Un peu de pitié, Rose ! cria-t-elle. On a des vieux dans l'équipe, pour ne pas citer Yangtree.

– Fais gaffe à ce que tu dis, toi ! protesta-t-il en accélérant.

– Et des boiteux qui traînent la patte, par exemple Cards, avec ses bottes de frimeur…

Amusée, Rose jeta un regard derrière elle. Cards brandit un doigt d'honneur. Et Dobie courut à reculons afin de le narguer.

Rose ralentit un peu le rythme, et éclata de rire lorsque Gibbons la doubla avec Janis sur les épaules.

– Bande de tarés ! leur lança-t-elle.

– Ouais, la bande de tarés la plus solidaire que je connaisse, acquiesça Gull avec un sourire jusqu'aux oreilles.

Dobie sur son dos, Southern soufflait comme un phoque.

– Je peux vous conduire quelque part, madame ? haleta-t-il.

– Merci, tu es déjà bien assez chargé. Vas-y, Pieds agiles, montre-leur ce que tu as dans le ventre, dit-elle à Gull, je sais que tu en meurs d'envie.

Il lui donna une claque sur les fesses et partit comme une flèche dans un chœur d'acclamations, de moqueries et de sifflements.

Lorsque Rose eut parcouru ses cinq kilomètres, Gull était allongé dans l'herbe, en appui sur les coudes, savourant le spectacle. Elle s'arrêta à côté de lui et se tourna elle aussi vers ses camarades qui s'amusaient comme des petits fous. Puis elle vit le pick-up de son père arriver.

– Heureusement qu'il n'est pas venu plus tôt, dit-elle à Gull, ou il aurait lui aussi couru avec nous.

– Je parie qu'il peut encore nous en remontrer.

– Y a intérêt.

Rose alla à sa rencontre en s'efforçant d'afficher un sourire détendu. Il la serra contre lui.

– Tout va bien, papa. Je te l'ai dit par texto.

– Je ne suis pas venu hier soir parce que tu m'as expressément demandé de ne pas venir. Mais je n'étais pas tranquille.

Il s'écarta d'elle et observa longuement son visage.

– Tu n'as plus de souci à te faire. Brakeman est chez les flics.

– Je veux le voir. Je veux le regarder droit dans les yeux et lui demander s'il pense que faire du mal à ma fille lui rendra la sienne. Je veux lui poser cette question avant de le saigner.

– Je suis touchée. Vraiment. Mais il ne m'a pas fait de mal et il ne m'en fera pas. Regarde comme je suis bien protégée, dit-elle, en montrant la piste d'un geste. Je voulais courir tranquille et ils ont tous rappliqué.

– Tous pour un, murmura Lucas. Il faut que je parle à ton amoureux.

– Il n'est pas mon… Papa, je n'ai plus seize ans.

– « Amoureux » est le terme le plus facile pour moi. Tu as pris ton petit déjeuner ?

– Pas encore.

– Je te rejoins à la cuisine. Marg me préparera bien un petit quelque chose. J'arrive dans une minute, dès que j'en aurai fini avec ton amoureux.

– Appelle-le par son prénom, s'il te plaît, je crois que ce sera encore le plus simple.

Lucas esquissa un sourire et embrassa sa fille sur le front.

– Vas-y, je te rejoins, répéta-t-il.

En se dirigeant vers Gull, il échangea une poignée de main avec Gibbons, puis décocha une bourrade dans les côtes de Yangtree, qui reprenait son souffle, plié en deux.

– Je voudrais te parler une minute, dit-il à Gull.

– Bien sûr, acquiesça celui-ci en se levant.

– On m'a dit ce que tu avais fait pour Rose, commença Lucas. Tu l'as protégée. Je voulais te remercier, du fond du cœur. Elle est tout pour moi, elle est la prunelle de mes yeux, mon bien le plus précieux. Si jamais tu as besoin de quoi que…

– Monsieur Tripp…

– Lucas.

– Pour commencer, Lucas, je suppose que n'importe qui à ma place aurait fait ce que j'ai fait. Si Rose avait réagi plus vite que moi, elle se serait jetée sur moi pour me protéger. Ensuite, je n'ai pas agi de la sorte pour que vous vous sentiez redevable envers moi.

– Tu t'es salement écorché les bras.

– Ça guérira, et ça ne m'empêche pas d'être de garde. Ce n'est pas grave.

Lucas hocha la tête et détourna le regard.

– Tu vas peut-être me trouver indiscret, mais puis-je te demander quelles sont tes intentions vis-à-vis de ma fille ?

– Ouh, la, la ! Vous me mettez dans une position délicate…

– Vu la réaction que tu as eue quand je t'ai témoigné ma reconnaissance, je dirais que tu ne prends pas cette relation à la légère. Je vais donc t'accorder une faveur, que tu le veuilles ou non, déclara Lucas en fixant Gull droit dans les yeux. Si tu tiens à elle, continue à le lui montrer. Il va falloir que tu sois patient, elle a un caractère de cochon, mais quand tu auras gagné sa confiance, tu verras, elle a un cœur en or. Voilà, c'est tout ce que je voulais te dire, conclut-il en tendant la main à Gull. Sur ce, je vais prendre mon petit déjeuner avec ma fille. Tu viens ?

Gull resta un instant planté sur place. Iron Man Tripp venait de lui donner sa bénédiction. Il avait du mal à y croire, et ne savait qu'en penser.

Lentement, Gull prit le chemin de la cuisine. La sirène retentit juste avant qu'il y parvienne. Frustré de ne pas avoir le temps de prendre au moins un café, il fit demi-tour et fonça vers la salle d'embarquement.

19

Après quarante-huit heures de combat contre un brasier d'une centaine d'hectares dans la forêt nationale de Beaverhead, trois malheureux coups de feu semblaient somme toute dérisoires. Le dernier de ses sandwichs englouti, Rose allumait des fusées avec son équipe dans l'espoir de faire reculer l'incendie avant qu'il se propage à l'ouest vers le site historique du champ de bataille.

La tête avait changé de direction trois fois en deux jours, se moquant royalement des pluies de retardant. Et l'attaque initiale, lamentable échec, se muait en une lutte vicieuse, sans fin.

– Gull, Matt, Libby, éteignez les foyers. Cards et Dobie, partez vers l'ouest abattre les chablis. On l'arrêtera ici !

Personne ne parlait tandis qu'ils sciaient, creusaient, pelletaient. Le monde autour d'eux n'était que fumée, chaleur, bruit et fureur. Chaque pas les rapprochait de la victoire. Il était grand temps, se dit Rose, que la chance tourne à leur avantage.

Le tronc calciné qu'elle avait tronçonné s'écrasa au sol avec un craquement. Elle s'accroupit, afin de le débiter en rondins. Ils transporteraient ensuite tout ce bois carbonisé loin de la zone encore verte, dans le secteur sinistré. Privé de combustible, le dragon finirait par s'épuiser.

Elle s'étirait le dos lorsque l'accident se produisit, si vite qu'elle n'eut pas le temps de crier, encore moins de faire quoi que ce soit pour l'éviter. Un éclat d'écorce acéré comme une flèche se détacha de l'arbre que Cards sciait et le frappa en plein visage. Vacillant sur ses jambes, il hurla de douleur. Rose posa sa tronçonneuse et se précipita vers lui.

– Ça va ? Ça va ? cria-t-elle en le rattrapant avant qu'il perde l'équilibre.

La pointe s'était fichée un centimètre en dessous de son œil droit. Du sang coulait sur sa joue.

– Enlève-moi ce truc, réussit-il à articuler.

– Tiens bon. Tiens bon, OK ?

Dobie accourut auprès d'eux.

– Qu'est-ce que vous fabriquez, tous les deux ? Oh, nom de nom, Cards, comment as-tu fait ton compte ?

– Mets-toi derrière lui et tiens-lui les mains dans le dos, ordonna Rose en fouillant dans son sac.

Elle se plaça devant Cards, lui coinça les pieds entre les siens, retira son gant droit et plaça ses doigts de part et d'autre du fragment de bois planté dans sa pommette.

– À trois, dit-elle. Prépare-toi. Un. Deux…

Elle tira à deux. Un jet de sang jaillit de la joue de Cards. Un voile passa devant ses yeux. Rose pressa une compresse de gaze sur la plaie.

– Tu as un sacré trou dans la figure.

– Tu avais dit à trois.

– Ouais, j'ai perdu le compte. Dobie, tiens la compresse, s'il te plaît, appuie bien fort. Il faut que je nettoie ça.

– On n'a pas le temps, objecta Cards. Mets-moi juste un pansement. On s'en occupera plus tard.

– Deux minutes. Appuie-toi contre Dobie.

Elle jeta la compresse ensanglantée et versa de l'eau sur la blessure.

– Essaie de ne pas crier comme une mauviette, ajouta-t-elle en lavant la plaie avec une abondante dose de peroxyde.

– Putain, Rose ! Putain de bordel de merde !

Sans pitié, elle attendit que l'eau oxygénée entraîne vers l'extérieur les débris et les saletés incrustés dans la peau. Puis elle procéda à un rinçage à l'eau claire, imprégna une compresse de crème antibiotique et la colla avec du sparadrap sur la lésion.

– On va t'accompagner en lieu sûr.

– Laisse tomber, je reste avec vous. Ce n'était qu'une petite écharde de rien du tout.

– C'est ça, ouais, répliqua Dobie en brandissant la lame d'écorce, d'une bonne dizaine de centimètres de longueur. Je te la garde en souvenir.

– Oh, purée ! s'exclama Cards. Mais c'est un missile, ce truc ! Un arbre m'a balancé un missile. En pleine gueule. À croire que j'ai la poisse, cette saison, ajouta-t-il avec dégoût, en refusant la main que Rose lui tendait. C'est bon, je tiens sur mes quilles.

Il chancela puis se stabilisa.

– Prends un antalgique, lui dit-elle. Si tu t'en sens capable, va éteindre les foyers avec les autres. Tu ne touches plus à une tronçonneuse aujourd'hui. Et ne discute pas. Soit tu changes d'équipe, soit je préviens la base que tu es blessé.

– Je ne partirai pas d'ici tant que le feu ne sera pas éteint.

– Alors, change d'équipe. Si ça recommence à saigner, demande à quelqu'un de te refaire une compresse.

– Ouais, ouais…, marmonna-t-il en palpant son pansement. On croirait que je me suis coupé une jambe…

Quand il se fut éloigné, Rose appela Gull par radio.

– Cards vous rejoint. Il s'est fait un petit bobo. Envoie-moi un de tes gars.

– Reçu.

– Bon, Dobie, prends la place de Cards. Et fais gaffe aux missiles. Je ne veux pas d'un deuxième drame.

Face au rempart du contre-feu, les avancées ravageuses diminuaient. Il fallut encore dix heures, mais, finalement, la tête signala à la queue que l'incendie était maîtrisé.

Le soleil couchant empourprait le ciel lorsque Rose regagna le camp. En mangeant, elle repensa aux coups de carabine dont Gull et elle avaient été la cible, un acte haineux et stupide dont le souvenir la remplissait d'amertume, elle qui était d'habitude euphorique après avoir éteint un feu.

Yangtree s'assit à côté d'elle.

– Remplissons-nous le ventre avant de commencer le nettoyage. La base nous envoie huit gars. Tu fais comme tu veux, puisqu'il était dans ton équipe, mais à mon avis Cards devrait être démobilisé et rentrer se faire soigner correctement.

– Je suis bien d'accord avec toi. Je vais lever le camp avec lui. S'il y a huit gars qui arrivent, huit d'entre nous peuvent partir.

– Tout à fait. Tu sais, Rose, je n'arrête pas de dire que je suis trop vieux pour ce boulot, mais je commence à le penser sérieusement. Je crois que je vais demander un job à ton père à la fin de la saison.

– Déconne pas, Yangtree. C'est toi ou Cards qui a un trou dans la figure ?

Il tourna le regard vers l'ouest, le soleil couchant, la montagne noircie.

– J'ai envie de passer mes soirées d'été tranquillement assis devant chez moi, avec une bière, de la compagnie féminine si possible, et de ne plus penser au feu.

– Tu penseras toujours au feu et quand tu seras assis devant chez toi, tu regretteras de ne pas être avec nous.

En se levant, il lui donna une tape sur le genou.

– Pas si sûr…

Rose dut hausser le ton pour que Cards accepte de rentrer à la base. Les pompiers parachutistes, constata-t-elle une fois encore, considéraient les blessures comme une raison de fierté ou des décorations.

Cards bouda pendant toute la durée du vol de retour.

– Je comprends pourquoi il est de mauvais poil, dit Gull en s'asseyant à côté de Rose. Mais toi, pourquoi tu fais la tronche ?

– Soixante heures de boulot y sont peut-être pour quelque chose.

– Non. Ce n'est pas la vraie raison.

– Il y a quelque chose qui m'échappe, le bleu. Pourrais-tu m'expliquer pourquoi tu crois si bien me connaître après seulement quelques mois ? Et pourquoi tu passes ton temps à psychanalyser les gens ?

– C'est pourtant évident. Je ne te connais peut-être que depuis quelques mois, mais les gens qui vivent et travaillent ensemble, en particulier dans des conditions extrêmes, apprennent en général à se connaître plus vite que les autres. Et d'autant plus s'ils couchent ensemble. Ensuite…

Gull sortit un paquet de cacahuètes et en offrit à Rose, qui se contenta de continuer à le dévisager sombrement.

– Ensuite, reprit-il, je m'intéresse aux gens qui m'entourent. C'est pour ça que j'essaie de les comprendre.

Il grignota quelques cacahuètes, résolu à ne pas se laisser gagner par la morosité de Rose. Une douche chaude, un bon repas, puis un lit réchauffé par une jolie fille l'attendaient à la base. Que demander de mieux ?

– Tu recommences à penser à tout ce que tu avais oublié pendant qu'on était en intervention, poursuivit-il. Tu te demandes ce qui s'est passé pendant qu'on était au feu, si Brakeman a été inculpé, si on a retrouvé l'assassin de Dolly. Et, sinon, ce qui va se passer ensuite.

Il jeta un coup d'œil à Cards, qui ronflait, la tête sur son sac à dos, un nouveau pansement blanc comme neige sur son visage noir de suie.

– Et tu te fais du souci pour Cards, ajouta-t-il. Du reste, je ne sais pas de quoi tu as parlé avec Yangtree avant d'embarquer, mais ça en a rajouté une couche.

Elle garda un instant le silence.

– Les gens qui croient tout savoir ont tendance à m'horripiler, dit-elle enfin en s'allongeant sur le plancher de la carlingue et en fermant les yeux. Si tu voulais bien te taire… j'aimerais essayer de dormir.

Après avoir déposé son matériel, Rose gagna directement le bâtiment des chambres. Gull partit à la recherche de Michael, qu'il trouva au centre des opérations, en communication avec l'équipe de nettoyage.

– Tu as une minute ?

– Pour la première fois depuis trois jours, j'en ai même cinq. Que puis-je pour toi ?

– Tu as du nouveau à propos de Brakeman ?

– Allons nous asseoir dehors.

Lorsque Rose sortit de la salle de bains, enveloppée d'une serviette, un Gull encore crasseux était assis sur le plancher de sa chambre.

– Ta douche ne marche pas ?

– Je n'en sais rien. Je ne suis pas encore allé voir.

Elle ouvrit un tiroir, en retira un pantalon de yoga et un T-shirt.

– Je suis venu t'apporter les dernières nouvelles, dit Gull. Trigger a emmené Cards à l'infirmerie. La blessure est propre : pas d'infection, mais elle est assez profonde. Une chirurgie plastique est fortement recommandée. Il a fallu parlementer, mais, finalement, il s'est laissé convaincre d'aller consulter un spécialiste demain matin. Il veut garder sa belle gueule.

Rose enfila son pantalon et son T-shirt sans mettre de sous-vêtements. Un vieux fantasme de Gull, qui s'abstint toutefois de commentaire.

– Il n'a pas fini de se faire charrier, dit-elle, en accrochant sa serviette dans la salle de bains.

– Trigger lui a déjà suggéré de se faire liposucer les fesses tant qu'il y était. Et Leo Brakeman a été inculpé.

Rose tressaillit légèrement, puis s'assit sur le lit.

– OK. Très bien.

– La carabine lui appartient, il t'avait menacée, et il ne peut pas prouver où il était à l'heure où on nous a tiré dessus. Il a reconnu s'être disputé avec sa femme et être ensuite sorti quelques heures. Il venait juste de rentrer quand les flics se sont pointés chez lui.

– Sa femme aurait pu le couvrir.

– Quand on perd un enfant, soit ça renforce le couple, soit ça le détruit.

– Mon père avait un frère. Plus jeune que lui. Je suppose que tu le sais puisque tu t'es documenté sur Iron Man.

Gull ne répondit pas, laissant Rose s'exprimer.

– Il est mort à l'âge de trois ans, poursuivit-elle. D'une infection généralisée. Il n'avait jamais été bien robuste, on n'a pas pu le sauver. Je crois que ce drame a cimenté le couple de mes grands-parents. Brakeman a avoué ?

– Non. Il dit qu'il est parti faire un tour en voiture, que quelqu'un s'est introduit chez lui pendant ce temps et lui a volé sa carabine. Quelqu'un qui lui veut du mal. Sa femme a réussi à le convaincre de prendre un avocat. Elle a hypothéqué leur maison pour payer la caution éventuelle.

– La pauvre, je ne sais pas comment elle fait pour supporter tout ça.

– Attends, ce n'est pas fini. Dolly était avec un homme dans un motel au bord de la 12 le soir où elle a été tuée. Ils venaient là régulièrement, depuis quelques mois. La police a identifié cet homme. Tu ne devineras jamais qui c'est… Le révérend Latterly.

– Le pasteur ! s'écria Rose. Elle prétendait avoir trouvé le salut dans la religion et elle couchait avec le pasteur ! Je comprends mieux, maintenant, ce qu'elle avait derrière la tête quand elle disait que Dieu lui enverrait un père pour son bébé.

– À qui a-t-elle dit ça ?

– À Lynn, plusieurs fois.

– Latterly nie, évidemment. Il joue l'outragé, et pour l'instant son épouse le soutient.

– Il a donc vu Dolly le soir où elle a été assassinée. Elle voulait un père pour sa fille, et quand elle voulait quelque chose, elle était capable d'aller très loin. Peut-être qu'elle l'a menacé de tout raconter à sa femme ou de ruiner sa réputation. Et il l'a tuée.

– Possible, acquiesça Gull.

– Mais ça n'explique pas pourquoi il ne s'est pas contenté de l'éliminer, pourquoi il l'a emmenée dans la forêt puis a allumé un incendie. J'imagine que c'était la première fois qu'il commettait un meurtre. Ça ne doit pas être facile d'agir de façon rationnelle quand on a fait une chose pareille.

Rose s'interrompit un instant, la tête penchée sur le côté.

– Gull… Et si c'était lui qui s'était introduit chez les Brakeman ?

– J'y ai pensé. Il connaît Mme Brakeman depuis des années. Elle devait sûrement l'inviter à dîner de temps en temps. Il savait sûrement que Leo avait des armes, et où il les rangeait.

– Forcément, les flics arrêteraient Brakeman. Il est connu pour son tempérament violent. Tout le monde était au courant qu'il avait mis Dolly à la porte, qu'il se disputait souvent avec elle.

– Tu vois, tu n'es plus de mauvaise humeur…

Elle esquissa un sourire narquois.

– Merci, docteur. J'avoue que ça m'a fait du bien de parler avec quelqu'un qui me comprend. Ou tout au moins qui comprend certaines choses. Je me sentais tellement frustrée… Pendant trois jours, au feu, chacun de mes gestes était indispensable. Et puis tout d'un coup, pouf, je ne servais plus à rien…

– Tu sais, je pourrais rester assis là toute la nuit, à te regarder et à m'enivrer de ton parfum de pêche. Un excellent moyen pour décompresser après une longue intervention. Mais je crois qu'il faut vraiment que je me lave. Ensuite, que dirais-tu d'aller casser une petite croûte tardive ?

– Je suis partante.

– Super, dit Gull en se levant. Je peux utiliser ta douche ?

En riant, elle lui indiqua d'un geste la salle de bains et, comme elle avait un peu de temps, composa le numéro du seul autre homme qui la comprenait.

– Allô, papa ?

– Tout va bien ? demanda Emma à Lucas lorsque celui-ci la rejoignit sur la terrasse.

Elle s'était éclipsée quand son portable avait sonné, afin de le laisser parler tranquillement et d'admirer les guirlandes lumineuses qu'elle avait accrochées dans les branches de son abricotier du Japon.

– Oui. Rose voulait juste me donner des nouvelles, répondit Lucas en lui caressant le bras.

Elle aimait cette façon qu'il avait de la toucher, comme pour s'assurer, souvent, qu'elle était là avec lui.

– Elle avait l'air calme, ajouta-t-il, ça me tranquillise. Rose a tendance à prendre les choses très à cœur. Quand elle a un problème, elle se torture à se demander ce qu'elle aurait pu faire pour l'éviter, ou ce qu'elle devrait faire pour y remédier.

– Je me demande bien de qui elle tient ça… Qui cherche tout le temps ce qu'il y a à réparer dès qu'il met les pieds ici ? Le robinet de la buanderie qui fuit, le tiroir coincé de la vieille table que j'ai dénichée au marché aux puces…

— Il faut bien que je paie tous ces bons repas que tu me prépares. Et tous ces petits déjeuners dignes d'un palace.

— C'est chouette d'avoir un bricoleur chez soi.

— C'est chouette d'être chez toi, avec toi.

Lucas passa un bras autour de la taille d'Emma, et, l'un contre l'autre, ils contemplèrent le jardin, le clignotement des guirlandes, les ombres des arbres.

— Je suis heureuse, lui dit-elle. Je n'étais pas malheureuse quand j'étais seule. Je suis d'un naturel positif, j'en ai profité pour apprendre à me connaître, prendre conscience de ce que je peux faire, de ce que je ne peux pas faire. Mais je dois avouer qu'il me manquait quelque chose. Tu m'as apporté tout ce qui me manquait.

Des lumières brillaient dans son jardin et dans son cœur, se dit-elle. Et, pendant ce temps, son amie s'enfonçait dans une terrible noirceur.

— Je suis allée voir Irene, dit-elle.

— Comment va-t-elle ?

— Je croyais pouvoir l'aider, mais je n'arrive même pas à concevoir l'étendue de son malheur. Elle a été frappée par le deuil le plus terrible qu'une mère puisse connaître. Et elle risque de perdre encore beaucoup de choses. Sa vie s'écroule. Elle enterre sa fille, son mari risque fort d'aller en prison… L'homme en qui elle avait placé sa foi l'a trahie d'une manière horrible. Elle n'a plus que sa petite-fille, maintenant, à qui se raccrocher. S'occuper de cet adorable bout de chou doit lui apporter une souffrance et une joie incroyables. J'ai de la chance, oui. Et je crois que je suis un peu comme Rose et toi : j'aimerais pouvoir réparer, j'aimerais savoir ce que je peux faire pour Irene.

— Tu l'aides à organiser les funérailles, et tu seras là pour la soutenir à l'enterrement. Ce n'est pas rien. Tu voudras que je vienne avec toi ?

— Je voudrais bien, égoïstement, mais je crains que ta présence ne la mette mal à l'aise.

— Tu as raison. Tu lui présenteras mes condoléances, et tu lui diras que je compatis sincèrement à sa peine.

— Nous voilà tous les deux tristes, maintenant, alors que je parlais justement de bonheur.

— Quand on est unis, on partage bonheurs et tristesses. Je veux… tout partager avec toi.

Ils étaient tous les deux presque prêts à franchir le pas, pensa Emma avec émotion, à prononcer les paroles qui feraient d'eux un véritable couple. Avait-elle dit qu'elle avait de la chance ? Elle était bénie.

– Allons nous promener au clair de lune, suggéra-t-elle.

– Tu as toujours des idées fabuleuses.

Utiliser le téléphone d'une morte pour attirer un homme dans un piège mortel était un acte… juste. Œil pour œil. Un homme de Dieu comprendrait et approuverait. Latterly n'était cependant pas un homme de Dieu, mais un imposteur, un menteur, un adultère, un fornicateur.

En un sens, Latterly avait tué Dolly. Il l'avait soumise à la tentation. Et, si c'était elle qui l'avait soumis à la tentation, il ne lui avait pas résisté.

Il aurait pu la conseiller, la guider, l'aider à devenir une personne honnête, une femme respectable, une bonne mère. Au lieu de cela, il avait trompé son épouse, sa famille, son Dieu, son Église, pour succomber au péché de chair avec la fille de l'une de ses fidèles.

Sa mort ne serait que justice, rétribution, sainte vengeance.

Son stratagème avait fonctionné. Aussi simple qu'un texto.

CT PAS MOI. G BESOIN ARGENT. NE DIS RIEN À PERSONNE. RV À 13 H CENTRE VISITEURS LOLO PASS. URGENT. JE PEUX TD. DOLLY.

Le condamné avait tenté de joindre la morte. Bien entendu, elle ne répondait pas. Il lui avait laissé un message, suite auquel il avait reçu un second SMS paniqué, pressant.

DOIS TE VOIR FACE À FACE. T'EXPLIQUERAI TOUT. JE NE PEUX PAS T'EN DIRE + ILS RISQUERAIENT D'AVOIR DES DOUTES.

Il viendrait au rendez-vous. Sinon, il trouverait un autre moyen.

Un meurtre provoqué n'a rien à voir avec un accident. Que ressentait-on ?

La voiture apparut avec dix minutes d'avance, roulant au pas sur le chemin forestier.

Devait-il d'abord lui parler ? Lui expliquer pourquoi il allait mourir ? Pourquoi il se consumerait dans les feux de l'enfer ?

Le pasteur appela Dolly d'une voix rauque dans le silence de la nuit. Devant le centre des visiteurs, il resta assis dans sa voiture, sa silhouette faiblement éclairée par la lueur de la lune.

La mort attendait patiemment.

Le pasteur descendit de sa voiture, appela encore Dolly en regardant autour de lui.

Tout se passait exactement comme il l'avait prévu.

– Œil pour œil.

Latterly pivota sur ses talons, le visage frappé de terreur. Une ombre se dirigeait vers lui.

La première balle l'atteignit au milieu du front. Son expression de frayeur se mua en un masque de stupeur. La seconde lui transperça le cœur, faisant jaillir de sa poitrine un mince filet de sang.

Facile. Une main ferme, un cœur juste.

Il n'avait pas tremblé, cette fois, il n'avait pas eu de remords.

La distance était longue pour traîner le corps, mais il fallait faire les choses correctement. Quand on avait décidé de faire quelque chose, il fallait le faire bien. La forêt était si belle, la nuit, si mystérieuse. Si paisible. Oui, pour un bref instant, il savourait la paix.

Tous ses efforts n'étaient rien en regard de ce moment où il déposa le cadavre sur l'amas de bois qu'il avait préparé. Le bûcher funéraire.

Le révérend Latterly n'avait plus si fière allure, à présent, il n'avait plus l'air si pieux avec ses vêtements et sa chair déchiquetés, maculés de terre.

Un briquet, un simple briquet l'enverrait en enfer. Les flammes s'élevèrent dans un souffle.

Une intense sérénité l'envahit tandis que le feu crépitait, brûlant son corps, brûlant son âme.

Que ressentait-on ?

La satisfaction du devoir accompli.

20

L'incendie se propageait vers l'est, consumant forêt et prairie, à cheval sur deux États. En raison des vents changeants, les équipes de l'Idaho avaient dû battre en retraite à deux reprises avant d'appeler les Zulies en renfort.

Ses crampons solidement enfoncés dans l'écorce, Gull sciait les branches d'un pin. Le bandana qu'il s'était attaché devant le bas du visage, à la manière d'un hors-la-loi du Far West, était trempé de sueur.

Le brasier que les pompiers s'efforçaient de circonscrire bondissait rageusement à l'assaut des arbres, embrasant les cimes avec des rugissements affamés.

Gull redescendit, décrocha son harnais et rejoignit ses camarades sur la ligne pare-feu.

Il entendit le roulement de tonnerre et regarda le bombardier piquer à travers la fumée. Jusqu'à présent, le dragon semblait avaler le retardant comme une friandise.

Gull avait perdu le compte des heures passées dans le ventre de la bête depuis que la sirène avait retenti, le matin. Ce matin-là encore, il contemplait les yeux de Rose ondulant sous lui. Ce matin-là encore, il avait sur la langue le goût de sa peau chaude de sommeil.

À présent, il bouffait de la fumée et sentait la terre trembler sous ses pieds chaque fois que s'effondrait un arbre sacrifié. À présent, il regardait l'ennemi dans les yeux afin de mesurer son appétit.

Incapable de voir s'il faisait jour ou nuit, Gull posa sa tronçonneuse et se désaltéra d'une rasade d'eau. Après tout, quelle importance ? Seul comptait l'univers plongé dans ce perpétuel crépuscule rougeoyant.

Dobie surgit hors de la fumée, les yeux rougis au-dessus de son bandana.

– On bouge vers l'est. Gibbons veut qu'on creuse une nouvelle ligne. Les lances ont fait reculer le flanc droit et le retardant l'a un peu affaibli.

– OK, acquiesça Gull en rassemblant son matériel.

– J'ai proposé que toi et moi, on prenne par le sud à travers la zone sinistrée pour éteindre les foyers et ratiboiser les chablis le long de la crête. On les rejoindra à la tête.

– Tu aurais pu me demander si j'étais d'accord.

– Je savais que tu le serais, répliqua Dobie, le regard rieur. Le chemin sera plus long, mais je te parie qu'on arrivera à la tête avant les autres et qu'on sera de nouveau dans le feu de l'action plus vite qu'eux.

– Peut-être. J'avoue que c'est à la tête que j'ai envie d'être.

– À côté de ta chérie… Allez, au boulot.

Les foyers éclosaient comme des fleurs, explosaient comme des bombes, bouillonnaient comme du magma en fusion. Le vent épaississait la fumée et soulevait des gerbes d'étincelles.

D'humeur à plaisanter malgré la difficulté et le danger de la tâche, Dobie donnait des noms à chacun des foyers qu'il étouffait.

– Tiens, prends ça, enfoiré de Brewster ! cria-t-il en sautant sur un cercle de flammes. Saleté de principal adjoint qui m'a mis à pied parce que je fumais dans les WC…

– Dure, hein, la vie de lycéen ?

– Tu l'as dit ! Bien, je crois qu'on a sécurisé ce secteur. On va remonter vers le nord. Je n'ai pas encore trouvé ce vieux cinglé de M. Cotter qui tirait sur mon chien juste parce que cette brave bête faisait ses besoins dans ses pétunias.

– On lui donnera une leçon ensemble.

– Toi, t'es un pote.

Tout en gravissant le flanc de la montagne, Gull et Dobie avalèrent quelques barres énergétiques, des biscuits au beurre de cacahuète et l'unique pomme que Gull avait emportée, dans laquelle ils croquèrent tour à tour.

– J'adore ce job, déclara Dobie. Je savais que je pouvais le faire, je savais qu'il me plairait. Mais je ne savais pas que c'était exactement ce que je cherchais. Je ne savais même pas que je cherchais quelque chose.

– Si tu ne peux plus t'en passer, c'est que tu as trouvé ta voie.

Une vérité, se dit Gull, *qui s'applique aussi bien à la vocation professionnelle qu'au domaine sentimental.*

Des arbres morts dressaient leurs squelettes noirs dans le brouillard de fumée. Le vent leur arrachait des gémissements et éparpillait des tourbillons de cendre pareils à de la poussière d'étoile noire.

– On se croirait dans un film de fin du monde, dit Dobie, où une météorite a tout détruit et où il ne reste plus que des pilleurs mutants et une poignée de braves guerriers essayant de protéger les innocents. On serait les guerriers.

– Regarde ça...

Gull tendit le bras vers l'est, où le ciel rougeoyait au-dessus des tours de flammes.

– Je n'arrive pas à comprendre comment je peux à la fois détester le feu et le trouver magnifique.

Gull observait le brasier tout en marchant : son ampleur, ses nuances de couleurs, ses formes mouvantes. Sur une impulsion, il sortit son appareil photo de son sac à dos. Un cliché ne pouvait rendre cette beauté terrifiante, mais il la lui rappellerait tout au long de l'hiver.

Dobie se mit en face de lui et prit la pose, son pulaski sur l'épaule, jambes écartées, l'expression féroce.

– Vas-y, tire-moi le portrait : « le chasseur de dragons ».

Gull fit la mise au point en pensant que ce titre ne pouvait être mieux trouvé.

– Allez, c'est reparti, mec, on n'a pas que ça à foutre, protesta Dobie.

Il se remit en marche et s'immobilisa soudain après quelques pas.

– Gull... Viens voir ça...

Alerté par le ton de sa voix, Gull accourut à ses côtés.

– C'est bien ce que je pense ?

– Oh, merde !

Un corps gisait sur le sentier noirci par le feu. Dobie recula, se pencha en avant et vomit ses barres énergétiques.

– Comme Dolly, murmura Gull. Sauf que...

Dobie se redressa, livide sous son masque de suie, et se rinça la bouche de quelques gorgées d'eau qu'il recracha.

– Une vraie chochotte, marmonna-t-il. J'ai rendu tout ce que j'avais dans le bide. Encore un incendie criminel...

– Ouais, sauf que cette fois je ne crois pas qu'on l'ait allumé pour faire disparaître le cadavre. Peut-être plutôt pour qu'on le trouve, pour attirer l'attention, ou même par plaisir. Regarde, la victime a reçu une balle dans le front.

Dobie s'arma de courage et s'approcha de nouveau.

– Ah ouais…

Gull sortit sa radio.

– J'aurais dû parier avec toi, tout à l'heure. On n'arrivera pas à la tête avant les autres.

Pendant qu'ils attendaient, Dobie retira deux mignonnettes de bourbon de son sac à dos et en offrit une à Gull.

– À ton avis, qui c'est ? demanda-t-il en buvant la sienne.

– Soit on a affaire à un psychopathe pyromane qui choisit ses proies au hasard, soit c'est quelqu'un qui a un lien avec Dolly. La deuxième hypothèse me paraît plus probable.

– Oh, bon sang… Pourvu que ce ne soit pas sa mère… Qui s'occupera du bébé si c'est sa mère ?

– J'ai vu Mme Brakeman le jour où elle est venue avec son pasteur remercier le chef d'avoir réembauché Dolly. Elle est petite, comme Dolly. Cette personne m'avait l'air d'être grande, très grande, même.

– Son père, alors, peut-être.

– Va savoir !

– Si on n'était pas tombés dessus, quelqu'un d'autre l'aurait trouvé. Il est en plein milieu du chemin… Les rangers l'auraient découvert.

Gull vida d'un trait sa fiole de bourbon puis canalisa sa fureur dans la lutte. À chaque coup de hache, la colère montait en lui. Il ne se battait pas contre Dieu, ni contre la nature ou le destin, mais contre l'être humain qui avait allumé cet incendie délibérément, quel que soit son but.

Durant les heures où la bataille continua de faire rage, il ne s'interrogea pas sur les causes de cet acte odieux. Seul importait de remporter le combat.

– Prends le temps de souffler, lui dit Rose. On tient le bon bout, tu le sais. Prends une pause, Gull. Tu n'es pas tout seul, tu as des collègues.

– Je ne m'arrêterai que quand on l'aura complètement maîtrisé.

– Écoute, je comprends ce que tu ressens. Je sais exactement…

– Je n'ai pas envie d'être raisonnable, rétorqua-t-il en repoussant la main que Rose avait posée sur son bras, le regard brûlant. J'ai envie de tuer ce monstre. On discutera de nos traumatismes respectifs plus tard. Pour l'instant, laisse-moi faire mon boulot.

– OK, très bien. On a besoin d'hommes pour bâtir une nouvelle ligne avant que le feu profite du vent pour se réactiver.

– J'y vais.

– Appelle Dobie, Matt, Libby et Stovic.

La nuit touchait probablement à sa fin, estima-t-il en se traînant d'un pas lourd vers la rivière. Le feu était à l'agonie. Dans le ciel, les étoiles jetaient des lueurs d'espoir à travers le voile de fumée qui se dissipait.

Il enleva ses bottes, ses chaussettes, et trempa ses pieds meurtris dans l'eau délicieusement froide. Derrière lui résonnaient les voix de ses collègues, enrouées par la fumée, la fatigue et la tension. Des plaisanteries, des railleries, des commentaires sur le déroulement de l'intervention. Et des interrogations sur la macabre découverte qu'il avait faite avec Dobie.

Le travail n'était pas fini mais pouvait attendre le lever du jour. Le dragon ne s'était pas couché pour se reposer, mais pour mourir.

Rose s'assit à côté de Gull, lui posa une ration sur les genoux et lui colla une boisson entre les mains.

– On nous a parachuté des vivres. Je t'ai préparé ton dîner.

– C'est bien, femme.

– Je vois que tu es d'humeur plus raisonnable, dit-elle en lui caressant la main puis en attaquant son ragoût de bœuf. J'ai rajouté quelques gouttes du fameux Tabasco de Dobie. Ça arrache, mais c'est pas dégueu.

– Je venais juste de le prendre en photo. Dans la zone sinistrée, le feu et le ciel en arrière-plan. Surréaliste. Je venais juste de prendre la photo quand on l'a trouvé. Je n'ai pas vraiment compris, sur le coup. Ce n'est que quand on vous a rejoints que j'ai commencé à voir rouge. Mais je ne pensais même pas à ce type qui avait été brûlé après avoir pris une balle dans la tête.

– Une balle dans la tête ?

– Ouais… mais je ne pensais pas à lui. Je ne pouvais penser qu'à tout ce gâchis, aux risques que nous prenions, aux efforts que nous fournissions. Et tout ça pour quoi, Rose ?

– Matt a atterri dans un arbre en sautant. Il s'en est bien tiré, mais il aurait pu se faire très mal. Une branche comme mon bras a failli tomber sur la tête de Janis et Yangtree s'est entaillé le mollet avec son pulaski. Un gars de l'Idaho a fait une mauvaise chute et s'est cassé la jambe. Tu avais de bonnes raisons d'être en colère.

Pendant un moment, ils mangèrent en silence.

– Il faut que vous soyez de retour à la base dans la matinée, toi et Dobie. DiCicco et Quinniock veulent vous interroger. Je peux rentrer avec toi, si tu veux.

Gull jeta à Rose un coup d'œil reconnaissant, et se garda de mentionner que c'était elle, maintenant, qui jouait la mère poule.

– Je veux bien, oui.

– J'imagine que tu es vanné. Si tu n'as pas le courage de monter ta tente, tu peux venir dans la mienne.

– Volontiers. J'adore ce boulot, ajouta-t-il au bout d'un moment, en repensant à la conversation qu'il avait eue avec Dobie. Je ne saurais pas t'expliquer exactement pourquoi, mais ce que cette ordure a fait renforce mon amour du métier. Il faut que la police le retrouve, l'attrape et l'enferme. Mais en attendant, c'est nous qui payons les pots cassés.

Gull se tourna enfin vers Rose et l'embrassa avec une infinie tendresse.

– Je t'ai trouvée dans la forêt, Rose. C'est énorme.

Elle esquissa un sourire un peu incertain.

– Je n'étais pas perdue.

En parcourant la courte distance qui les séparait des tentes, ils croisèrent Libby, qui se dirigeait vers la sienne.

– Ça va, Gull ?

– Ça va, ouais. Surtout que je viens d'apprendre que j'étais dispensé de nettoyage. Tu as vu Dobie ?

– Oui, il vient d'aller se coucher. On a discuté un bon moment avec lui, Matt et moi. Il était… Tu peux imaginer dans quel état il était, je n'ai pas besoin de te faire un dessin. Mais ça lui a fait du bien de parler.

– Tu as fait du bon boulot, aujourd'hui, Libby, déclara Rose.

– Je fais toujours du bon boulot, plaisanta la jeune femme. Bonne nuit.

Rose rentra dans sa tente en bâillant et, l'esprit et le corps déjà engourdis, se débarrassa de ses bottes.

– Ne me réveille pas à moins qu'un ours attaque. Et encore…

Elle ôta ensuite ses vêtements et, en T-shirt et culotte, se glissa dans son sac de couchage.

– Tu sais, lui dit Gull, il y a trente secondes, j'étais fatigué, mais, tout d'un coup, je me sens plein d'énergie.

Elle ouvrit un œil puis le referma.

– Fais ce que tu as à faire, du moment que ça ne m'empêche pas de dormir.

Il s'allongea à côté d'elle et l'attira contre lui. Le sourire aux lèvres, il ferma les yeux à son tour et en pensant à elle, rien qu'à elle, il sombra paisiblement dans le sommeil.

Ce fut son genou fermement pressé contre son entrejambe qui le réveilla. Il lutta néanmoins contre son érection naissante.

Rose ne s'éveilla pas lorsqu'il s'agita pour enfiler son pantalon, des chaussettes propres, ses bottes. Ni quand il sortit de la tente.

Dans la lumière du matin, rien ni personne ne bougeait. Il s'éloigna du camp pour se soulager la vessie et s'arrêta au bord d'une prairie parsemée de lupins. Une légère brume montait du sol, les majestueuses grappes violines semblaient flotter sur une mince rivière blanche en suspension. Des dizaines de papillons bleus voletaient tout autour.

L'incendie avait épargné cet endroit magnifique. Grâce au travail des pompiers, les fleurs sauvages s'épanouissaient et les papillons dansaient dans l'aube d'un jour nouveau. Dans un paysage enchanteur, aussi émouvant qu'une œuvre d'art, peut-être même plus. Et lui, Gull, avait contribué à le préserver, à sauver les arbres qui se dressaient autour de la clairière, et une partie de la forêt qui s'étendait au-delà.

Il avait livré un combat acharné dans la fumée et la chaleur, dans une atmosphère sinistre, empestant la désolation. Pour que, là, la vie suive son cours dans la sérénité et la grâce.

Là résidaient les réponses à tous les pourquoi.

Il y amena Rose avant de rentrer à la base, presque de force.

– Il faut qu'on y aille, protesta-t-elle. Un véhicule nous attend au centre des visiteurs. J'ai hâte de me laver, de me changer, et de boire un Coca.

– Tu verras, c'est mieux qu'un Coca. Regarde, lui dit-il en désignant la prairie. Ce n'est pas plus beau que tout ?

La jeune femme avait déjà vu des prairies, des lupins et des papillons, et s'apprêtait à le lui dire, grognon à cause du manque de caféine, mais Gull paraissait… en extase. Elle comprenait. Bien sûr qu'elle comprenait. Qui était mieux placé qu'elle pour comprendre ? Elle ne put toutefois s'empêcher de le taquiner.

– Ton côté romantique à la noix qui resurgit, railla-t-elle en lui décochant un coup de coude dans les côtes.

– Mets-toi là, je vais prendre une photo.

– Tu as vu à quoi je ressemble ?

– Évidemment. Te regarder est l'un de mes passe-temps favoris.

– Si tu veux une photo d'une fille dans une prairie en fleurs, choisis un modèle avec des cheveux propres et soyeux et une robe blanche vaporeuse.

– Ne dis pas d'âneries, tu es parfaite. Parce que c'est en partie grâce à toi que cette prairie existe encore. Cette photo sera le pendant de celle que j'ai prise de Dobie dans la forêt brûlée.

– Romantique à la noix, répéta-t-elle, néanmoins émue.

Elle cala ses pouces dans les poches de son pantalon, une hanche en avant, et afficha pour la postérité le plus beau de ses sourires.

Gull prit la photo, abaissa son appareil et continua de la contempler, comme il avait contemplé la prairie. Émerveillé.

– Viens à ma place. Je vais en prendre une de toi.

– Non. C'est toi. C'est Dobie dans la zone sinistrée, le feu menaçant derrière lui, me disant combien il aime son métier et ce qu'il y a trouvé. Et c'est toi, Rose, dans la lumière du soleil, devant la beauté de la nature préservée. Toi au bout de l'arc-en-ciel.

– Arrête les violons, répliqua-t-elle, un peu embarrassée. Il faut que tu retrouves ton punch.

– Tu es la réponse avant même que j'aie posé la question.

– Gull, tu me fais flipper quand tu parles comme ça.

– Il faudra t'y habituer. Je crois que je suis profondément… attaché à toi. Enfin, bref, nous en reparlerons. C'est un sujet complexe.

À la gêne de Rose s'ajoutait une pointe de panique.

– Ce n'est pas une bonne idée de s'attacher à des gens comme moi.

– Je ne suis pas d'accord. J'aime le risque.

– Parce que tu es cinglé.

– Il faut être cinglé pour faire ce métier.

Elle ne pouvait le nier.

– Bon, il faut y aller, maintenant.

– Une dernière chose.

Il lui attrapa les épaules et l'attira à lui, puis lui caressa le visage et l'embrassa. Un baiser pour les prairies et le soleil estival, les papillons et le chant des oiseaux.

Incapable de résister à tant de douceur, Rose se perdit dans ce baiser, dans la promesse qu'il recelait, le cœur tremblant, le cœur serré. Et pour la première fois de sa vie elle s'abandonna à la plénitude du bonheur partagé. Lorsque leurs lèvres se séparèrent, elle vacilla, les jambes flageolantes. Cet homme, se dit-elle, avait le pouvoir de lui donner le vertige.

DiCicco et Quinniock sortirent du centre des opérations dès l'instant où les camionnettes pénétrèrent dans l'enceinte de la base.

– Ils pourraient nous laisser le temps de prendre une douche, marmonna Gull avant de les saluer. Où voulez-vous qu'on s'installe ?

– Michael nous prête son bureau, lui répondit Quinniock.

– Il y a des tables dehors, derrière les cuisines. Si ça ne vous ennuie pas, j'aimerais m'aérer et manger un morceau pendant que nous discutons. Je pense que Dobie sera d'accord.

– Tout à fait, acquiesça celui-ci. Vous avez identifié le corps ?

– Nous y viendrons en temps voulu, répondit DiCicco.

– On est soupçonnés ? s'inquiéta Dobie, tandis qu'ils se dirigeaient vers la cuisine.

– Pour l'instant, nous n'écartons aucune piste, monsieur Karstain.

– Nous n'avons aucune raison de vous soupçonner, messieurs, corrigea Quinniock. Pouvez-vous nous dire où vous étiez la nuit dernière, entre 23 heures et 3 heures du matin ?

– Moi ? J'ai joué aux cartes avec Libby, Yangtree et Trigger jusqu'à environ minuit. Après, j'ai bu une dernière bière avec Trig. On a dû aller se coucher vers 1 heure.

– J'étais avec Rose, dit Gull.

– Nous aimerions revenir sur les déclarations que vous avez faites aux rangers.

DiCicco prit place à l'une des tables de pique-nique et sortit son calepin ainsi qu'un minidictaphone.

– Si vous n'y voyez pas d'objection, dit-elle, je souhaiterais enregistrer notre conversation.

– Je te laisse commencer, Dobie. Je vais voir ce que Marg peut nous préparer. Vous voulez quelque chose ? demanda Gull aux deux agents.

– Je veux bien une boisson fraîche, répondit Quinniock.

Se remémorant la citronnade de Marg, DiCicco hocha la tête en signe d'assentiment.

– Bien, monsieur Karstain…

– Ça vous ennuierait de laisser tomber le « monsieur » ? Appelez-moi Dobie, tout simplement.

– Je vous écoute, Dobie.

Il refit le récit qu'il avait déjà fait aux gardes forestiers.

– Vous savez, une forêt brûlée ressemble toujours à un spectacle d'horreur, termina-t-il. Alors, si vous y ajoutez un cadavre… Gull pense qu'il y a peut-être un rapport avec Dolly.

– Ah oui ? fit DiCicco.

– C'est plausible, non ? répliqua Dobie en regardant tour à tour chacun de ses interlocuteurs.

– Dobie, comment se fait-il que vous vous soyez trouvés seuls avec M. Curry dans ce secteur ?

Dobie haussa les épaules. Gull réapparut suivi de Lynn, tous deux portant un plateau.

– Le gros de l'équipe était à la tête de l'incendie, expliqua Dobie, mais il fallait quelqu'un pour éteindre les foyers le long du flanc. Je me suis porté volontaire et j'ai demandé à Gull de venir avec moi.

– Est-ce vous qui avez suggéré à M. Curry de prendre cet itinéraire ?

– Ouais, le chemin était plus long, mais j'aime bien étouffer les foyers. Gull et moi, on forme une équipe de travail efficace.

– Pour faire court, dit Gull en s'installant à la table, nous sommes passés par là parce que nous devions supprimer les feux secondaires allumés en avant du foyer principal de l'incendie à cause d'étincelles ou de tisons transportés par le vent ou les courants d'air. Vous repérez un foyer, vous l'éteignez et vous poursuivez votre chemin. Nous étions chargés d'effectuer cette tâche tout en rejoignant le reste de l'équipe. Le feu se propageait vers l'est, mais le vent n'arrêtait pas de tourner, c'est pourquoi les flancs étaient mouvants. Nous sommes tombés sur le corps parce que nous avons coupé à travers la zone sinistrée, en direction du centre des visiteurs. Il n'était pas souhaitable qu'il brûle, n'est-ce pas ?

– C'est clair.

Dobie sortit sa bouteille de Tabasco de sa poche et en versa sur son rosbif. Gull secoua la tête lorsqu'il lui tendit le flacon.

– En effet, enchaîna-t-il, j'ai émis l'hypothèse que ce meurtre puisse être lié à celui de Dolly. Il se peut bien sûr qu'un tueur en série pyromane rôde dans les parages, mais je pencherais plutôt pour la théorie des connexions.

– Le cadavre avait reçu une balle, intervint Dobie, la bouche pleine. Là, précisa-t-il en posant un index au milieu de son front. Le trou se voyait très bien.

– Des pompiers ont été blessés au cours de cette intervention, poursuivit Gull, notamment deux des nouveaux de ma promo, m'a-t-on dit sur le chemin du retour. J'ai vu des hectares de forêt partir en fumée. Je veux que le coupable paie, et je veux savoir pourquoi il ne s'est pas contenté de tuer sa victime. C'est encore pure spéculation de ma part, mais je pense que l'incendie avait une signification particulière. Sinon, il n'aurait pas eu de raison de l'allumer.

– Spéculation intéressante, commenta DiCicco.

– Vu que vous n'avez pas l'air idiots, ni l'un ni l'autre, j'imagine que vous vous êtes tenu le même raisonnement que moi, insista Gull. Peut-être pourriez-vous nous dire à présent si vous avez identifié le corps ?

– Cette information…, commença DiCicco en échangeant un regard avec Quinniock. Pendant que nous attendions les vérifications, nous avons trouvé la voiture du révérend Latterly garée sur le chemin forestier le long du centre des visiteurs. Son épouse affirme ignorer où il a passé la nuit. La seule chose qu'elle ait pu nous dire, c'est qu'il n'était pas à la maison ni à l'église quand elle s'est réveillée ce matin.

– Flinguer un pasteur ! s'exclama Dobie. Alors là, c'est l'enfer, pour sûr !

– Un pasteur qui couchait, paraît-il, avec Dolly, ajouta Gull. J'ai appris que Leo Brakeman avait été libéré sous caution…

DiCicco répondit froidement :

– Nous entendrons M. Brakeman après les funérailles de sa fille, cet après-midi.

– Deux de mes hommes le surveillent, précisa Quinniock. Nous avons la liste de toutes les armes qu'il possède, nous retournerons inspecter son coffre.

– Il aurait été couillon d'utiliser une de ses armes, surtout si elles sont déclarées, pour zigouiller le type qui couchait avec sa fille et prêchait la parole de Dieu à sa femme, souffla Dobie.

– Quoi qu'il en soit, nous poursuivons nos investigations, dit DiCicco. Mais nous devons nous appuyer sur des faits et des preuves concrètes. Deux personnes ont été tuées, c'est là notre priorité. Pour autant, nous ne négligeons pas les incendies. Croyez-moi, nous prenons en considération tous les éléments de ces affaires.

Sur ces mots, elle se leva et offrit à Gull un semblant de sourire.

– Merci pour votre temps, lui dit-elle. Et désolée pour votre douche.

– Eh bien, agent DiCicco, lui dit Quinniock tandis qu'ils s'éloignaient, vous avez conclu l'entretien sur une note d'humour. Vous m'avez réchauffé le cœur.

– Tant mieux pour vous. L'enterrement risque de vous le refroidir.

FLAMBÉE EXPLOSIVE

Brûler toujours de cette flamme semblable à une femme, maintenir cette extase, c'est le vrai succès de la vie.

WALTER PATER

21

Rose traînait. Elle s'était attardée sous la douche, avait mis une éternité à choisir un short et un T-shirt, comme si elle attachait de l'importance à sa tenue vestimentaire. Elle avait même pris quelques minutes pour se maquiller, et elle était plutôt satisfaite, pour une fois, d'avoir l'air féminine.

Elle avait néanmoins suffisamment lambiné, décida-t-elle, et elle partit à la recherche de Gull.

Matt sortait de sa chambre juste au moment où elle quittait la sienne.

– Waouh ! s'exclama-t-elle en reluquant son costume noir et sa cravate d'un œil appréciateur. Tu es beau comme un camion.

– Tu es superbe, toi aussi.

– Tu as un rendez-vous galant ou quoi ? On dirait que tu es de mariage, ou d'enter...

Elle s'interrompit, elle se serait giflée.

– Oh, Matt, excuse-moi, j'avais oublié. Tu vas aux funérailles de Dolly...

– Je me sens obligé.

– Tu n'y vas pas seul, j'espère ? Je t'aurais bien accompagné, mais je suis sûrement la dernière personne que les Brakeman ont envie de voir aujourd'hui.

– Pas de problème. Je... Il me semble que j'ai le devoir de... de représenter Jim. Je me serais bien passé d'y aller mais... pour le bébé. Je regrette presque que l'intervention n'ait pas duré plus long-temps, ça m'aurait donné une excuse toute trouvée.

– Demande à quelqu'un de venir avec toi. Janis, peut-être, ou Cards, ou...

245

– J'y vais avec Michael, Marg et Lynn, répondit Matt en passant nerveusement une main dans ses cheveux décolorés par le soleil.

– OK, dit Rose en lui ajustant sa cravate, bien que celle-ci fût parfaitement nouée. C'est bien que tu sois présent au nom de ta famille. Si tu as envie de parler, quand tu reviendras, ou juste de compagnie, fais-moi signe, je serai là.

Il posa une main sur la sienne.

– Merci, Rose, merci. Je sais qu'elle t'a causé beaucoup d'ennuis.

– Peu importe, Matt, ce n'est pas grave. Aujourd'hui va être une dure journée pour beaucoup de monde. C'est à ça qu'il faut penser.

Il lui pressa la main.

– Bon, il faut que j'y aille…

Rose se rendit au salon. Vautré sur un canapé, Cards regardait un feuilleton à la télé.

– Regarde-moi ça… La nana essaie de faire croire au mec qu'elle est en cloque parce qu'il a couché avec elle, alors qu'il sort avec sa sœur. En plus, elle a mis un truc dans son verre, et maintenant elle lui raconte que sa frangine le trompe, ce qui n'est absolument pas vrai. Les femmes sont vraiment tordues.

– Toutes des salopes, sauf maman, railla Rose.

– En tout cas, c'est captivant. Le médecin m'a ordonné de rester allongé jusqu'à ce soir, mais je pourrais passer des journées entières à regarder cette ânerie.

Rose s'assit à côté de lui et examina le bandage sur sa joue.

– Ça te donnait un charme, ce trou dans la figure ! On en oubliait presque tes yeux trop rapprochés.

– J'ai des yeux d'ange. Et de faucon. Des yeux de faucon angélique.

– Matt part à l'enterrement de Dolly.

– Ouais, je sais. Il a emprunté une cravate à Yangtree.

– On devrait dire à un ou deux gars de plus d'y aller avec lui. Libby est restée pour s'occuper du nettoyage, mais Janis est rentrée.

– Laisse tomber, Rose. Ça ne changera rien.

Elle garda le silence. Il poussa un soupir blasé.

– Michael représentera la base. Marg et Lynn y vont parce qu'elles travaillaient avec elle. Quant à Matt, il fait en quelque sorte partie de la famille, maintenant, à cause de la gosse de Jim. On en a discuté, avec le chef. Étant donné la façon dont les choses se sont passées, à la fin, avec Dolly, il vaut mieux qu'on n'y aille pas en nombre. Ce sera sûrement plus facile pour la mère de Dolly.

– Sans doute, acquiesça Rose tout en observant Cards avec un froncement de sourcils. Qu'est-ce qu'il y a ?

Elle connaissait ce visage, avec ou sans trou, et ces grands yeux marron.

– Rien. À part que tu m'empêches de regarder mon feuilleton. Orchid va être folle quand elle va s'apercevoir du tour que Payton lui a joué.

Elle voyait qu'il était contrarié.

– Tu fais la tête ?

– Écoute, j'ai un trou dans la gueule, je ne peux rien faire d'autre que regarder des niaiseries à la télé, et tu te ramènes pour me parler de l'enterrement de Dolly. Si tu n'as pas de sujet de conversation plus gai, trouve-toi quelqu'un d'autre avec qui papoter.

Il lui jeta un regard noir.

– C'est bon, d'accord, je te fiche la paix, dit-elle en se levant.

– Les femmes sont vraiment tordues. Franchement, on serait aussi bien sans elles, maugréa-t-il avec amertume.

Rose s'abstint de lui rappeler que, jusqu'à preuve du contraire, elle appartenait à la gent féminine.

– Tu leur en veux à toutes ? Ou à une en particulier qui t'aurait fait quelque chose ?

– Tu te souviens de celle que j'ai rencontrée l'hiver dernier ?

Comment aurait-elle pu l'oublier ? Cards lui avait montré sa photo des centaines de fois.

– Vicky ? Bien sûr.

– Elle devait venir dans une quinzaine de jours, avec ses gamins. J'avais posé des congés pour la balader dans la région. Les mômes étaient tout contents de visiter la base.

– Et ?

– Elle a changé d'avis. Elle trouve que ce n'est pas une bonne idée… J'ai ma vie, elle a la sienne. Elle m'a largué, voilà. Soi-disant qu'elle doit penser à ses enfants, qu'ils ont besoin de stabilité et tout le toutim…

Cards tourna vers Rose un regard à la fois abattu et furieux.

– Je ne lui ai jamais rien caché, poursuivit-il. Voilà le tort que j'ai eu. Je lui ai expliqué en quoi consistait notre métier. Elle prétendait que ça ne la dérangeait pas, qu'elle était fière, même, de ce que je faisais. Et tout d'un coup, ça ne lui plaît plus. Elle s'est mise à chialer comme une Madeleine. Qu'est-ce que je lui ai fait, bon sang ?

– Je suppose qu'elle ne se rendait pas compte… C'est dur de vivre avec un pompier…

– Alors, quoi ? Je devrais changer de boulot ? Devenir quelqu'un d'autre ? Ce n'est pas juste.

– Non, ce n'est pas juste.

– Je voulais lui demander de m'épouser lors de sa visite.

– Je suis désolée.

– Elle ne veut même plus me parler. Je n'arrête pas de lui laisser des messages, elle ne répond pas. Elle ne veut pas non plus que je parle aux gamins. Je suis raide dingue de ces mômes.

– Envoie-lui une lettre.

– Hein ?

– Plus personne n'écrit de lettres, envoie-lui une lettre. Elle verra que tu tiens à elle. Explique-lui ce que tu ressens. Dis-lui ce que tu as sur le cœur.

– Je ne suis pas doué pour ce genre d'exercice.

– Tu n'en auras que plus de mérite. Si tu l'aimes au point de vouloir l'épouser, tu peux bien te fendre d'une bafouille.

– Je ne sais pas. On verra. Peut-être… Écrire une lettre, répéta-t-il sombrement. Il faut que j'y réfléchisse. En attendant, parlons d'autre chose.

– Où en sont les Cubs, cette saison ?

Cards eut un reniflement dédaigneux.

– Ce n'est sûrement pas le base-ball qui va me consoler, surtout que les Cubs sont encore plus nuls que les femmes, cette année. Tu parles d'une saison pourrie… Des meurtres, des incendies criminels… Il paraît que Gull et Dobie ont trouvé un autre cadavre, et que l'incendie d'hier a été allumé intentionnellement. Les flics ont intérêt à choper ce salaud avant qu'il fasse cramer la moitié du Montana. D'accord, il nous fait gagner de la thune, mais personne n'a envie d'en gagner comme ça.

– Il a aussi fait brûler une bonne partie de l'Idaho. Ça fait peur, concéda Rose. On sait qu'on fait un métier dangereux. Mais là, en plus, il y a un assassin qui traîne dans les parages. Quand j'y pense, je…

Elle s'interrompit brusquement. Gull venait d'entrer dans le salon.

– Alors, que dit la police ? s'enquit-elle.

– Ce n'est pas encore officiel, mais le corps qu'on a découvert est certainement celui du révérend Latterly.

Cards se redressa d'un bond.

– Le prêtre ?

– Sa bagnole était garée près du centre des visiteurs, expliqua Gull. Quant à lui, il a disparu. Ils vont interroger Brakeman après les funérailles.

– Ils pensent que c'est lui qui l'a tué ? s'écria Cards. Ça voudrait dire… qu'il aurait aussi tué Dolly ? Sa propre fille ?

– J'ignore ce qu'ils pensent.

– Et toi, qu'en penses-tu ? demanda Rose.

– J'en pense qu'on a affaire à quelqu'un qui est sérieusement en colère, et qui aime le feu. Il faut que j'aille me laver.

Rose le suivit jusqu'à sa chambre.

– Pourquoi dis-tu qu'il « aime » le feu ? Il s'en sert, il ne l'aime pas forcément.

– Tu es déjà habillée – au passage, tu es superbe –, alors je suppose que tu ne vas pas me frotter le dos.

– Non. Pourquoi dis-tu qu'il « aime » le feu ?

Gull enleva son T-shirt.

– J'ai approfondi mes connaissances sur les incendies volontaires, après Dolly.

– C'est vrai que tu adores potasser. J'avais oublié.

– On a toujours à apprendre. Enfin, bref, continua-t-il en délaçant ses bottes, les incendiaires se divisent en plusieurs catégories. Il y a ceux qui agissent dans un but lucratif, par exemple le type qui met le feu à sa maison pour toucher du fric de l'assurance. Ce n'est pas le cas ici.

– Il y a ceux qui provoquent des incendies pour dissimuler un autre délit, par exemple un homicide. J'ai moi aussi quelques notions sur le sujet.

Gull ôta son pantalon.

– C'est peut-être ce qui s'est passé pour Dolly, acquiesça-t-il, en entrant dans la salle de bains. Qu'elle soit morte accidentellement ou qu'elle ait été tuée, on peut imaginer que la personne qui était avec elle a paniqué et essayé de la faire disparaître. Mais le deuxième scénario est différent. Pourquoi allumer un incendie, alors que le premier n'a servi à rien ? En tout cas, pas à éliminer le cadavre de Dolly.

Il ouvrit le robinet et poussa un long grognement de bien-être.

– Béni soit le dieu de l'Eau !

– C'est peut-être un copycat. Quelqu'un voulait tuer Latterly. Brakeman avait des raisons de souhaiter sa mort. La femme de Latterly aussi, si elle était au courant de sa liaison avec Dolly. Ou bien un membre de sa congrégation qui se sentait offensé et trahi. Et on a suivi le même *modus operandi* à cause du lien entre eux. Le mobile est le même.

– Possible…

Rose écarta le rideau de douche.

– C'est l'hypothèse la plus vraisemblable.

– Tu viens ou tu ne viens pas ? lui dit Gull en la couvant d'un regard de félin.

Elle referma le rideau.

– On n'a pas non plus affaire à un pyromane qui provoque des incendies juste pour le plaisir, Gull. À chaque fois, il y a aussi un meurtre.

– Peut-être qu'il a des pulsions de meurtre et des pulsions pyromanes.

– Ça craint déjà suffisamment d'allumer des feux pour couvrir des assassinats. Tu as des idées atroces.

– Je sais. Mais si j'ai bien compris, la police envisage aussi cette hypothèse.

Rose posa les mains sur le lavabo et s'observa dans le miroir.

– J'espère que ce n'est pas quelqu'un que je connais.

– Tu ne connais pas tout le monde, Rose.

Non, en effet, et Dieu merci ! elle ne connaissait que quelques rares personnes susceptibles d'avoir côtoyé à la fois Dolly et Latterly. Mais s'il s'agissait de l'une de ces rares personnes ?

– Où ont lieu les funérailles de Dolly ? s'interrogea-t-elle à voix haute. Pas à l'église de Latterly, ce n'est pas possible…

– Marg m'a dit que la messe serait célébrée à la chambre funéraire. Ils n'attendent pas grand monde.

– Quelle tristesse, murmura Rose en fermant les yeux. Je ne pouvais pas encadrer cette fille, mais sa mort m'a vraiment fichu un coup.

Gull ferma le robinet et écarta le rideau.

– Tu sais de quoi tu as besoin ? dit-il en attrapant une serviette.

– De quoi ? Attends, laisse-moi deviner.

– D'une balade en décapotable et d'un cornet de glace.

– Ah oui ?

– Oui, parfaitement. On est du troisième départ sur la liste de garde. On a le temps d'aller manger une glace en ville.

– Je connais un excellent glacier.

– Impeccable. Et tu es belle comme un cœur. Je vais pouvoir frimer au bras de ma chérie.

– Arrête ces niaiseries, je t'en prie.

Il noua une serviette autour de ses reins et prit Rose entre ses bras pour l'embrasser.

– Tu vas me mouiller !

Il avait réussi à chasser le blues, à la faire rire.

– Allons manger une glace, dit-elle.

Mais, puisque son T-shirt était déjà trempé, elle se pendit à son cou et l'embrassa de nouveau.

– Allez, habille-toi. Je vais faire un tour au centre des opérations, histoire de m'assurer qu'on a quelques heures devant nous.

Des photographies de Dolly Brakeman, de sa naissance jusqu'à sa mort, étaient exposées entre deux couronnes de roses et de gypsophile. Une étoffe rose et des chrysanthèmes blancs recouvraient le cercueil en bois verni.

Afin de soulager Irene, Emma s'était chargée de choisir les fleurs et avait commandé en son nom une gerbe de lis blancs et roses. Quelques personnes avaient aussi fait envoyer des bouquets et ce modeste hommage emplissait la minuscule pièce d'un parfum entêtant.

Irene, pâle, les yeux cernés, vêtue de noir, était assise sur un canapé grenat près de sa sœur, une femme qu'Emma avait déjà eu l'occasion de rencontrer, venue de Billings avec son mari ; celui-ci était assis avec Leo de l'autre côté de la pièce, sur un canapé semblable.

Des haut-parleurs diffusaient de la musique sacrée en sourdine. Personne ne parlait.

De toute sa vie Emma n'avait assisté à un enterrement aussi triste. Elle alla vers son amie et prit ses mains entre les siennes.

– Irene…

– Les fleurs sont magnifiques.

– Oui.

– Merci de t'en être occupée.

– Il n'y a pas de quoi, je t'en prie.

La sœur d'Irene salua Emma de la tête puis se leva pour aller s'asseoir près de son mari.

– Les photos sont ravissantes. Tu as fait les bons choix.

– Dolly aimait se faire prendre en photo. Depuis toute petite. Elle regardait toujours l'objectif bien en face. Je ne sais pas ce que je dois faire. Je ne sais pas comment enterrer ma fille.

Sans un mot – qu'y avait-il à dire ? –, Emma prit place à côté d'Irene et lui passa un bras autour des épaules.

– Ces photos sont tout ce qu'il me reste d'elle. Celle-là, Dolly et sa fille, est la dernière. Ma sœur Carrie ne devrait pas tarder à arriver avec le bébé. Heureusement qu'elle est là… Je sais que Shiloh ne comprendra pas et ne se souviendra pas, mais je voulais qu'elle soit là aujourd'hui.

– Bien sûr. Si tu as besoin de quoi que ce soit, n'importe quand, n'hésite pas à m'appeler.

– Je ne sais pas quoi faire de ses affaires, de ses vêtements…

– Je t'aiderai à les trier quand tu t'en sentiras le courage. Voici le révérend Meece.

Irene saisit la main d'Emma.

– Je ne le connais pas. Tu as bien fait de lui demander de venir dire la messe, mais…

– Ne t'en fais pas, c'est un homme bon. Il sera bon envers Dolly.

– Leo ne voulait pas de prêtre. Pas après ce qui… Je ne peux pas penser à ça maintenant, ou je deviendrai folle.

Les yeux d'Irene s'emplirent de larmes.

– N'y pense pas. Souviens-toi seulement de l'adorable petite fille sur les photos. Je vais te présenter le révérend Meece. Il t'apportera du réconfort, j'en suis certaine.

Bien qu'elle ne fût guère pratiquante, Emma éprouvait de la sympathie pour Robert Meece et appréciait sa vision modérée de la religion.

– Merci beaucoup d'être là, Robert.

– Inutile de me remercier. C'est une dure épreuve, dit-il en regardant le cercueil. Le genre d'épreuve qui ébranle la foi d'une mère. J'espère que je pourrai aider votre amie.

Tandis qu'elle le conduisait auprès d'Irene, Emma vit trois des membres du personnel du lycée franchir la porte de la chambre funéraire. *Dieu merci !* pensa-t-elle, *quelqu'un est venu*. Laissant Irene avec le révérend, elle s'avança à leur rencontre, la sœur d'Irene semblant peu disposée à les accueillir ou incapable d'assumer cette tâche.

Puis elle s'excusa quand la sœur cadette d'Irene arriva avec le bébé, son mari et ses deux enfants.

– Voulez-vous que je prenne la petite, Carrie ? Je crois qu'Irene a besoin de vous.

Emma berçait le nourrisson aux yeux écarquillés, au milieu des petits groupes qui discutaient à voix basse, lorsque Leo se leva brusquement.

– Vous n'avez rien à faire ici ! rugit-il. Vous n'avez pas le droit d'être là !

Emma se tourna vers l'entrée de la pièce, où se tenait un petit contingent de la base.

– Comment osez-vous venir, après ce que vous avez fait ? Après la façon dont vous avez traité ma fille ? Fichez le camp ! Fichez le camp d'ici !

Irene se cacha le visage dans ses mains et éclata en sanglots.

– Arrête, Leo, arrête, gémit-t-elle.

Ignorant Leo, Marg s'assit à côté d'elle, la prit dans ses bras et la laissa pleurer sur son épaule.

– Monsieur Brakeman, cette enfant est de mon sang autant que du vôtre, déclara un grand jeune homme en se dirigeant vers Leo, la mâchoire contractée. Il y a moins d'un an, j'ai enterré mon frère. Comme vous, j'ai perdu un être cher. Shiloh est tout ce qu'il nous reste. Nous sommes venus rendre un dernier hommage à sa maman.

Leo devint blême, et, l'espace d'un instant, Emma craignit le pire. Des coups de poing, du sang, de la bagarre. Puis le lieutenant Quinniock et une jeune femme firent irruption. Une lueur de crainte passa furtivement dans le regard de Leo.

– Ne vous approchez pas de moi ! vociféra-t-il à l'intention du jeune homme qui lui avait parlé.

Matt Brayner, comprit Emma.

– C'est ton oncle, chuchota-t-elle à Shiloh. Tonton Matt. N'aie pas peur. Tout va bien.

Leo se retira dans un coin de la pièce et croisa les bras sur sa poitrine. Emma s'avança vers Matt.

– Pouvez-vous la tenir, s'il vous plaît ? Je vais emmener Irene prendre l'air un instant.

Les larmes montèrent aux yeux de Matt lorsque la fillette tendit une petite main potelée vers son visage.

– Elle ressemble à Jim, non ? dit Lynn doucement. Tu ne trouves pas, Matt, qu'elle ressemble un peu à Jim ?

Une boule dans la gorge, il hocha la tête et pressa sa joue contre celle du bébé.

– Viens avec nous, Irene.

En la soutenant chacune d'un côté, Marg et Emma l'aidèrent à se lever et, tandis que de sa voix douce le révérend Meece s'efforçait d'apaiser la tension régnant sur l'assemblée, elles l'entraînèrent à l'extérieur de la salle.

Tout en dégustant un sorbet à la fraise, Rose observait les passants.

– Érable et noix, franchement, ce n'est pas un parfum de glace, dit-elle à Gull. L'érable, c'est un condiment. Comme la moutarde. Tu mangerais de la glace à la moutarde ?

– Pourquoi pas ? J'aime tous les parfums de glace, y compris la fraise, le parfum des filles par excellence.

– C'est rafraîchissant.

Comme l'a été la balade en voiture, pensa-t-elle. Une longue balade sans but sur des petites routes sinueuses. Si leurs portables ne sonnaient pas – auquel cas ils devraient retourner d'urgence à la base –, ils avaient encore deux heures devant eux, deux heures à flâner au hasard des boulevards ombragés de Missoula, deux heures à savourer le luxe d'un rare après-midi de liberté en plein été, par une journée magnifique.

– Je ne ferai pas d'autre commentaire sur ta glace parce que tu as eu une idée fantastique. Il y a vingt-quatre heures, on était dans le ventre de la bête, et maintenant on se promène comme un couple de touristes.

– C'est d'autant plus agréable.

– Tu sais quoi ? S'il n'y a pas d'alerte au feu, on pourrait terminer notre concours de tequila de l'autre soir. On n'aura qu'à acheter une bonne bouteille avant de rentrer. On proposera à Cards de se joindre à nous. Ça lui changera les idées.

Dans la voiture, elle avait raconté à Gull les déboires sentimentaux de leur collègue.

– La lettre est une bonne idée. Il devrait suivre ton conseil.

– Tu pourrais peut-être l'aider à la rédiger.

– Moi ?

– Tu sais manier le verbe.

– Je ne suis pas persuadé que Cards ait envie que je joue les Cyrano pour sa Roxane.

– Rose ? l'interpella une voix féminine.

– Ah, bonjour…

Emma était assise sur un banc.

– Je suis contente de vous voir. J'ai su que vous étiez rentrés d'intervention ce matin. Je suis Emma Frazier, dit-elle avec un sourire à l'intention de Gull. Une amie du père de Rose.

– Gulliver Curry, se présenta-t-il en lui serrant la main. Comment allez-vous ?

– Honnêtement ? Pas très bien. Je sors des funérailles de Dolly, qui étaient aussi tristes que vous pouvez l'imaginer.

– Comment se fait-il… Ah oui, c'est vrai, Mme Brakeman travaille dans le même lycée que vous, se souvint Rose.

– Oui, nous sommes devenues amies.

– Comment va-t-elle ? Pardon, c'est une question stupide. Elle doit être effondrée.

– Oui, et je crains que le pire ne soit encore à venir. Deux policiers ont emmené Leo pour l'interroger, après l'enterrement. Irene nage en plein cauchemar, la pauvre. C'est dur de voir une amie vivre un tel calvaire sans rien pouvoir faire pour l'aider.

Emma secoua sombrement la tête.

– Je suis désolée, ajouta-t-elle. Vous profitiez d'un rare et précieux moment de temps libre et je suis en train de vous le gâcher.

– Il vous faut une glace, dit Gull. Quel parfum ?

– Oh non, je…

– Une glace est le meilleur remède contre le cafard. Quel parfum vous ferait plaisir ? insista-t-il.

– Tant que vous n'aurez pas accepté, il ne vous lâchera pas, intervint Rose.

– Menthe-chocolat, dans ce cas. Merci.

– Je reviens dans une minute.

Déjà gênée, Rose l'était encore plus sans la présence de Gull.

– Vous avez dû voir nos collègues à l'enterrement…

– Oui, Leo a fait un esclandre qui aurait pu dégénérer. Heureusement, Matt a arrondi les angles. Et la police était là, de toute façon. Il n'empêche, ça a créé une tension affreuse, une atmosphère chargée de ressentiment, de chagrin, de rage contenue. Et… Enfin, bref, parlons d'autre chose. Vous voulez vous asseoir ? Vous vous doutez bien que la glace n'était qu'un prétexte : votre charmant compagnon voulait nous laisser seules un moment.

– Probablement. Il aime provoquer les choses.

– C'est un très beau garçon, qui m'a l'air à la fois solide et attentionné. Des qualités non négligeables, chez un homme.

Emma changea de position de façon à faire face à Rose.

– Ma relation avec votre père vous contrarie, n'est-ce pas ? demanda-t-elle.

– Je ne vous connais pas.

– Non, c'est vrai. Quant à moi, j'ai l'impression de vous connaître, au moins un peu. Lucas parle tout le temps de vous. Il vous aime beaucoup et il est très fier de vous. Il ferait n'importe quoi pour sa fille.

– C'est réciproque.

– Je sais. Je sais aussi que vous si lui demandiez de choisir entre vous et moi, je n'aurais aucune chance.

– Je n'ai pas l'intention de…

– Laissez-moi terminer, laissez-moi plaider ma cause, puisque j'en ai l'opportunité. Je sais que je ne vous inspire guère de sympathie, ce que je peux comprendre. Mais permettez-moi de vous dire que votre père est l'homme le plus merveilleux, le plus attachant, le plus intéressant que j'aie jamais connu. C'est moi qui ai fait le premier pas, il était si timide. J'avais envie de faire plus ample connaissance avec lui, de sortir avec lui, d'être en sa compagnie. Je pensais que nous pourrions nous entendre, et c'est le cas. Mais je ne m'attendais pas à tomber amoureuse...

En proie à quantité d'émotions contradictoires, Rose regardait son sorbet dégouliner le long de son cornet.

– Vous êtes si jeune, poursuivit Emma. Oui, je sais, vous allez me répondre que vous n'êtes plus une gamine. Mais si, vous êtes encore très jeune... Vous ne pouvez sans doute pas comprendre comment quelqu'un de mon âge peut succomber à un amour aussi fulgurant et aussi terrifiant qu'il peut l'être à vingt ans. Il n'empêche que j'éprouve des sentiments très intenses pour votre père, Rose. J'espère que vous m'accorderez une chance.

– Il n'a jamais... Il n'a connu personne depuis ma mère.

– Je sais. Je suis consciente d'avoir une chance inouïe. Ah, revoici Gull ! Je crois que nous avons toutes les deux beaucoup de chance.

Gull observa le visage de Rose puis celui d'Emma.

– Tenez, dit-il à Emma.

– Vous avez été rapide.

Ne sachant que dire, Rose se mit à lécher la glace qui coulait le long de son cornet. Emma goûta la sienne.

– Mmm..., fit-elle. Merci. Vous aviez raison, je sens que ça va me remonter le moral. Prenez ma place, ajouta-t-elle en se levant. Je vais marcher un peu. Je suis contente d'avoir parlé avec vous, Rose.

– Moi aussi.

Gull s'assit sur le banc et suivit Emma du regard.

– Belle femme, dit-il.

– Elle pourrait être ta mère, rétorqua Rose.

– Et alors ? Ma tante aussi est une belle femme. Ce n'est pas pour ça que j'ai envie de coucher avec elle.

– Elle m'a dit qu'elle était amoureuse de mon père. Qu'étais-je censée lui répondre ? Que suis-je censée faire ? Que dois-je en penser ?

– Qu'elle a bon goût, répliqua Gull en lui tapotant la cuisse. Laisse-les se débrouiller tout seuls, ils sont grands. En tout cas, à moi, elle m'a fait bonne impression.

– Parce qu'elle est bien roulée.

– Non, parce qu'elle avait de la peine pour son amie Irene, de l'empathie et de la compassion. Parce qu'elle était en colère contre

Leo Brakeman, ce qui montre qu'elle a du bon sens et qu'elle n'est pas hypocrite. Parce qu'elle t'a confié ses sentiments pour ton père, alors qu'il est clair que leur relation ne te fait pas bondir de joie, ce qui demande du courage et de l'honnêteté.

— J'avoue qu'elle a jeté la balle dans mon camp, ce qui témoigne d'une certaine intelligence. Tu peux ajouter l'intelligence à la liste de ses qualités.

— Tu préférerais que ton père ait une copine idiote, égoïste, sans cœur et faux jeton ?

— Tu sais que tu n'es pas con, toi non plus ? On achètera deux bouteilles de tequila. Je crois que je vais prendre une bonne cuite, ce soir.

De retour à la base, Rose mit un point d'honneur à s'enquérir auprès de Matt s'il désirait de la compagnie. Elle le trouva assis au bord de son lit, laçant ses chaussures de course.

— J'ai appris que ç'a été horrible…

— En effet, mais ç'aurait pu être pire. Leo a été odieux avec nous, comme si c'était notre faute si Dolly s'était fait virer. Faire une scène à l'enterrement de sa fille, tu te rends compte ? Ce type est vraiment sans vergogne.

— À l'enterrement de ma mère, ses parents ne m'ont même pas adressé la parole, se souvint Rose.

— C'est minable.

— On se fait un concours de tequila, ce soir. Si ça te tente, tu es le bienvenu.

Matt esquissa un sourire.

— Tu sais que je ne risque pas de rivaliser avec toi dans ce domaine. Pour l'instant, je vais courir, on verra tout à l'heure, dit-il en se vissant une casquette sur le crâne. Pour en revenir à l'enterrement, j'ai vu la petite Shiloh, je l'ai même tenue dans mes bras. Je crois que mes parents devraient aller voir un avocat pour les questions de garde, de droits, etc.

— Tu ne trouves pas que la situation est déjà bien assez compliquée ?

Tout en ajustant sa visière d'un geste brusque, Matt foudroya Rose du regard.

— Shiloh est tout autant la petite-fille de mes parents que celle des Brakeman. Je ne veux pas chercher de noises à Irene, je pense que c'est quelqu'un de bien. Mais si son abruti de mari va en prison, comment fera-t-elle pour s'occuper toute seule du bébé ? Pour subvenir à ses besoins avec son salaire de cuisinière à la cantine du lycée ?

– Ça va être dur, c'est sûr. Elle aura besoin d'être épaulée… Je sais que tu avais donné de l'argent à Dolly pour sa fille…

Le regard bleu de Matt se durcit encore davantage.

– Je fais ce que je veux de mon fric, rétorqua-t-il. Et Shiloh est ma nièce.

– Je sais bien, Matt, et ce geste est tout à ton honneur.

– Je n'ai fait que mon devoir, dit-il en se détendant un peu.

– Et ce n'est pas toujours facile de savoir ce qu'on doit faire dans des circonstances aussi difficiles. Mais si tu veux mon avis, je crains que l'intervention d'un avocat ne fasse qu'attiser les rancunes. Tout au moins dans l'immédiat.

– Ça ne peut pas faire de mal d'aller en consulter un. Ce qui compte, c'est Shiloh, non ?

– Tout à fait. Écoute, Matt, je… je ne suis pas la personne la mieux placée pour te donner ce genre de conseil, mais peut-être que ta mère et Irene Brakeman devraient commencer par se rencontrer.

– Peut-être, ouais. Au fait, tu sais que Shiloh tient des Brayner ? Même Lynn l'a remarqué.

Une chose est certaine, se dit Rose en emboîtant le pas à Matt dans le couloir, *les Brayner et les Brakeman devraient réfléchir à la meilleure façon d'élever cette enfant.* Cette enfant pour qui tout le monde se faisait du souci. Rose avait connu cela. Et elle savait que ce n'est pas facile d'être une enfant dont tout le monde se préoccupe.

22

Rose regarda Dobie avaler péniblement son dixième shooter. Ses yeux étaient devenus vitreux au huitième, et son teint brouillé commençait à tirer sur le vert.

– Et de vingt !

– Holà ! dix, rectifia Cards, marqueur officiel.

– Je vois double, pouffa Dobie en manquant de peu basculer de sa chaise.

Janis, serveuse officielle, remplit le onzième verre de Yangtree.

– L'entraînement, dit-il en le buvant tranquillement, c'est ça, le secret.

Un sourire en coin, Rose lécha le sel sur le dos de sa main et descendit le sien.

– Et maintenant, dit-elle, j'aimerais remercier notre premier perdant d'avoir concouru à nos côtés.

– Merci à lui ! dit Gull en avalant d'un trait sa onzième tequila.

– Allez, un dernier pour la route !

Stovic leva son verre, le but, et s'écroula lamentablement sur le plancher.

– Éliminé.

Cards le raya du tableau.

– Pas encore, protesta Stovic en levant mollement une main. Je suis encore conscient.

– Tu as quitté ta chaise sans réclamer de pause-pipi, tu es éliminé.

– Qui a quitté sa chaise ?

– Allez, Tronçonneur fou.

Gibbons saisit Stovic sous les aisselles et le tira de dessous la table.

Dobie abandonna au treizième round.

– Cette gnôle étrangère me réussit pas, bougonna-t-il. La prochaine fois, on prendra du bourbon, du bourbon bien de chez nous.

À quatre pattes, il alla s'allonger à côté de Stovic, qui ronflait déjà comme un sonneur.

– Aux bleus ! trinqua Yangtree en vidant son quatorzième shooter.

Puis il posa la tête sur ses bras.

– Oh, maman, gémit-il.

Rose et Gull poursuivirent le concours en tête à tête, jusqu'à ce que Janis partage entre eux la dernière dose de tequila.

– C'est tout ce qu'il reste, vous avez torché les deux bouteilles.

– La prochaine fois, on en achètera trois.

Rose ferma un œil, afin d'accommoder sa vision, et fit tinter son verre contre celui de Gull.

Ceux qui étaient encore conscients les acclamèrent.

– Match nul, déclara Cards.

– Je suis fière de vous connaître, dit Janis en posant une main sur l'épaule de chacun. Et je vous souhaite bon courage pour la gueule de bois de demain.

– Gull n'a jamais la gueule de bois, bafouilla Rose d'une voix pâteuse.

Ce dernier afficha un sourire un peu hébété.

– Ce sera peut-être l'exception. En attendant, allons faire l'amour !

– Ça marche ! approuva Rose. Bonne nuit, tout le monde.

Elle se leva, agita les mains à la ronde et déposa une bise sonore sur la joue d'un Yangtree à peine éveillé. Gull lui emboîta le pas d'une démarche titubante.

– Je ne sais pas si on est en état de faire des galipettes, dit-elle lorsqu'il eut enfin réussi à refermer la porte de sa chambre. Ça tourne…

– On n'aura qu'à imaginer qu'on est sur un manège.

– Tout nus au carnaval.

En riant, elle lui déboutonna sa chemise, manqua perdre l'équilibre et l'attira brutalement avec elle sur le plancher.

– Aïe, maugréa-t-il. Au moins, on n'ira pas plus loin.

Et il entreprit de l'aider à se déshabiller.

– La prochaine fois, on picolera à poil, ajouta-t-il.

– Allez, hop !

Elle leva les bras pour qu'il puisse lui enlever son T-shirt. Puis noua les jambes autour de sa taille, les mains derrière son cou, et saisit sa bouche de la sienne.

Une chaleur intense l'envahit à travers le brouillard de l'alcool, enflammant tous ses sens. Tout autour d'elle tanguait, mais elle resta enchaînée à Gull. Prisonnier, il répondit aux demandes avides de ses lèvres, de sa langue.

Les chaînes se rompirent. Elle roula sur lui en le mordant, le caressant, le léchant, puis elle se redressa.

– Déshabille-toi ! ordonna-t-elle.

Le souffle court, ils se débarrassèrent de leurs chaussures et de leurs vêtements, qui atterrirent aux quatre coins de la pièce. Tels deux lutteurs, la peau moite et luisante, ils roulèrent sur le plancher, genoux et coudes s'entrechoquant. Rose riait aux éclats. La clarté de la lune faisait briller son corps d'une lueur argentée, précieuse, irrésistible. Haletante de plaisir, en proie à un désir vertigineux, elle renversa la tête en arrière lorsqu'il la pénétra.

– Fais-moi jouir, chuchota-t-elle.

Agrippé à ses hanches, il lui imprima un fougueux mouvement de va-et-vient, se retirant parfois lorsqu'elle accélérait encore le rythme. Elle était en feu, au cœur du brasier. En fusion, elle s'abandonna à cette fièvre jusqu'à ce qu'elle la consume entièrement.

– Comme sur un manège, murmura-t-elle. J'ai la tête qui tourne. Ne bouge pas.

Ils s'endormirent, leurs corps encore soudés.

Ce fut un autre feu qui la réveilla, un feu destructeur, mortel, qui la pourchassait en grondant à travers une forêt dévastée. Elle avait beau courir, elle ne parvenait pas à le distancer. Traquée par les flammes, elle arriva dans un cimetière où les défunts gisaient à même le sol, semblant lui tendre les bras, l'attendre.

Les yeux de Jim roulèrent dans les orbites de son crâne calciné.

– Il m'a tué, articula-t-il d'une voix d'outre-tombe.

– Pardon, pardon…

– La fièvre du dragon n'est pas terminée. Elle fera d'autres victimes. Elle en emportera d'autres. Ce n'est pas fini.

Un souffle brûlant jaillit derrière elle. Une langue de feu l'embrasa comme une torche.

– Eh ! eh !

Gull saisit Rose par les épaules et la força à s'asseoir.

Elle le repoussa, cherchant de l'air. Il maintint son emprise. Dans le noir, il ne voyait pas son visage. Couverte de sueur froide, elle était agitée de violents frissons, avait le souffle court et sifflant.

— Réveille-toi ! Tu as fait un cauchemar. C'est fini, ça va aller.

— Je ne peux pas respirer.

— Mais si. Tu respires trop vite, c'est tout. Tu vas faire de l'hyperventilation si tu continues. Calme-toi.

Elle secoua la tête. Il lui massa les épaules, la nuque. Tous ses muscles étaient noués.

— C'est une crise de panique. C'est dans la tête, tu le sais. Détends-toi. Respire plus doucement.

Son regard s'accoutumant peu à peu à l'obscurité, il distinguait à présent ses yeux, larges comme des soucoupes. Elle pressa une main contre sa poitrine, à l'endroit, imagina-t-il, où devait se manifester la sensation d'oppression.

— Expire, expire lentement. Voilà… Inspire, lentement, profondément… Expire… Là… C'est bien. Je vais te chercher un verre d'eau.

Il la lâcha et roula jusqu'au réfrigérateur, où il prit une bouteille.

— Ne bois pas trop vite, lui recommanda-t-il. Décontracte-toi.

Quand elle eut avalé une première gorgée, il abaissa la bouteille.

— Doucement…

— OK, acquiesça-t-elle, en buvant une autre gorgée, toute petite.

Sa respiration commençait à se régulariser et ses tremblements à s'apaiser.

Il lui caressa le visage, appuya le front contre le sien. Un frémissement le parcourut.

— Tu m'as fait une de ces peurs…

— Je n'ai pas crié, au moins ? demanda-t-elle avec un coup d'œil vers la porte.

C'est bien d'elle de s'inquiéter de ce que les autres vont penser, se dit-il.

— Non. On aurait dit que tu essayais mais que ça ne sortait pas.

— Je brûlais. Je te jure que je sentais ma peau griller et l'odeur de mes cheveux qui prenaient feu. C'était horrible.

— Ça t'arrive souvent, de faire des cauchemars ?

Tout en continuant à lui masser les épaules et le cou, il promena ses lèvres sur son front. Maintenant que la crise était passée, il pouvait la câliner. Des gestes qui le réconfortaient, lui aussi.

— Je n'en faisais jamais, avant. À part quand j'étais petite et que je rêvais qu'il y avait un monstre dans le placard, comme tous les gosses, de temps en temps. Ça a commencé après la mort de Jim. Je le revois sauter, et le moment où on l'a trouvé. Ça s'était tassé pendant l'hiver, mais ça a recommencé au début de la saison. Et c'est de pire en pire.

— Tu as trouvé un autre corps brûlé, et c'était encore quelqu'un que tu connaissais.

— Il me parle, maintenant. Des messages obscurs, des avertissements. Je sais que c'est mon subconscient, mais je ne comprends pas ce que ça veut dire.

— Qu'est-ce qu'il t'a dit, cette fois ?

— Que ce n'était pas fini. Qu'il y aurait d'autres morts. Je suppose que c'est parce que je suis terrifiée.

— Qu'est-ce qui te fait peur ?

— Bon sang, Gull ! À ton avis ?

— Cette réponse ne me suffit pas. Extériorise.

— Tu crois que c'est le moment ?

L'irritation qui perçait dans sa voix tranquillisa Gull.

— Oui.

— Je ne sais pas. Honnêtement. Si je savais, je… Dolly et Latterly, il y a un lien, c'est obligé. La probabilité est quasi nulle qu'ils soient tous les deux tombés par hasard sur un serial killer pyromane. Par contre, je ne suis pas certaine que ce soit Brakeman qui les ait tués.

— Tu as du mal à croire qu'il ait pu brûler le corps de sa propre fille. Moi aussi.

— N'empêche, c'est ce qui paraît le plus plausible. Il se rend compte que Dolly ne se contente pas de raconter des bobards mais qu'elle couche avec le pasteur. Ils se disputent, il la tue… de rage, involontairement, peu importe. Il panique, il essaie de la faire disparaître. Quelque chose en lui s'est brisé, il est devenu fou… Il nous tire dessus, il tue Latterly. Affaire classée.

Des larmes roulaient sur les joues de Rose.

— Sauf que tu n'y crois pas. C'est pour ça que tu fais des cauchemars où Jim, qui était lié à toi et à Dolly, verbalise ce que tu penses, tout au moins à un niveau subconscient.

— Merci, docteur Freud, dit-elle en reniflant.

— Vos cinquante minutes sont écoulées, mademoiselle… Tu devrais profiter des quelques heures qui nous restent pour dormir.

— Si on se mettait dans le lit ?

— Ce sera plus confortable, en effet.

Gull se leva et lui tendit la main. Puis, pour la faire rire, il la souleva dans ses bras en un geste chevaleresque – qui ne manqua pas de la dérider.

– J'ai peut-être maigri cette saison, mais je ne suis toujours pas un poids plume.

– C'est vrai, reconnut-il en la déposant sur le lit. La prochaine fois, c'est toi qui me porteras. Tu sais quoi ? ajouta-t-il en s'allongeant près d'elle. Je crois que ton cauchemar m'a complètement dessoûlé et que je n'aurai pas la gueule de bois.

– Toujours le bon côté des choses…

Il la serra contre lui et lui caressa doucement le dos jusqu'à ce qu'elle s'assoupisse.

Après le briefing du matin, Rose effectua sa séance de course, ses exercices de musculation puis de yoga athlétique, le tout aux côtés de Gull. Avec quelqu'un de son niveau, elle devait l'admettre, la routine quotidienne paraissait moins rébarbative.

Ils arrivèrent ensemble à la salle à manger, où Dobie se tenait la tête au-dessus d'un verre du célèbre remède anti-gueule de bois de Marg.

– Mmm ! regarde ces bonnes grosses saucisses, lui dit Rose en soulevant l'un des couvercles du chauffe-plat. Ça ne te tente pas ?

– Moque-toi de moi… Tu as de la chance que je ne puisse pas bouger. Mon crâne va exploser.

– Aurais-tu abusé de la boisson ? demanda-t-elle avec ironie. Moi, je pète le feu.

Elle avait bien une vague migraine, mais avec tout ce qu'elle avait bu, elle estimait s'en tirer à bon compte.

– Va te faire voir !

En souriant, Rose s'installa à table avec une assiette remplie à ras bord.

– Tu n'as pas faim ?

– Je me suis réveillé couché par terre contre Stovic. Je crois que ça m'a coupé l'appétit à tout jamais.

– Comment va Stovic ? demanda Gull.

– La dernière fois que je l'ai vu, il rampait vers sa chambre, les yeux injectés de sang. Si jamais vous me revoyez toucher à un verre de tequila, tuez-moi. Vous me rendrez service.

– Bois ce que Marg t'a préparé, conseilla Rose. Ça ne te fera pas sauter au plafond en chantant : « Oh, quelle magnifique journée ! », mais ça te requinquera.

– T'as vu la couleur que ça a ? Et on dirait qu'il y a un truc qui bouge au fond.

– Fais-moi confiance.

Dobie prit le flacon de Tabasco que Lynn posait désormais systé-matiquement sur la table. Rose s'apprêtait à lui dire que ce ne serait pas nécessaire, mais elle se ravisa et, se souriant à elle-même, planta sa fourchette et son couteau dans l'une de ses saucisses.

Dobie assaisonna copieusement la mixture, contempla son verre et, les yeux fermés, le vida d'un trait. De gris, son visage vira au cramoisi.

– Ouh, nom de nom ! s'écria-t-il, les yeux hors de la tête.

– Ça dégage, hein ? lui dit Rose en s'étouffant de rire. Ça te grille peut-être quelques neurones au passage, mais ça te vivifie le sang. Tu as été purifié, mon fils.

– Il ne va pas entrer en transe ? demanda Gull.

Fasciné, il observait les gouttes de sueur perlant sur le visage écar-late de son camarade.

– Les toxines qui s'évacuent, je suppose. Qu'est-ce qu'il y a dedans ?

– Marg refuse de nous le révéler. Pour que ce soit efficace, d'après elle, il faut d'abord prendre une aspirine avec un grand verre d'eau, puis tu bois sa potion, ensuite tu manges quelques toasts et tu bois encore un grand verre d'eau.

– Elle m'a dit aussi d'aller courir, marmonna Dobie.

– Tout à fait, approuva Rose. Et d'ici midi, tu auras de nouveau à peu près forme humaine et tu auras retrouvé l'appétit. Que quelqu'un aille chercher Stovic, de gré ou de force, et Yangtree. Ah, salut, Cards ! lança-t-elle à celui-ci en le voyant entrer dans le réfec-toire. Tu ne voudrais pas aller chercher ces traîne-misère de Stovic et Yangtree, qu'on leur fasse avaler l'antidote de Marg ?

Cards prit une chaise et s'installa à côté d'elle.

– Le chef vient de recevoir un appel des flics. Les rangers ont trouvé un fusil, à moitié enterré, à quelques centaines de mètres de l'endroit où la voiture du prêcheur était garée. Après vérification, l'arme était enregistrée au nom de Brakeman.

– L'affaire est donc close, dit Rose en étalant de la gelée de myr-tille sur un biscuit.

– Sauf que quand ils ont voulu aller le cueillir, ce matin, il était parti. Son camion aussi.

– Comment ça, « parti » ? demanda-t-elle, son couteau en l'air.

– En emportant du matériel de camping, un fusil, une carabine, deux revolvers et toute une cargaison de munitions. Sa femme prétend ignorer où il est. Soi-disant, elle n'était même pas au courant qu'il était parti. Je ne sais pas si la police la croit ou non, mais, d'après Michael, personne ne semble avoir la moindre idée de l'endroit où il peut être.

— Je croyais... on m'a dit qu'ils devaient le placer en garde à vue après l'enterrement, hier.

— Pour l'interroger, oui. Mais il a un avocat et jusqu'à ce qu'on découvre ce fusil, Rose, ils n'avaient aucune preuve contre lui.

— Nom d'un chien ! explosa Gull. Il n'était même pas sous surveillance ?

— Je n'en sais rien. Je n'en sais fichtrement rien, Gull. Rose, le chef m'a chargé de te dire que tu ne devais en aucun cas quitter la base, à moins qu'on ait une alerte au feu. Il préférerait aussi que tu restes autant que possible à l'intérieur, tant qu'on n'en sait pas plus. Et il ne veut entendre aucune protestation.

— Je travaillerai dans l'atelier, murmura Rose, terrifiée.

— Ils le retrouveront, Rose, il n'y en a pas pour longtemps.

Cards lui donna une petite tape encourageante sur le bras.

— Bon, je vais réveiller Yangtree et Stovic. On va se bidonner cinq minutes quand ils boiront la potion magique de Marg.

Dans le silence qui suivit son départ, Dobie se servit du café.

— Si je me barrais dans les montagnes autour de chez moi, dit-il, avec du matos, un bon fusil et un bon couteau, je pourrais tenir des mois. Et je vous promets que personne ne me retrouverait.

Rose se força à continuer de manger.

— On retrouvera son camion, peut-être, poursuivit-il, mais lui, on ne le retrouvera pas. Il va s'égarer dans les Bitterroots ou dans les Rocheuses. Sa femme perdra sa maison. Elle l'a hypothéquée pour qu'il soit libéré sous caution et il n'a pas été fichu de tenir parole. Je ne pensais pas que c'était lui...

— J'espère qu'ils le coinceront, dit Rose en se levant, et qu'ils le mettront derrière les barreaux pour le reste de sa vie. Si vous me cherchez, je serai dans l'atelier occupée à recoudre des harnais.

Sur ces mots, elle quitta la salle à manger d'un pas lourd. Dobie versa trois cuillerées de sucre dans son café.

— Qu'est-ce qu'on peut faire, mon pote ?

— Franchement, ça m'étonnerait que Brakeman revienne se pointer par ici. Et à mon avis, Rose est le cadet de ses soucis, en ce moment.

— Hum... Qu'est-ce qu'on peut faire ?

Gull leva la tête de son assiette. Parfois, des personnes sur qui l'on ne comptait pas se révélaient les amis les plus loyaux.

– Quand on est à la base, on se débrouille pour qu'il y ait toujours quelqu'un avec elle, vingt-quatre heures sur vingt-quatre. On se débrouillera aussi pour lui trouver des trucs à faire à l'intérieur. Mais Rose aura besoin de prendre l'air. Si elle reste enfermée, elle va péter un câble. On n'aura qu'à modifier notre programme habituel. Par exemple, au lieu de courir le matin, on courra le soir.

– Si on porte tous des casquettes et des lunettes noires, ce sera dur de savoir qui est qui, de loin. Le problème, c'est que cette nana est roulée comme une bombe. Ce ne sera pas facile de camoufler son corps de déesse. Et je ne crois pas qu'elle sera d'accord pour aller passer des vacances à Yellowstone ou dans l'Idaho.

– Non, elle considérerait ça comme une fuite. Une lâcheté.

– Peut-être. Mais peut-être pas, si tu partais avec elle.

– On n'en est pas encore là, Dobie.

Celui-ci pinça les lèvres, tout en observant Gull par-dessus sa tasse de café.

– Mais au cas où, tu partirais avec elle ?

Gull hocha la tête.

– Oui, je partirais avec elle, dit-il en se levant. Putain de bordel de merde !

Furieux, il se dirigea vers la porte, sur le pas de laquelle il bouscula Southern, Gibbons et Janis, encore en sueur après leur séance d'entraînement physique.

– Que se passe-t-il ? demanda Gibbons à Dobie.

– Asseyez-vous, je vais vous expliquer.

Bouillonnant de rage, Gull trouva Michael devant un hangar, en conversation avec l'un des pilotes.

– Comment il a pu se barrer, nom d'un chien ?

– Tu crois que je ne me pose pas la question ? Tu crois que je ne suis pas hors de moi ? Alors si tu as besoin de passer tes nerfs sur quelqu'un, va voir les flics. C'est eux les responsables.

– Comment il a pu leur échapper ? répéta Gull.

– Tu veux savoir comment ? Je vais te dire comment.

Michael ramassa un caillou gros comme son poing et le jeta violemment au loin.

– Deux agents surveillaient sa baraque, dit-il. En feuilletant des magazines de cul et en bouffant des beignets.

Il ramassa une autre pierre et la lança de toutes ses forces.

– Mon frère est flic, je sais comment il bosse. Enfin, bref… Les flics montaient la garde devant la maison. Le camion de Brakeman était garé derrière, sous un auvent. Il l'a chargé pendant la nuit puis l'a poussé dans le jardin. Il a découpé un trou dans la clôture, il a fait passer son camion à travers. Dans le jardin du voisin, il a continué à le pousser jusqu'à la route, et il a pris la tangente.

– Et les flics ne se sont aperçus de rien jusqu'à ce matin ?

– Non, de rien du tout.

– OK.

– OK ? C'est tout ce que tu trouves à dire ?

– J'ai la réponse à ma question, c'est déjà ça. Rose n'est que du troisième départ. Tu pourras l'affecter au centre des opérations si les premières équipes partent ?

Michael ramassa encore un caillou mais le laissa retomber à ses pieds.

– J'y avais pensé. Je voulais juste attendre qu'elle ait digéré la nouvelle.

– Je lui dirai.

– Elle pique en général des colères bleues quand on lui annonce une mauvaise nouvelle. C'est pour ça que j'ai envoyé Cards, tout à l'heure. Il est encore en convalescence. J'ai pensé qu'elle serait plus cool avec lui.

– Tu n'es pas chef pour rien, le complimenta Gull.

Quelque peu apaisé, Gull alla chercher un Coca dans le bâtiment des chambres et, bien qu'il trouvât l'idée aussi ridicule que de s'affubler d'une fausse moustache, il se munit aussi de casquettes et de lunettes de soleil.

Sur le chemin de l'atelier, il téléphona à Lucas.

La plupart des membres de la caserne effectuant leur entraînement physique ou prenant encore leur petit déjeuner, ils n'étaient qu'une poignée à travailler dans l'atelier aux côtés de Rose. Centimètre carré par centimètre carré, elle inspectait un parachute suspendu à la tour. Gull agita le Coca sous son nez.

– Je suis occupée, dit-elle sèchement.

À l'aide d'une pince, elle retira quelques aiguilles de pin plantées dans la toile.

– Bon, je le bois, dans ce cas, dit-il en décapsulant la canette. Je viens de voir Michael. S'il y a une alerte, tu es affectée au centre des opérations.

– Il ne m'interdira pas de partir ! martela la jeune femme.

– Je n'ai pas dit ça. Tu n'es que du troisième départ. À moins qu'il n'y ait un cataclysme, tu ne décolleras sûrement pas au premier appel. Tu es une adjointe de commandement qualifiée, non ?

Rose lui prit le Coca des mains et en but quelques gorgées.

– Mouais…, grommela-t-elle en reprenant son inspection. Merci pour l'info.

– Pas de quoi. Quant à la situation…

– Je n'ai pas besoin d'être rassurée, protégée, conseillée ni…

– Tu me laisses parler, s'il te plaît ? À mon avis, il y a peu de risques que Brakeman s'en prenne à toi.

– Il ne me fait pas peur. Et je sais ce que j'ai à faire. Je ne suis pas idiote. Ne t'inquiète pas, j'ai de quoi m'occuper, ici ou à la salle de gym.

Méticuleusement, elle marqua sur la voile un accroc à réparer.

– Brakeman a découpé son grillage, hier soir. Il a poussé son camion dans le jardin du voisin jusqu'à la route. Deux flics montaient la garde devant chez lui. Ils n'ont rien vu. J'en déduis qu'il n'est pas complètement demeuré, lui non plus.

– Tant mieux pour lui !

– Par contre, il abandonne ses armes, deux fois de suite, à des endroits où il y a de fortes chances qu'on les trouve. Un fusil enregistré en bonne et due forme et une carabine avec son nom gravé dessus, ce qui est carrément idiot.

– Tu penses de nouveau que ce n'est pas lui ?

– Je suis enclin à le penser, oui, même si ça ne nous arrange pas, parce que, si ce n'est pas lui, on ne sait pas qui d'autre ça pourrait être.

– Si ce n'est pas Brakeman, Gull, pourquoi quelqu'un se donnerait-il tout ce mal pour l'incriminer ?

– Parce qu'il est le coupable idéal… Parce que quelqu'un aimerait le voir en taule… Peut-être les deux. Toujours est-il que je ne crois pas qu'il y ait de raison de s'inquiéter outre mesure.

– Je ne suis pas inquiète, je suis furieuse.

– Ton subconscient est inquiet.

Rose examina l'insertion de chacune des suspentes puis le ralentisseur, et marqua une piqûre décousue. Gull attendit qu'elle ait fixé l'étiquette d'inspection à l'une des poignées.

– Il faut que j'appelle mon père, dit-elle. Les nouvelles circulent vite, il va s'inquiéter.

— Ton père est au courant, je lui ai tout raconté.

— Il est passé à la base ? Pourquoi n'est-il pas venu…

— Je lui ai téléphoné.

Rose fit volte-face.

— Pardon ? Qu'est-ce qui t'a pris de téléphoner à mon père avant…

— C'est ce qu'on appelle la solidarité masculine. Tu ne peux pas comprendre. Je suis persuadé que les femmes sont aussi capables que les hommes, qu'à travail égal elles méritent un salaire égal, et qu'un jour, bientôt j'espère, une femme sera à la tête des États-Unis. Mais tu ne peux pas comprendre les codes de la solidarité masculine, pas plus que les hommes ne peuvent comprendre l'obsession des femmes pour les chaussures.

— Je ne suis pas obsédée par les chaussures. N'essaie pas de te justifier par des poncifs sur les différences des sexes.

— Tu as trois paires de bottes de saut. Deux suffisent. Tu as quatre paires de chaussures de course. Là encore, deux sont déjà beaucoup.

— Je prévois une troisième paire de bottes de saut avant que la première soit inutilisable. Et j'ai quatre paires de baskets de course parce que… De toute façon, je ne vois pas le rapport. Tu essaies de noyer le poisson.

— Tout à fait, mais je n'ai pas fini. Tu as aussi deux paires de chaussures de marche, trois de nu-pieds, et trois d'escarpins à talons extrêmement sexy. Tout ça rien qu'à la base. Dieu sait ce que tu as encore chez toi !

— Tu comptes mes chaussures ? Et c'est moi qui suis obsédée ?

— Je suis juste observateur. Lucas veut que tu l'appelles dès que possible. Laisse-lui un texto ou un message vocal s'il est en l'air. Il passera te voir ce soir. Il est content que je veille sur toi. Dans le cas inverse, tu ferais pareil, non ? ajouta Gull avant même qu'elle riposte.

— Oui, dit-elle en soupirant. Je rends les armes après ta diatribe sur les chaussures. Qui ne m'obsèdent pas du tout.

— Tu as aussi une bonne dizaine de paires de boucles d'oreilles, que tu ne portes presque jamais. Mais on pourra en parler une autre fois.

— Oh, va-t'en ! Va potasser un truc. Reviens dans une heure, on…

La sirène coupa court à la conversation.

— Je vais prendre mon poste au centre des opérations, reprit Rose.

— Je t'accompagne.

Il lui tendit une casquette et une paire de lunettes de soleil, puis chaussa les siennes sous le regard dubitatif de Rose.

– Qu'est-ce que c'est que ça ?

– Un déguisement. Une idée de Dobie. Mets-les, sinon, il risque de commander des fausses moustaches et des nez rouges sur Internet.

Elle leva les yeux au ciel mais s'exécuta.

– On ressemble à des jumeaux, comme ça ? Où sont tes nibards ?

– Si je puis me permettre, les tiens sont superbes.

– Ce n'est pas moi qui dirai le contraire. En tout cas, vous feriez mieux de cesser de vous inquiéter pour Rose, tous, et de faire votre boulot.

À 16 heures, elle partait au feu faire le sien.

23

Juillet fut chaud et sec, propice aux incendies. Un orage, la moindre négligence, une étincelle portée par une bourrasque, et la forêt s'enflammait.

Pendant dix-huit jours et dix-huit nuits d'affilée, les Zulies furent mobilisés dans le Montana, l'Idaho, le Colorado, en Californie, au Dakota, au Nouveau-Mexique. Les chuteurs perdaient du poids et accusaient la fatigue, les blessures, la tension nerveuse.

Au fond des canyons, sur les crêtes, dans les forêts, un combat incessant ne laissait guère le loisir de penser à ce qui se passait en dehors du feu. La chasse à l'homme lancée contre Leo Brakeman depuis plus de deux semaines n'était qu'une préoccupation mineure quand l'ennemi catapultait des boulets incandescents et prenait un malin plaisir, avec la complicité du vent, à détruire les barrières laborieusement bâties.

Avec son équipe, Rose gravissait le flanc du mont Blackmore tel un bataillon à l'assaut de l'enfer. Tout près d'elle, un pin s'embrasa, crachant des braises pareilles à des confettis ardents. Les pompiers abattaient des arbres en feu, sciaient et coupaient les branches basses autour desquelles les flammes s'enroulaient comme des serpents.

On ne le laissera pas se propager par les cimes, se répétait Rose tout en donnant des coups de hache et des coups de pioche. *On ne le laissera pas gagner.*

Lorsque Gull la rejoignit, elle abaissa son bandana et soulagea sa gorge irritée d'une longue goulée d'eau.

– Le pare-feu a l'air de tenir, dit-il. Quelques foyers ont sauté par-dessus, mais on les a éteints. Gibbons a demandé à deux ou trois gars d'aller vérifier qu'il n'y en a pas plus bas. Il t'envoie les autres.

– Très bien, acquiesça-t-elle en comptant les vestes jaunes et les casques à travers la fumée.

Des langues de feu jaillissaient parfois dans le flamboiement, éclairant des visages durcis et tirés.

Rose se sentit soudain déborder d'amour pour chacun de ses collègues.

– On a fait du bon boulot, dit-elle à Gull. Passe devant. On va…

Elle s'interrompit soudain et lui saisit le bras.

Un rouleau de feu se détachait du mur rougeoyant. Poussée par le vent, la colonne s'éleva en tournoyant à plus de trente mètres de haut. En quelques secondes, elle arracha deux arbres sur son passage.

– Une tornade de feu ! Cours ! hurla-t-elle, en indiquant l'avant de la ligne.

Le courant d'air chaud lui brûlait le visage. Le regard rivé sur le vortex embrasé, Rose sortit sa radio et appela Gibbons.

– Tornade sur le flanc gauche, le prévint-elle. Mettez-vous à l'abri. Magnez-vous !

Le tourbillon se répandait vers la ligne d'arrêt, aussi fascinant que terrifiant. Des brandons enflammés voltigeaient, des explosions retentissaient, la température devenait difficilement respirable.

Matt trébucha dans sa course. Gull le releva. Sans quitter la tornade des yeux, Rose se précipita à la rescousse de son camarade et glissa une épaule sous son bras.

– C'est rien, je me suis juste tordu la cheville.

– Dépêche-toi ! Dépêche-toi !

La colonne progressait rapidement. Elle allait les rattraper, estima Rose. Ils ne parviendraient jamais à lui échapper, pas avec Matt boitillant entre eux. Dans le dos de celui-ci, Gull lui agrippa le coude. En réponse, elle exerça une pression sur sa main.

Voyant leur dernière heure arriver, elle accéléra le pas autant que possible. Ils n'avaient pas le temps de déployer leurs abris de survie.

– Là ! cria Gull en les entraînant vers la droite.

Il poussa d'abord Rose sous un énorme rocher, puis Matt, avant de s'y glisser lui-même alors que, tout autour, le monde entrait en éruption.

– Ça craint, haleta-t-il en regardant Rose dans les yeux.

Un bloc de roche explosa et retomba en pluie. À travers la fumée d'un noir d'encre, Rose vit un arbre embrasé s'effondrer et vomir un torrent de flammes et d'étincelles. Elle prit la main de Matt et la serra.

– Contrôle ta respiration comme si tu étais dans un abri anti-feu, lui dit-elle.

– C'est ce que Jim a vécu ? C'est ce qu'il a ressenti ? cria Matt.

Des larmes roulèrent sur son visage inondé de sueur.

– Contrôle ta respiration, répéta-t-elle. À travers ton bandana, comme dans un abri.

En un instant, la chaleur atteignit une telle intensité qu'elle redouta qu'ils se consument tous comme les arbres. Elle dégagea son autre main et saisit celle de Gull.

Puis, tout à coup, les hurlements du vent se turent.

– Ça se calme. Tout va bien. Tout va bien, les mecs ?

– Qu'est-ce que tu vois ? lui demanda Gull.

– La fumée commence à se dissiper un peu. Beaucoup de nouvelles éclosions. De nouveaux foyers, mais pas de mur ni de tornade. Pousse-toi un peu, Matt, que je puisse mieux regarder.

Penchée contre Gull, Rose passa prudemment la tête au-dehors et scruta la forêt.

– Les cimes n'ont pas pris, le pare-feu a tenu. On a juste des nouveaux foyers. Oh, purée, Gull, ta veste fume…

Elle la frappa des deux mains tandis qu'il se contorsionnait pour s'en extirper.

– Tu es brûlé ?

– Je ne crois pas, répondit-il en sortant à quatre pattes de sous le rocher. La terre est encore brûlante. Faites gaffe.

Rose le suivit. La voix de Gibbons résonna dans sa radio.

– Ici Rose, Gull et Matt. Tout va bien. Et vous ?

– On vient de se regrouper. Dieu merci, tout le monde est là. Où êtes-vous ?

Rose se redressa et regarda autour d'elle, afin de lui communiquer les coordonnées les plus précises possible.

– Matt s'est foulé la cheville. On va s'occuper des nouveaux foyers, Gull et moi, mais on a abandonné presque tout notre matos quand… C'est bon, dit-elle en entendant des cris et en apercevant des vestes jaunes à travers la fumée. Voilà la cavalerie.

Dobie apparut au pas de course, talonné par Trigger.

– Punaise, vous avez failli me faire mourir d'une crise cardiaque ! haleta Dobie en prenant Gull dans ses bras et en lui tapant dans le dos. Qu'est-ce que vous avez fichu, bon sang ?

– Une petite danse avec le diable. Dépêchons-nous d'éteindre ces foyers avant qu'une autre tornade se forme.

Trigger s'accroupit près de Matt et lui tendit un casque brûlé et cabossé.

— J'ai retrouvé ton heaume. Tu as eu du bol, mon pote. Tiens, ça te fera un souvenir.

Dans un élan de soulagement et d'affection, il l'attrapa par le cou puis posa le casque à côté de lui et se hâta de prêter main-forte à Dobie, qui avait entrepris de traiter les foyers.

— Montre-moi cette cheville, dit Rose en s'agenouillant pour délacer la botte de Matt.

— J'ai bien cru qu'on allait y passer. J'y serais resté si vous ne m'aviez pas traîné jusqu'ici, toi et Gull. Vous m'avez sauvé la vie. Vous auriez pu y laisser la vôtre.

Délicatement, elle palpa sa cheville enflée.

— On est des Zulies. Quand l'un d'entre nous tombe, on le relève. Je ne pense pas qu'il y ait de fracture. Juste une mauvaise entorse qui te vaudra quelques jours de vacances.

Elle leva les yeux vers lui et lui sourit.

— Veinard, ajouta-t-elle en sortant de son sac de quoi lui faire un bandage.

Malgré ses protestations, Matt fut évacué par un hélicoptère-ambulance. Aux petites heures du matin, le reste de l'équipe triom-phait enfin de l'incendie. La phase d'achèvement de l'extinction dura encore jusqu'à la fin de la journée.

— Je me suis portée volontaire pour rester en arrière, annonça Rose à Gull. Tu restes avec moi ?

— Avec plaisir.

— Allons faire notre tour de vérification avant que le soleil se couche.

Les deux jeunes gens s'engagèrent dans la zone sinistrée d'un pas tranquille, à l'affût de fumerolles ou de braises.

— J'ai bien cru qu'on allait griller vifs, dit Rose en soupirant. Si tu n'avais pas repéré ces rochers, si tu n'avais pas réagi aussi vite, on aurait fini carbonisés tous les trois.

— Je n'ai pas l'intention de te perdre. Cela dit, si tu avais été à ma place, c'est toi qui aurais vu les rochers en premier.

— J'espère… En tout cas, c'était merveilleux. C'est peut-être idiot de dire ça, de le penser, alors qu'on a failli mourir, mais c'était magni-fique, cette tornade qui semblait venir d'un autre monde.

— Tu ne vois plus les choses de la même manière, après ça. Tu te rends compte que tu n'es rien face à une colonne de feu. Tu cours, tu te planques et tu espères survivre… et si tu survis, tous tes petits tracas te paraissent ridicules.

– C'est pour ça que j'ai voulu rester encore un peu dans la forêt, pour prolonger ce moment hors du temps. Des tas d'emmerdements nous attendent à la base. Leo Brakeman court toujours. Ce n'est pas une tornade de feu, d'accord, mais il est toujours dans la nature.

Rose poussa un soupir.

– Chaque fois qu'on part en intervention, poursuivit-elle, je me demande si on ne va pas encore trouver un cadavre. Le sien, celui de quelqu'un d'autre. Et si ce n'est pas lui qui a provoqué ces incendies, celui qui les a allumés est toujours en liberté.

– Ça fait trois semaines qu'il n'a pas sévi, en tout cas.

– Mais je sens que ce n'est pas fini… Bon, si tu partais dans cette direction ? suggéra-t-elle en tendant le bras. J'inspecte ce côté. On couvrira plus de terrain si on se sépare. On se retrouve au camp. Disons à 18 h 30, ajouta-t-elle en consultant sa montre.

– À l'heure de l'apéro. Parfait.

Elle revint la première à la clairière au bord du ruisseau. Le campement était illuminé par les rayons du soleil de fin de journée. Elle rangea son matériel puis tâta la température des packs de bière et de Coca que Michael leur avait fait parachuter.

Elle préférait cela, réalisa-t-elle, dans ce coin de montagne isolé, à la meilleure des bouteilles de champagne dans le plus chic des restaurants du Montana. De n'importe où.

De son sac à dos, elle retira ses miniflacons de savon liquide et de shampooing. Seule dans la lumière du soir, elle enleva ses bottes, ses chaussettes, sa tenue de travail nauséabonde. L'eau lui arrivait à peine aux genoux, mais le courant glacé lui procura une sensation divine. Elle s'assit sur une pierre et savoura cette immersion vivifiante en contemplant le ciel au-dessus des arbres.

Elle prit autant de temps pour faire sa toilette que si elle avait été dans un bain moussant chaud et parfumé. Puis, les bras autour de ses jambes repliées, elle posa la joue sur ses genoux et ferma les yeux.

Elle les rouvrit en sentant une ombre au-dessus d'elle et esquissa vers Gull un sourire paresseux… qui s'effaça aussitôt lorsqu'elle vit son appareil photo.

– Tu ne m'as pas prise comme ça, j'espère ? Sinon, je casse ton appareil.

– C'est pour ma collection privée. Tu es un rêve, Rose. Déesse du Torrent. Comment est l'eau ?

– Froide.

– Je rêve de fraîcheur, dit-il en enlevant ses bottes.

– Tu es en retard. Il ne doit pas être loin de 19 heures.

– J'ai fait un petit détour.

– Tu as trouvé des foyers actifs ?

– Non, mais regarde ce que j'ai trouvé…

Il brandit une bouteille en plastique remplie de fleurs sauvages. Elle ne put s'empêcher de sourire.

– Ouh, elle est gelée ! dit-il en entrant dans l'eau.

Elle lui jeta le flacon de savon qu'elle avait coincé entre deux pierres.

– Tiens ! On se croirait seuls au monde, ici. Je n'aimerais pas qu'on reste trop longtemps seuls au monde : qui cuisinerait ? Mais pour l'instant, c'est fantastique.

– J'ai entendu les oiseaux dans la zone brûlée. Ils reviennent déjà, au moins pour voir ce qui s'est passé. Et dans le secteur intact, dans la prairie, là-bas, où j'ai ramassé les fleurs, j'ai vu un troupeau d'élans. On est peut-être les deux seuls humains, ici, mais la vie continue.

– Je vais m'habiller avant d'être frigorifiée, dit Rose en se redressant.

L'eau ruisselait le long de son corps, sa peau brillait de gouttelettes irisées.

– Waouh ! fit Gull.

– Pour ça, et pour le bouquet de fleurs sauvages, je crois que tu as mérité une bière.

En frissonnant, elle sortit de l'eau et se frictionna pour se sécher et se réchauffer.

– On a des spaghettis et de la sauce bolognaise, des crackers et du fromage à tartiner, et même du quatre-quarts en dessert, annonça-t-elle.

– Je mangerais du carton tellement j'ai faim. Ce menu me semble royal.

– Je vais allumer le feu, dit-elle en s'habillant. Tu apporteras la bière. En guise d'amuse-bouche… Oh, merde !

– Non, Rose, pour rien au monde je ne mangerais de la merde.

– Ne bouge pas.

– Pourquoi ?

– Il y a un ours sur l'autre rive.

– Oh, merde !

Gull se retourna lentement pour observer l'énorme masse de poils bruns qui s'avançait vers le ruisseau.

– Jette-lui quelque chose, suggéra-t-il.

– Quoi, par exemple ? paniqua Rose. Merde, merde ! Il nous regarde. Ne t'affole pas, les ours ne mangent pas les hommes. Ils se nourrissent de baies et de poissons. Sors de l'eau si tu ne veux pas qu'il te prenne pour un gros poisson.

Suivant les instructions de Rose, Gull se redressa lentement.

– Recule. Tout doucement. Il va sans doute s'en aller, mais on ne sait jamais.

Tandis que Rose se dirigeait vers le matériel, l'ours tourna le dos, s'accroupit, déposa une crotte et s'éloigna comme il était venu.

Sous le coup de l'émotion, Rose s'assit par terre et éclata de rire.

– Bon sang ! Je meurs d'envie de me siffler cette bière, s'exclama Gull en frottant ses cheveux mouillés.

Au goût de Gull, les pâtes instantanées et la bière étaient tout aussi romantiques qu'un dîner aux chandelles arrosé d'un grand cru. Et, incontestablement, il s'amusait beaucoup plus autour d'un feu de camp au milieu de nulle part que dans une salle de restaurant.

Pour la première fois depuis des semaines, Rose paraissait détendue, savourant le repos du guerrier dans la solitude de ce petit coin de paradis qu'ils avaient préservé.

– Tu faisais du camping avec ta famille ? demanda-t-elle.

– Très rarement. Je partais parfois en stop avec mes copains, sur la côte. On dormait sur la plage. J'ai toujours rêvé de faire un trek sur le sentier des Appalaches, mais entre mon boulot de pompier et l'arcade de jeux, je n'en ai encore jamais eu l'occasion.

– Il doit y avoir des endroits superbes, aussi, sur la côte est. Avec mon père, on restait presque toujours dans le Montana, quand on partait en vacances. Il y a déjà tellement de choses à voir et à faire, dans la région. Chaque été, mon père se débrouillait pour avoir au moins deux jours de congé de suite, et il m'emmenait quelque part. Comme il ne savait jamais longtemps à l'avance quand il pourrait les prendre, on choisissait notre destination à la dernière minute.

– Ça devait être cool.

– C'était génial, acquiesça Rose avec un sourire radieux. Il ne m'est jamais venu à l'esprit, avant de m'engager chez les Zulies, que mon père aurait sûrement préféré faire autre chose, pendant ses jours de congé, que du camping dans la forêt. J'imagine qu'il serait plus volontiers allé à l'hôtel et au restau.

– Il voulait faire plaisir à sa fille.

– Bien sûr. Je pensais à Dolly et à son père, tout à l'heure, à leurs relations conflictuelles. Est-ce parce qu'ils ne s'entendaient pas qu'elle était insupportable, ou est-ce qu'elle était insupportable à cause de cette mauvaise ambiance familiale ?

– Sans doute un peu des deux.

– Et pourquoi une liaison avec le pasteur Latterly ? Ce ne sont pas les célibataires qui manquent, à Missoula. En plus, il avait au moins quinze ans de plus qu'elle, et on ne peut pas dire qu'il était irrésistible.

– C'était peut-être une bête de sexe, plaisanta Gull.

– Mais ça, elle ne pouvait pas le deviner avant d'avoir couché avec lui. Un homme de Dieu, marié, avec trois gamins… Quelle idée !

– Elle voulait peut-être juste se prouver qu'elle pouvait le débaucher.

– Possible… bien que je n'arrive pas à comprendre une telle mentalité. Détruire une famille juste pour le plaisir d'ajouter un nom à ton palmarès de conquêtes ?

– Tout le monde n'est pas comme toi, répondit Gull en décapsulant les deux dernières canettes de bière. Il y a des filles qui aiment les hommes plus vieux, et que ça excite de briser les ménages. Elle s'imaginait peut-être qu'il lui passerait ses quatre volontés tellement il serait flatté de coucher avec une jeune nana plutôt bien roulée.

Rose inclina la tête.

– Peut-être que Latterly commençait à s'ennuyer avec bobonne, et qu'il a craqué pour cette jeune mère célibataire dans le besoin… Remarque, si ça se trouve, il se tapait la moitié des femmes de sa paroisse.

– Si c'est le cas, ça finira par arriver aux oreilles de la police. Les gens adorent colporter ce genre de détails croustillants.

– Peut-être que l'enquête sera bouclée quand nous rentrerons, dit-elle en découpant un morceau de quatre-quarts. Personne n'en parle, mais tout le monde y pense. Michael doit se faire un souci monstre, de savoir qu'on a tous l'esprit pollué par cette affaire.

– Ouais, il gère beaucoup de choses. Et il fait remarquablement bien son boulot.

– La première année où j'étais à la base, on avait un chef qui s'appelait Bootstrap. C'était un bon chef mais on voyait, même un bleu le voyait, qu'il avait la tête ailleurs. Il a pris sa retraite à la fin de l'été. Il avait un chalet dans l'État de Washington, il est parti s'y installer. Tout le monde savait que c'était sa dernière saison. Il gardait ses distances, si tu vois ce que je veux dire, surtout avec les nouveaux.

Gull hocha la tête.

— Je vois tout à fait. Il ne voulait plus s'impliquer personnellement.

— Non, il n'avait pas envie de créer des liens. Avec Michael, au moins, on sait que quand on a besoin de râler, de pleurnicher ou de décompresser, on peut compter sur lui. Il est le chef, mais il est aussi l'un des nôtres.

— À la santé de Michael !

Ils firent tinter leurs canettes de bière.

— J'aime faire l'amour avec toi, déclara Rose.

Les yeux félins de Gull brillèrent dans la nuit.

— Tu me dis ça comme ça, de but en blanc ?

— Je suis sérieuse. Je me rends compte qu'on est déjà à la moitié de la saison et que je vis des choses que je n'ai jamais vécues : des meurtres, des incendies criminels, et j'ai un homme dans mon lit presque tous les soirs.

— Espérons que seul le dernier élément persistera dans la deuxième moitié.

— Croisons les doigts. Le fait est, Gulliver, que si j'adore faire l'amour avec toi, je m'aperçois que si nous arrêtions…

— Fais attention à ce que tu vas dire.

— Même si on ne couchait plus ensemble, poursuivit-elle en riant, j'aimerais encore passer des soirées avec toi autour d'un feu de camp, à parler de tout et de n'importe quoi.

— Pareil pour moi. Sauf que je veux qu'on continue à coucher ensemble.

— Ce que j'aime chez toi, c'est que tu n'essaies pas sournoisement de me faire changer. Tu m'acceptes telle que je suis, obnubilée par mon travail, pas féminine pour un sou avec mes culottes et mes soutiens-gorge en coton.

Gull alluma un cigare et souffla un long nuage de fumée.

— Pourtant, j'adore les dessous en dentelle.

— Tu n'as pas de complexe parce que j'ai été ta formatrice, ni parce que je te donne parfois des ordres quand on est en intervention.

Elle prit le cigare qu'il lui tendait et en tira une bouffée.

— Parce que tu sais qui tu es et ça, c'est important. Tu ne me laisses pas dénigrer tes convictions et ça aussi, c'est important. Le sexe n'avait pas d'importance, avant, pour moi. Mais il en a quand il est associé à autre chose, quand l'homme avec qui je m'envoie en l'air m'offre des fleurs dans une bouteille, par exemple.

– Je pense à toi, dit Gull simplement.

Elle tira de nouveau sur le cigare avant de le lui rendre.

– Je sais, et c'est encore une chose nouvelle pour moi. Et il y en a une autre. Je crois que je suis profondément… attachée à toi, moi aussi.

Il prit sa main entre la sienne.

– Je sais, mais je suis content de te l'entendre dire.

– Monsieur-je-sais-tout, répliqua-t-elle en levant la tête vers le ciel étoilé. Ce serait chouette si on pouvait rester ici quelques jours. Pas de tracas, pas d'emmerdements.

– On reviendra quand la saison sera finie.

Elle était incapable de se projeter aussi loin. Le mois prochain, l'année prochaine lui semblaient aussi éloignés que les étoiles. Aussi flous qu'à travers un rideau de fumée.

Pas d'emballement, s'enjoignit-elle. *Surtout, pas de projets. Demain est un autre jour.*

Peu avant l'aurore, Gull rêva qu'il se baignait dans une cascade. Il plongeait sous l'eau cristalline aux reflets dansants sur le fond sablonneux. Rose nageait vers lui, la peau aussi dorée et scintillante que le sable, les yeux aussi bleus et clairs que l'eau du torrent dont le fracas assourdi résonnait en un rythme régulier.

Leurs bras s'entrelacèrent, leurs bouches se rencontrèrent. Le pouls de Gull battait aussi fort que le martèlement de la chute d'eau.

Allongé contre elle, il caressa paresseusement sa hanche, se croyant encore dans le rêve. Il remonta à la surface, dans le rêve et hors du rêve. Le bruit de l'eau était toujours là.

Il tambourinait aux confins de la tente lorsqu'il ouvrit les yeux. Souriant dans l'obscurité, il secoua doucement Rose.

– Eh, tu entends ?

– Hein ? Quoi ? grommela-t-elle d'une voix ensommeillée en repoussant sa main. Quoi ? répéta-t-elle plus lucidement. C'est l'ours ? Il est revenu ?

– Non. Écoute…

– Je n'ai pas envie… C'est la pluie, dit-elle en se redressant d'un bond. Il pleut !

Elle se précipita vers l'entrée de la tente et remonta la fermeture Éclair.

– Oh oui, de la pluie ! Tu entends ?

– Oui, mais je suis un peu distrait par la vue, là…

Elle lui jeta un sourire par-dessus son épaule, puis sortit de la tente en poussant un cri de joie. Gull se glissa au-dehors à son tour.

Les bras en l'air, elle renversa la tête en arrière et sauta d'un pied sur l'autre.

– Danse, Gulliver ! Danse en hommage au dieu de la Pluie !

Nu dans la lumière grise d'une aube pluvieuse, il dansa avec elle, puis l'attira sous la tente.

Régulière et incessante, l'averse imbibait la terre assoiffée, si bien qu'ils quittèrent le camp en pataugeant dans la boue. Bien qu'elle fût trempée, Rose ne se départissait pas de sa bonne humeur.

– C'est peut-être un signe, dit-elle. Un tournant. Ça veut dire que le pire est derrière nous.

Gull n'était pas certain qu'il faille placer autant d'espérance dans cette pluie d'été. Néanmoins, il se garda de jouer le rabat-joie.

24

Rose refusa de se laisser décourager par la nouvelle : Leo Brakeman était toujours en cavale. Gull avait raison, il fallait voir les choses du bon côté : depuis près d'un mois, il n'y avait pas eu de nouveau meurtre ni de nouvel incendie criminel.

La police ne l'attraperait peut-être jamais, ces crimes ne seraient peut-être jamais résolus. Et alors ? Après tout, cela ne changerait rien à sa vie.

Tandis qu'elle regagnait la base avec Gull sous la pluie, une équipe de douze était partie éteindre un feu à Shoshone, si bien qu'à peine rentrés ils étaient tous deux à nouveau de garde.

Ainsi était faite la vie qu'elle avait choisie, se dit-elle en déballant et en réorganisant son matériel : entraînement, préparatifs, action, puis remise en condition afin d'être prête à repartir.

Tout bien considéré, elle n'avait pas à se plaindre. Août approchait et elle ne s'était pas blessée, elle avait conservé un bon poids de forme en ne perdant que cinq kilos, et renforcé la confiance que Michael plaçait en elle ; chaque fois qu'il l'avait nommée chef des opérations, elle avait mené sa mission de main de maître. Plus important encore, elle avait contribué à sauver d'innombrables hectares de terres sauvages.

Et puis elle avait réussi à bâtir avec Gull ce qui était devenu, force lui était de le reconnaître, une relation sérieuse. Le positif l'emportait donc sur le négatif. Elle avait davantage de raisons de se réjouir que de broyer du noir. Pour fêter ça, décida-t-elle, elle allait s'offrir une petite gourmandise.

Elle trouva Marg occupée à ramasser des légumes dans le jardin humide.

– On a apporté la pluie, lui dit-elle. Elle nous a suivis tout le long du chemin. La saucée s'est arrêtée seulement quand on est arrivés au-dessus de Missoula.

– C'est la première fois depuis des semaines que je n'ai pas eu besoin d'arroser le potager. Mais la terre était sèche, elle a encore soif. Et la pluie a fait sortir ces satanés moucherons.

Marg en chassa une nuée de la main tout en soulevant son panier. Puis elle se vaporisa les bras de son répulsif maison et s'en passa sur le visage. Un parfum d'eucalyptus et de menthe se répandit autour d'elle.

– Je suppose que tu as faim.

– J'ai envie de quelque chose de sucré.

– J'ai ce qu'il te faut. Dis-moi, tu as l'air fraîche comme une rose pour quelqu'un qui a marché des heures sous la pluie. Y aurait-il un rapport avec un certain beau gosse aux yeux verts ?

– J'avoue qu'il y est sans doute pour quelque chose.

Dans la cuisine, Marg déposa son panier sur le plan de travail.

– Ça fait plaisir de voir des gens amoureux : toi, ton père.

– Je ne sais pas si je suis… Mon père ?

– Je l'ai croisé avec son amie au feu d'artifice du 4 juillet, et encore pas plus tard qu'avant-hier, à la pépinière. Ils choisissaient des plantes, tous les deux.

– Des plantes ? Tu es sûre que c'était bien mon père ? Lucas Tripp, le plus mauvais jardinier de la Terre ?

– Lui-même, acquiesça Marg tout en découpant une énorme part de forêt-noire. Emma l'aide à créer un massif de fleurs. Un petit, pour commencer. Il regardait les tonnelles.

– Arrête ton char ! rétorqua Rose. C'est tout juste si papa passe la tondeuse sur les pelouses…

Marg déposa le gâteau devant elle, accompagné d'un grand verre de lait.

– Les gens changent. Et c'est tant mieux. C'est bien qu'il s'inté-resse à autre chose qu'aux parachutes et aux avions. Tu devrais être contente, Rose, d'autant plus que par ailleurs on n'a pas trop matière à se réjouir, ces temps-ci.

– Ouais… Quel mal y a-t-il à rester fidèle à soi-même si on est bien comme on est ?

– La lassitude finit toujours par te gagner, surtout si tu es seul. Mange ton gâteau, ma belle.

– Papa ne s'ennuie jamais. Il a toujours plein de choses à faire, et il a plein d'amis.

– Mais jusqu'à présent, quand il éteignait la lumière, il n'avait plus personne. Si tu ne vois pas qu'il est beaucoup plus heureux depuis qu'il a rencontré Emma, c'est que tu ne fais pas attention.

Rose cherchait une réponse, lorsque son regard s'arrêta sur le visage de Marg. Manifestement, non, elle ne faisait pas attention à grand-chose. Sinon, elle aurait remarqué plus tôt la tristesse qui se lisait sur les traits de la cuisinière.

– Tu as des soucis, Marg ?

– Pas personnellement, mais on traverse une période sombre. Je sais que tu te porterais aussi bien si on n'entendait plus jamais parler de Leo Brakeman. Et je ne te jette pas la pierre. Mais cette histoire est en train de démolir Irene.

– S'il revient, ou si on l'attrape, il ira probablement en prison. Je ne suis pas certaine que ce sera mieux pour elle.

– Au moins, elle saura à quoi s'en tenir. En attendant, elle a été obligée de prendre un deuxième emploi. Son salaire au lycée ne suffisait pas pour régler toutes les factures. Du coup, elle n'a plus le temps de s'occuper de la petite.

– Sa famille ne peut pas l'aider ?

– Pas suffisamment, j'imagine. La dernière fois que je l'ai vue, elle semblait épuisée. Elle est sur le point de jeter l'éponge. À ce rythme, je me demande combien de temps elle va encore pouvoir tenir.

– On pourrait peut-être organiser une quête. Pour le bébé de Jim, tout le monde serait prêt à donner un petit quelque chose.

– Honnêtement, Rose, je ne crois pas qu'elle accepterait. En plus de tout le reste, elle a terriblement honte. Ça m'étonnerait qu'elle accepte de l'argent de notre part. On se connaît depuis qu'on était gamines, elle et moi, et elle n'ose même pas me regarder. Ça me fend le cœur.

Rose se leva, se découpa une deuxième tranche de forêt-noire, plus petite, et se servit un autre verre de lait.

– Assieds-toi, mange ton gâteau, lui dit Marg. On va trouver une solution. Il y a toujours une solution si on se donne la peine de la chercher.

Lorsque Emma redescendit au rez-de-chaussée, Irene était toujours assise sur le canapé, les épaules affaissées, la tête baissée. Délibérément, Emma afficha un sourire enjoué.

– Shiloh s'est endormie. Franchement, elle est adorable, si vive, si souriante. Un vrai petit rayon de soleil.

Elle ne parla pas du temps qu'elle avait passé à plier et à ranger le linge entassé dans la panière à côté du berceau, ni du désordre qui régnait dans la maison, d'ordinaire si soignée.

– Elle me donne envie d'avoir d'autres petits-enfants, ajouta-t-elle sur un ton guilleret et dynamique. Je vais préparer du thé.

– La cuisine est dégoûtante. Je ne sais même pas s'il me reste du thé. Je n'ai pas eu le courage d'aller faire les courses.

– Ne bouge pas, je vais voir.

Des assiettes et des casseroles sales s'accumulaient dans l'évier de la petite cuisine qu'Emma avait toujours trouvée chaleureuse et pleine de charme. Effectivement, les placards et le réfrigérateur, presque vides, avaient grand besoin d'être regarnis.

De cela, au moins, Emma pouvait se charger.

Elle dénicha cependant une boîte de sachets de thé et mit de l'eau à chauffer ; et tandis qu'elle commençait à remplir le lave-vaisselle, Irene la rejoignit d'un pas traînant.

– Je suis tellement fatiguée que je n'ai même pas honte de l'état de ma cuisine ni de te laisser faire le ménage à ma place.

– Ne t'en fais pas… C'est à ça que servent les amis, non ?

– J'étais fière de ma maison, avant, mais je n'y suis plus vraiment chez moi, maintenant. Elle appartient à la banque. Ce n'est plus qu'un endroit où habiter… tant qu'on me laisse y habiter.

– Ne dis pas des choses pareilles. Tu vas t'en sortir. Tu ne voudrais pas que je prenne Shiloh un jour ou deux ? Ça te permettrait de te reposer, de reprendre ton souffle. Tu sais que je le ferais avec plaisir. Ensuite, si tu es d'accord, bien entendu, nous pourrons examiner ta situation financière et voir ce que…

Des larmes roulaient sur les joues d'Irene. Abandonnant la vaisselle, Emma la prit dans ses bras.

– Je n'y arriverai jamais, sanglota-t-elle. Je n'ai plus la force de me battre. Je n'ai plus le cœur à rien.

– C'est juste parce que tu es trop fatiguée.

– Je n'en peux plus… Shiloh fait ses dents. Quand elle pleure, la nuit, je reste dans mon lit à attendre qu'elle s'arrête, à prier pour qu'elle se calme. Je la fais garder par n'importe qui pendant que je suis au travail, mais, même avec mon nouveau boulot, je n'arriverai pas à racheter la maison, à moins de me séparer d'autre chose.

– Laisse-moi t'aider.

– M'aider à quoi ? À payer mes factures, à élever ma petite-fille, à garder ma maison ? protesta Irene d'une voix atone. Jusqu'à quand,

Emma ? Jusqu'à ce que Leo revienne, s'il revient… Jusqu'à ce qu'il sorte de prison… s'il va en prison.

– Tu as besoin d'être épaulée, Irene.

– Je sais que tu es pleine de bonnes intentions, mais je ne vois pas comment je pourrais m'en sortir. J'avais confiance en Leo. C'est mon mari, et je voulais le croire quand il disait que ce n'était pas lui qui avait commis ces atrocités.

Ne sachant que dire, Emma garda le silence tandis que son amie parcourait la pièce d'un regard abattu.

– Il m'a laissée toute seule, et il a retiré tout l'argent qu'il y avait sur notre compte. Que puis-je penser de lui, maintenant ?

– Assieds-toi. Une tasse de thé n'est pas grand-chose, mais c'est toujours quelque chose.

Irene prit place devant la table et regarda par la fenêtre le jardin qu'elle aimait autrefois entretenir. Le jardin par lequel son mari s'était enfui.

– Je sais ce que les gens racontent, même s'ils ne parlent pas devant moi. Ils disent que Leo a tué le révérend Latterly et que s'il a pu faire ça, il a pu aussi tuer Dolly. Sa propre fille. Sa chair et son sang.

– Les gens disent et pensent beaucoup de choses…

Les pommettes d'Irene saillaient cruellement sous sa peau vieillie de dix ans en deux mois à peine.

– Je pense comme eux, maintenant. Je ne le dis pas, mais je le pense. Ils se disputaient tout le temps, avec Dolly, ils se criaient dessus, ils avaient des mots horribles. Et pourtant… il l'aimait. Je le sais.

Irene baissa les yeux sur la tasse qu'Emma déposa devant elle.

– Il l'aimait trop, peut-être, poursuivit-elle. En tout cas, il prenait plus à cœur que moi tout ce qu'elle disait, tout ce qu'elle faisait. L'amour peut prendre de drôles de formes, n'est-ce pas ? Il peut se transformer en quelque chose de sombre en l'espace d'une minute.

– Je ne sais pas quoi te dire, mais ce n'est pas dans le déses-poir que tu trouveras des réponses à ces questions. Le mieux que tu puisses faire, je crois, est de te concentrer sur Shiloh et sur toi-même, de façon que vous ayez toutes les deux la meilleure vie pos-sible, jusqu'à ce que tu obtiennes ces réponses.

– C'est ce que je fais. J'ai téléphoné à Mme Brayner, la maman de Jim, ce matin, avant d'aller au travail. Elle va venir du Nebraska avec son mari et ils prendront la petite.

– Oh, Irene…

– Ce sera mieux pour elle, murmura Irene en essuyant une larme. Cette précieuse enfant mérite mieux que ce que je peux lui offrir pour le moment. Elle est innocente, elle. C'est la seule d'entre nous qui le soit vraiment. Elle mérite mieux que d'être confiée à des amis et à des voisins toute la journée, et le reste du temps à une grand-mère à peine capable de s'occuper d'elle, qui ne sait même pas jusqu'à quand elle pourra lui offrir un toit, encore moins lui acheter des vêtements et l'emmener chez le pédiatre.

Sa voix se brisa. D'une main tremblante, Irene souleva sa tasse de thé et en but une gorgée.

– Je prie pour elle, Emma. J'en ai parlé avec le révérend Meece. Tu avais raison, il est gentil.

– Il pourrait t'apporter de l'aide…, commença Emma, mais Irene secoua la tête.

– Je sais au fond de mon cœur que je ne peux pas offrir une vie décente à Shiloh dans l'état actuel des choses. Je ne peux pas la garder, alors que je ne suis même pas sûre que son grand-père n'est pas responsable de la disparition de sa maman.

Emma se pencha au-dessus de la table et prit les mains d'Irene.

– J'imagine combien cette décision à dû te coûter. Je sais combien tu as d'amour pour cette enfant. Y a-t-il quelque chose que je puisse faire ? N'importe quoi ?

– Tu ne me reproches pas ma décision, tu ne m'accuses pas d'être égoïste et faible. C'est déjà une aide énorme, répondit Irene en prenant une profonde inspiration et en buvant une autre gorgée de thé. Les Brayner sont des gens bien. Elle m'a dit… Kate, elle s'appelle Kate, elle m'a dit qu'ils resteraient à Missoula quelques jours, le temps que la petite s'habitue à eux. Et que nous garderions le contact pour que Shiloh nous ait tous dans sa vie. Je… je voulais qu'ils emportent toutes les affaires de bébé, le berceau et tout ça. Elle a refusé. Elle m'a conseillé de tout garder pour quand Shiloh viendrait me voir.

Des larmes tombèrent dans le thé. Emma serra plus fort les mains de son amie.

– Oui, ils ont l'air d'être des gens bien, acquiesça-t-elle.

– J'en suis persuadée, et je suis contente qu'ils soient là. Mais je sens qu'une part de moi est en train de mourir.

Suite à sa conversation avec Marg, Rose en était arrivée à la conclusion que le moment était venu d'avoir une discussion sérieuse avec son père. Une discussion qu'ils ne pouvaient avoir à la base. Elle se rendit donc au bureau de Michael. Devant lequel elle croisa Matt.

– Salut. Le chef est là ?

– Ouais, je viens de lui demander quelques jours de congé, à la fin de la semaine. Mes parents viennent à Missoula.

Rarement, depuis le décès de Jim, elle l'avait vu aussi réjoui.

– Super ! Ils viennent te voir, et voir Shiloh ?

– Pas seulement. Ils vont l'emmener chez eux.

– Ils ont obtenu la garde ? Ç'a été rapide. Je pensais que les démarches prendraient plus de temps.

– Ils n'ont pas eu besoin d'en faire. Mme Brakeman a téléphoné à ma mère ce matin pour lui dire qu'elle voulait qu'ils prennent la petite.

– Oh ! fit Rose, surprise. Tes parents doivent être contents. Mais ça doit être dur pour Mme Brakeman.

– Sûrement. Elle me fait de la peine. C'est quelqu'un de bien. Je crois qu'elle l'a prouvé en prenant cette décision. Mes parents vont rester ici quelques jours, le temps que tout le monde fasse connaissance. Je veux être présent. Shiloh me connaît, ça facilitera les choses. En quelque sorte, je représente Jim.

– En quelque sorte, oui. C'est important pour tout le monde.

– Je ne suis pas un lâche, moi, comme Brakeman, répliqua Matt, son visage se rembrunissant. Si ça n'était que moi, je lui interdirais de revoir cette enfant. Sa femme va perdre sa maison à cause de lui.

– Ce n'est pas juste, acquiesça Rose. Quoi que son mari ait fait, elle n'y est pour rien.

– Elle pourrait aller s'installer dans le Nebraska, si elle voulait, pour être près de Shiloh. Elle devrait, d'ailleurs, et j'espère qu'elle le fera. Il ne lui reste plus rien ici, de toute façon. Elle devrait partir dans le Nebraska pour que la petite ait ses deux grands-mères. Bon, écoute, je te laisse, je vais téléphoner à mes parents, leur dire que j'ai pu prendre des congés.

Le malheur des uns faisait le bonheur des autres, se dit Rose en le regardant s'éloigner au fond du couloir. La vie était parfois cruelle. Elle toqua à la porte de Michael et passa la tête dans son bureau.

– Tu as un peu d'indulgence pour quelqu'un qui souhaite s'absenter un moment de la base ?

– S'il y a un incendie, on pissera dessus.

– Intéressante, ta nouvelle stratégie ! Mais rassure-toi, je n'ai besoin que de quelques heures.

– Quand ?

– Maintenant. Je voudrais aller voir mon père.

– Décidément, c'est la période des réunions de famille. C'est bon, tu peux prendre ta soirée. Sache toutefois que ça fume au-dessus de Payette et là-haut en Alaska, que la région de Denali est frappée par des orages secs, et Yellowstone en état d'alerte. Prépare-toi à partir demain.

– Je serai prête, affirma Rose. Je suppose que Matt t'a dit pourquoi il voulait un congé…

Michael se frotta les yeux.

– Oui. J'imagine que c'est la meilleure solution, mais c'est aussi une nouvelle épreuve pour une femme qui a déjà encaissé pas mal de coups durs.

– Toujours pas de nouvelles de Leo ?

– Pas que je sache. Ce salopard… Ça me rend malade qu'il ait pu faire ça. Dire que je chassais avec lui… On est même partis ensemble au Canada, une fois, avec des amis communs.

– Tu as indiqué à la police les endroits où tu savais qu'il aimait bien aller ?

– Tous, et je n'en ai pas éprouvé le moindre remords. Irene est une honnête femme. Je la plains de tout mon cœur. Allez, va, file voir ton père. Si on reçoit un appel de l'Alaska, on risque de décoller ce soir.

– Je suis partie. À plus !

Sitôt quitté le bureau de Michael, Rose composa un texto : JE SUIS LIBRE POUR LA SOIRÉE. RENDEZ-VOUS À LA MAISON. JE PRÉPARERAI LE DÎNER !

Il ne lui restait plus qu'à espérer que son père ait de quoi cuisiner. Dans sa chambre, elle prit ses clés, puis s'arrêta sur le seuil de celle de Gull dont la porte était entrouverte.

– Michael m'a donné ma soirée, annonça-t-elle. Je vais chez mon père.

Gull posa son ordinateur portable à côté de lui.

– OK.

– Il faut qu'on discute de certaines choses, lui et moi, en tête à tête, dit-elle en agitant les clés de sa voiture. Il y a des incendies qui couvent à Yellowstone, dans le Wyoming et en Alaska. On risque de décarrer dans la nuit. Je ne rentrerai pas tard.

– Tu attends de voir si je vais rouspéter parce que tu m'abandonnes comme une vieille chaussette ?

– Peut-être…

– Ce n'est pas mon genre. Mais, soit dit en passant, je ne verrais pas d'objections à dîner avec ton père et toi, un de ces quatre, peut-être quand la saison commencera à se calmer…

– Je prends note. À tout à l'heure. Je passe te voir dès que je suis de retour. Eh, au fait, je n'ai presque plus d'essence. Tu pourrais me prêter ta voiture ?

– Ah, ah ! Bien joué, mais je ne prêterai pas ma voiture !

– J'aurai tenté le coup…

Elle conduirait son bolide avant la fin de l'été, se promit Rose en se dirigeant vers sa Dodge. Elle devait juste élaborer la bonne tactique.

Dès l'instant où elle sortit de l'enceinte de la caserne, elle se sentit plus légère. Autant elle aimait son métier, autant elle avait parfois besoin de se retrouver seule et de relâcher la pression.

De se retrouver seule, surtout en ce moment, se rendit-elle compte.

En s'accordant une soirée de relâche, elle s'était en quelque sorte offert un petit cadeau, une brève parenthèse, en pleine saison, comparable aux virées de camping d'autrefois, un moment rien qu'à eux, durant lequel son père et elle pourraient se parler à cœur ouvert et à tête reposée.

Il s'était passé tant de choses, et tant de choses se bousculaient dans son esprit. Les événements de l'été avaient éveillé en elle de lourds échos du passé, ravivé des souvenirs de sa mère, des sentiments douloureux. Elle ne gardait pas de séquelles des traumatismes de son enfance, mais il subsistait de cette période une fine couche de sédiments qu'elle n'avait jamais réussi à gratter.

Rose aimait à penser qu'elle était solide, forte, et elle le croyait. Toutefois, elle commençait à se demander si elle ne se cachait pas sous cette carapace qu'elle s'était forgée.

Se servait-elle de ce bouclier comme d'une excuse, d'une échappa-toire ? Si tel était le cas, était-ce intelligent, ou au contraire stupide ?

Une chose à méditer avec la seule personne au monde qui la connaissait vraiment, et qui l'aimait quoi qu'il advienne.

Après s'être garée devant la maison, au pied du portique qu'elle avait construit avec son père lorsqu'elle avait quatorze ans, elle resta un instant dans sa voiture.

La pelouse avait pâti de la sécheresse de l'été, même sous le grand érable qui ombrageait un coin du jardin. Mais tout le long de la véranda de jeunes pousses colorées pointaient fièrement le nez hors d'un massif de terre fraîche. De chaque côté des marches de l'entrée, des plantes fleuries retombaient de paniers suspendus à des crémaillères décoratives.

– Je le vois de mes yeux, dit-elle à voix haute en descendant de sa voiture, mais je n'y crois pas.

Elle se souvenait des étés de son adolescence où sa grand-mère avaient planté des fleurs, et même tenté de créer un petit potager à l'arrière de la maison. Et comme elle maudissait les cerfs et les lapins qui ravageaient ses plantations, chaque année, invariablement.

Elle se souvenait aussi des quolibets que son père s'attirait parce qu'il faisait crever même les plus robustes des plantes d'intérieur. Et voilà qu'il avait planté… elle n'aurait su dire quoi, elle-même n'était pas férue de botanique. En tout cas, il avait réalisé un parterre resplendissant, plein de couleurs.

Le résultat était de bon goût, devait-elle admettre. Mais tant de créativité n'émanait pas du cerveau réfractaire au jardinage d'Iron Man Tripp.

En pénétrant dans la maison, elle fut là aussi immédiatement frappée par le changement.

Des bouquets ? Depuis quand son père pensait-il à égayer son intérieur de bouquets de fleurs fraîches ? Et des bougies, de grandes bougies blanches qui dégageaient un vague parfum de vanille. Un nouveau tapis à motifs géométriques de couleurs vives s'étalait sur le plancher du salon, ciré de frais. Indiscutablement, cela ajoutait du cachet à la pièce, néanmoins…

Les mains sur les hanches, Rose s'avança dans le living-room. Des magazines de décoration et de jardinage étaient disposés en éventail sur la vieille table basse. Depuis quand Lucas…

Question idiote. Depuis Emma, évidemment.

Curieuse de savoir ce qu'elle allait encore découvrir, Rose se dirigea vers la cuisine, et jeta au passage un coup d'œil dans le bureau de son père. Des stores en bambou aux tons épicés remplaçaient les rideaux beige – les affreux rideaux beiges.

Le cabinet de toilette avait, quant à lui, subi une métamorphose complète. Plus de vulgaire savon liquide sur le bord du lavabo, plus de serviette défraîchie jetée sur le porte-serviette. À la place, un distributeur en acier chromé qui déposa au creux de la paume de Rose une noisette de mousse parfumée au citron. Médusée, elle se sécha les mains dans l'un des moelleux essuie-mains bleu marine pliés avec soin près d'une paire de gants violets.

Une soucoupe de pot-pourri dégageait un délicat parfum d'ambiance, et une gravure encadrée représentant une prairie de montagne ornait le mur fraîchement repeint. Lucas avait repeint les murs du cabinet de toilette… en mauve. Incroyable !

Éberluée, Rose poursuivit son chemin jusqu'à la cuisine, qu'elle balaya du regard en clignant des yeux.

« Propre » et « pratique » avaient toujours été les mots d'ordre des Tripp, père et fille. « Déco » semblait s'y être ajouté. Alors que chaque chose était d'ordinaire rangée à sa place, dans les placards, tout un tas de nouveaux accessoires étaient apparus : une corbeille en bambou ovale remplie d'un assortiment de fruits frais ; des petits pots en argile rouge d'herbes aromatiques alignés sur le rebord de la fenêtre au-dessus de l'évier ; un porte-bouteilles métallique, garni de bouteilles de vin, sur le dessus du réfrigérateur. Sur les tabourets de bar, les vieilles galettes de siège avaient fait place à des coussins d'une teinte dont Rose aurait juré qu'elle se nommait citrouille dans les magazines du salon.

Deux sets – en bambou, encore – étaient posés sur la table, comme si c'était l'heure du repas, avec des serviettes en tissu roulées dans des ronds de serviette. Au centre trônaient un bouquet de marguerites ainsi que des bougies chauffe-plats dans des soucoupes ambrées.

Préférant digérer un peu le choc avant de s'aventurer à l'étage, Rose ouvrit le réfrigérateur. OK, il y avait toujours de la bière, au moins une constante. Mais aussi une bouteille de vin blanc entamée, fermée par un bouchon en verre coloré. Elle s'en servit un verre et inspecta le contenu du congélateur, d'où elle sortit des escalopes de poulet.

En sirotant son verre de vin – délicieux, elle devait le reconnaître –, elle se mit à éplucher des pommes de terre, et commença enfin à se sentir chez elle. Elle secoua toutefois la tête en remarquant les chaises sur la terrasse. Lucas les repeignait chaque année, mais jamais en rouge coquelicot.

Lorsqu'elle l'entendit arriver, le dîner mijotait dans une grande sauteuse. Rose remplit un autre verre de vin.

Par chance, son père était toujours le même.

– Ça sent bon, dit-il en l'embrassant. Tu m'as fait une belle surprise.

– Tu m'en as réservé quelques-unes, toi aussi. Tiens, dit-elle en lui tendant le deuxième verre. Puisque tu es devenu un amateur de vin…

Sourire aux lèvres, il lui porta un toast.

– On a le temps d'aller s'asseoir dehors un moment ?

– Bien sûr, acquiesça-t-elle en le suivant sur la terrasse. Il y a eu des changements dans la maison, dis donc.

– Qu'en penses-tu ?

– C'est coloré.

– Un peu trop fantaisiste à mon goût, mais je m'y fais, répliqua-t-il en prenant place sur l'une des chaises rouges et en soupirant de bien-être.

– Papa, tu as planté des fleurs. Ça ne te ressemble pas du tout.

– Et je ne les ai pas encore fait crever. Je les arrose tous les jours.

– Pardon ?

– J'ai acheté un tuyau d'arrosage.

Du vin, un tuyau d'arrosage, des murs mauves… Qui était cet homme ?

Elle le reconnut néanmoins lorsqu'il posa les mains sur les siennes et la regarda dans les yeux.

– Tu as des soucis, ma chérie ? Dis-moi tout.

Ce qu'elle fit, sans rien omettre.

– Je ne sais pas ce qui m'arrive, confessa-t-elle. Je recommence à rêver de Jim, et je fais des cauchemars de plus en plus horribles. Je suppose que c'est à cause de tout ce qui s'est passé : Dolly, son père… C'est sûrement lui qui l'a tuée, et qui a assassiné le prêtre. Ça me met hors de moi, et ce qui me révolte encore plus, c'est qu'il soit parti en laissant sa femme toute seule dans ce bourbier… Je ne devrais pas me faire du mal à cause d'eux, mais c'est plus fort que moi. Pourquoi ? Je sais pourquoi, dit-elle en se levant. Je sais pourquoi, et tu ne peux pas savoir comme ça m'énerve… Parce que ça me fait penser à ma mère, et que je ne veux pas penser à elle. Qu'elle nous ait abandonnés ne définit pas ma vie. Je suis comme je suis, et ce n'est sûrement pas à travers elle que je me définis. Je suis plus intelligente que ça.

– Tu l'as toujours été.

– Par-dessus le marché, ma relation avec Gull m'embrouille les idées. Franchement, où ça va nous mener ? Enfin, bref, ce n'est pas le plus important. On verra bien… Et toi, tu plantes des fleurs, tu bois du vin et tu mets des pots-pourris dans la salle de bains.

Lucas ne put réprimer un sourire.

– Ça sent meilleur que ces désodorisants en bombe.

– Ouais, peut-être, mais ça me perturbe. Alors qu'il y a des choses beaucoup plus graves. La mère de Dolly va confier sa petite-fille aux Brayner parce qu'elle ne peut pas s'en occuper toute seule. C'est probablement la meilleure solution, mais ça me rend triste, et ça m'agace de déprimer à cause de ça, parce que je sais que je m'iden-tifie à cette petite fille, alors que le contexte est complètement diffé-rent. Demain, j'irai sûrement combattre le feu en Alaska, et je suis là, à me prendre la tête pour des coussins citrouille, une gamine que je n'ai jamais vue et un mec qui parle de rester avec moi après la fin de la saison. Que m'arrive-t-il ?

Lucas hocha doucement la tête tout en sirotant une gorgée de vin.

– Beaucoup de choses, en effet... Voyons voir si nous pouvons démêler un peu tout ça. Pour commencer, ça ne me plaît pas que tu fasses de nouveau des cauchemars, mais je ne suis pas vraiment étonné : tu es sous pression, cette saison est encore plus éprouvante que les autres. Tu n'es sûrement pas la seule à avoir des troubles du sommeil.

– C'est vrai...

– Tu en as parlé à Michael ?

– Non. Il a déjà suffisamment de soucis. Ce n'est pas la peine que j'en rajoute. C'est pour ça que je t'en parle à toi.

– Je ne peux que te répéter ce que je t'ai déjà dit après l'accident. Les pompiers parachutistes vivent en permanence dans le danger, mais ils s'entraînent physiquement et se conditionnent mentalement pour minimiser les risques. Cela n'empêche pas d'avoir parfois des défaillances. Dans ces cas-là, soit tu as de la chance, soit tu n'en as pas. Jim n'en a pas eu, et c'est un drame, un coup très dur à encaisser pour ses proches. Vous, ses collègues, vous étiez sa deuxième famille.

– Je n'avais jamais perdu personne avant lui. Elle ne compte pas, dit Rose en faisant référence à sa mère. Ce n'est pas pareil.

– Je sais. Tu aimerais le sauver, revenir en arrière et le sauver. Mais c'est impossible, ma chérie. Il faut que tu l'acceptes et les cauchemars cesseront.

Lucas se leva et passa un bras autour des épaules de sa fille.

– Par ailleurs, poursuivit-il, tu n'auras pas l'esprit en paix tant que ces meurtres ne seront pas tirés au clair. Tout le monde ne parle que de ça, c'est normal que ça te travaille. D'autant plus que Dolly était liée à Jim. Le fait qu'elle lui ait annoncé qu'elle était enceinte juste avant qu'il saute n'est sûrement pas pour rien dans l'erreur qu'il a commise, mais elle te reprochait à toi d'être responsable de l'accident. Leo est ensuite venu t'accuser de tous les maux, lui sur qui pèsent tous les soupçons de la police. Ne te laisse pas empoisonner la cervelle, Rose, dit-il en lui embrassant le sommet du crâne. Ne laisse pas les autres te faire porter le poids de leurs fautes. Que tu sois affectée par la situation d'Irene Brakeman, c'est humain. Moi aussi, j'ai beaucoup de peine pour cette brave femme. Emma est chez elle, en ce moment.

– C'est bien qu'elle ait quelqu'un pour la soutenir.

– J'avais tes grands-parents, et je me suis beaucoup reposé sur eux. J'avais aussi des amis, mon boulot. Et surtout je t'avais, toi. Quand quelqu'un s'en va, tu te retrouves avec un vide. Certains parviennent à le combler. D'autres laissent la plaie béante, et la grattouillent de temps à autre, si bien qu'elle ne peut pas cicatriser. Ça m'énerve autant que toi, mais je crois que nous appartenons à la deuxième catégorie.

– Je n'y pense presque jamais.

– Moi non plus, presque jamais. Maintenant, tu as un homme dans ta vie, le premier dont tu me parles, ce qui me fait dire que tu as pour lui des sentiments que tu n'as jamais eus pour aucun autre. Tu es amoureuse ?

– Que veux-tu que je te dise ? Comment veux-tu que je sache ? Tu es amoureux d'Emma, toi ?

– Oui.

Stupéfaite, Rose s'écarta de son père.

– Ça t'a pris comme ça ? Pouf ! Tu es tombé amoureux…

– Elle a comblé le vide, ma chérie, je ne sais pas comment te l'expliquer. Je n'ai jamais su parler de ce genre de chose, et c'est peut-être là que j'ai péché dans ton éducation. Emma m'a guéri de cette blessure que je ne voulais pas soigner, derrière laquelle je me réfugiais de crainte qu'on m'en inflige d'autres. Avec Emma, j'ai préféré prendre des risques plutôt que de laisser passer ma chance. J'espère que tu apprendras à la connaître. Elle…

Lucas esquissa un geste des mains comme pour saisir quelque chose d'insaisissable.

– Elle est drôle, intelligente, elle sait dire les choses sans blesser. Elle est douée pour tout. Tu devrais la voir sauter en parachute. On dirait presque une pro. Elle cuisine aussi bien que Marg… mais ne le répète pas ou je te traiterai de menteuse. Elle s'y connaît en œnologie, en littérature, en botanique. Elle a sa propre boîte à outils et elle est capable de s'en servir. Elle a des enfants et des petits-enfants formidables. Elle t'écoute quand tu lui parles. Elle est ouverte à tout. Elle me rend… Elle me donne l'impression d'exister.

S'il y avait une illustration dans le dictionnaire pour le mot « amoureux », pensa Rose, ce serait le visage de son père.

– Je vais mettre la table, dit-elle en retournant dans la cuisine. Tu attends, plus ou moins, que je te donne ma bénédiction ?

– Je crois, oui, plus ou moins.

– Si elle te rend aussi heureux, et si elle a réussi à te faire changer les affreux rideaux de ton bureau, je suis prête à l'accepter. Tu me parleras d'elle plus longuement autour du repas.

– Rose, je n'ai pas les mots pour te dire combien tu me fais plaisir.

– Tu n'as pas des oreillers en forme de cœur sur ton lit, j'espère ?

– Non. Pourquoi ?

– Parce que ça, ça ne passera pas. Tout le reste, je m'y ferai. Oh ! je ne veux pas non plus voir apparaître de porte-papier WC en dentelle.

– C'est noté.

– Si j'ai d'autres revendications, je te le ferai savoir.

25

D'humeur sociable, Gull s'installa dans le salon avec son livre. De cette manière, il pouvait de temps à autre émerger de sa lecture et suivre les conversations, le match de base-ball à la télé, la partie de poker à laquelle il n'avait pas envie pour l'instant de se joindre.

Sachant que la sirène risquait de retentir d'une minute à l'autre, il opta pour un soda et un sachet de chips, dans l'espoir, tout de même, de pouvoir lire un chapitre ou deux.

– Tu as peur de perdre ton salaire du mois ? lui lança Dobie depuis la table de poker.

– Je tremble.

– Éliminé ? Quoi ? s'écria Trigger en bondissant de sa chaise car, à la télévision, l'arbitre venait d'expulser un joueur. Il y était largement ! Vous l'avez vu comme moi, non ?

– Zéro, l'arbitre ! commenta Gull, bien qu'il n'eût rien vu du tout.

– Qu'on lui arrache les yeux s'il n'est pas fichu de les ouvrir ! Où est le boulet à ta chaîne, ce soir ?

Amusé, Gull tourna une page.

– Elle m'a abandonné pour un autre.

– Ah, les femmes… Pire que les arbitres. Je les achèterais pour les battre.

– Eh ! s'indigna Janis en abattant deux de ses cartes. Un peu de respect pour moi, s'il te plaît.

– T'affole pas, cocotte. Tu n'es pas une femme, tu es une Zulie.

– Ouais, n'oublie pas qu'il y a des femmes parmi les Zulies.

– Concentrez-vous sur le jeu, intervint Cards.

Gull ferma son livre.

De l'autre côté de la pièce, Yangtree, un sac de glace sur les genoux, jouait aux échecs en silence avec Southern. Libby, les écouteurs de son iPod dans les oreilles, remplissait une grille de mots croisés tout en battant la mesure.

La moitié environ des membres de la caserne étaient réunis là, la plupart allongés sur le plancher, les yeux rivés sur le match entre les Cardinals et les Phillies. *En mode attente*, se dit Gull en les observant. Tout le monde savait comme lui que la sirène pouvait à chaque instant interrompre ce moment de détente et les envoyer au nord, à l'est, au sud, à l'ouest, où l'esprit de camaraderie régnerait toujours en maître mais où l'heure ne serait plus à la rigolade. Au lieu de piocher des cartes, comme Cards le faisait à cet instant avec un air réjoui, ils piocheraient dans les braises et dans les cendres brûlantes.

Un coureur marqua un point, Trigger brandit un poing triomphal, Yangtree prit le fou de Southern, Dobie jeta des jetons sur la table afin d'augmenter la mise, et Stovic abattit son jeu avec un grognement de dégoût.

– Un mot de cinq lettres pour lassitude ? demanda Libby à la ronde.

– Ennui, répondit Gull.

– Mais oui, bien sûr ! le remercia Libby.

– Il connaît le dictionnaire par cœur, commenta Dobie.

Gull se contenta de sourire. Il se sentait bien. Il était prêt à partir au feu en cas d'alerte, mais il appréciait ce moment de détente en compagnie de ses collègues et amis. En attendant le retour de Rose, il prenait un réel plaisir à se prélasser dans cette ambiance bon enfant.

Il avait trouvé sa place. Il n'aurait su dire, toutefois, quand exactement il en avait pris conscience. Peut-être la première fois qu'il avait vu Rose. Peut-être la première fois qu'il avait sauté en parachute. Peut-être le soir de la rixe à La Corde au cou. Peut-être le jour où il s'était émerveillé devant la prairie.

Peu importait.

Il aimait son job chez les forestiers, et les gens avec qui il travaillait. La plupart, tout au moins. Il avait appris à allier patience, effort et endurance ; à aimer la lutte contre le feu… sa violence, sa brutalité, ses techniques. Mais il avait trouvé chez les Zulies quelque chose de plus profond, et qui ressemblait fort à la passion.

Il savait désormais qu'il avait trouvé sa deuxième maison, qu'il retrouverait ce salon saison après saison, aussi longtemps qu'il aurait les capacités physiques d'exercer son métier.

Il savait, se dit-il lorsque Rose apparut sur le seuil de la porte, qu'il attendrait patiemment son retour chaque fois qu'elle partirait.

– Il y a foule ici, ce soir, dit-elle en se laissant tomber à côté de lui et en plongeant la main dans le paquet de chips. Qui gagne ?

– Match nul, un à un, répondit Trigger. L'arbitre est naze.

Elle piqua la canette de Gull, qu'elle trouva vide.

– Tu attendais que je sois là pour t'en apporter une autre ?

– J'avoue.

Elle se releva et alla ouvrir un Coca, dont elle but quelques gorgées avant de le lui passer.

– Merci. Comment va le boulet à ma chaîne ?

– Pardon ?

– C'est lui qui t'a appelée comme ça, tout à l'heure, répondit Gull en désignant Trigger.

– Les Texans ont des expressions ridicules, marmonna-t-elle en inclinant la tête pour déchiffrer le titre du livre que Gull avait posé à côté de lui. *Ethan Frome* ? Je n'ai jamais pu le terminer.

– Je pensais que je le trouverais plus intéressant, maintenant que je suis plus vieux, plus sage, plus érudit, mais il est aussi rébarbatif que quand j'avais vingt ans. Comment va ton père ?

– Il est amoureux.

– De la belle rouquine ?

Rose arqua un sourcil.

– Elle s'appelle Emma. Sous son influence, mon père a planté des fleurs dans le jardin et il en a mis partout dans la maison. Des bougies, aussi, et un pot-pourri dans les toilettes.

– Un pot-pourri dans les toilettes, mon Dieu ! Il est en danger de mort. Courons le sauver ! Vite, il est encore temps, ne perds pas espoir !

Comme Gull avait étendu les jambes sur ses genoux, Rose lui pinça le gros orteil. Fort.

– Lui qui détestait les ramasse-poussière… Cela dit, je dois reconnaître que la maison est un peu plus gaie. Cette femme a du goût. Et elle le rend heureux, apparemment. Elle a comblé le vide qu'il ne s'autorisait pas à remplir… je te répète ce qu'il m'a dit, en gros. Et j'ai réalisé qu'elle avait raison le jour où on l'a vue en ville. Le jour des glaces. Elle m'a dit que si j'obligeais mon père à choisir entre elle et moi, elle n'aurait aucune chance. C'est vrai, mais si j'avais fait ça, un truc digne de ma mère, je me serais donné envie de vomir.

– Tu ne l'as pas fait.

– Non. Il va falloir que je m'habitue à elle, mais papa a l'air telle-ment épanoui que je crois que je vais l'aimer.

– Tu es une brave fille, Rose.

– Par contre, si elle lui fait du mal, je l'étripe, tempéra la jeune femme.

– Normal.

– Bon, je vais marcher un peu, histoire de digérer le délicieux repas que j'ai préparé. Ensuite, j'irai me coucher.

– Attends. Tu as cuisiné ?

– J'ai au moins une dizaine de spécialités à mon répertoire, dont quatre variantes du classique sandwich grillé au fromage.

– Une nouvelle facette de toi à explorer. Je t'accompagne prendre l'air.

Au cas où il y aurait eu des fans d'Edith Wharton dans le coin, Gull posa son roman sur la table basse. Gibbons entra dans le salon.

– Dépêchez-vous de terminer votre partie de cartes, les gars, annonça-t-il. Ce n'est pas encore officiel, mais il y a fort à parier que deux équipes vont décoller à destination de Fairbanks. Michael règle les derniers détails. Et Bighorn aura sans doute besoin de renforts demain.

– Juste quand je commençais à être en veine, râla Dobie.

– Ceux qui font partie des première et deuxième équipes, vous feriez mieux de vérifier votre matos, ajouta Gibbons.

– Je ne suis jamais allé en Alaska, dit Gull.

– C'est une expérience, remarqua Rose en repoussant ses jambes.

– J'adore les expériences.

Rose casa quelques barres énergétiques supplémentaires dans son sac à dos et, après une brève réflexion, y ajouta deux canettes de Coca. Mieux valait porter un sac un peu plus lourd que manquer de réserves. Puis elle se changea, et bouclait juste sa ceinture lorsque la sirène retentit.

Avec les autres, elle courut à la salle d'embarquement.

Dès l'instant où elle fut à bord de l'avion, elle s'installa de façon à pouvoir dormir pendant le vol, la tête posée sur son parachute.

– C'est comment, l'Alaska ? lui demanda Gull en lui décochant un petit coup de pied.

– Quand tu sautes, ce n'est pas tant aux arbres qu'à la flotte qu'il faut faire gaffe. Il y en a partout et je ne te conseille pas d'y atterrir. Beaucoup d'eau, beaucoup d'espace, beaucoup de montagnes. Pas beaucoup de monde, c'est l'avantage.

Bercée par la vibration des moteurs, elle chercha une position plus confortable.

— Les paras d'Alaska connaissent leur boulot. Il a fait sec, cette saison. Ils ont dû bosser comme des dingues. C'est magnifique, tu verras, ajouta-t-elle en ouvrant les yeux. Les glaciers, les lacs, les rivières, le soleil de minuit. C'est aussi infesté de moustiques de la taille de ton poing, et d'ours gros comme des chars blindés. Mais au feu, rien ne change. Tuer le dragon, rester en vie… Essaie de pioncer, conclut-elle en refermant les yeux, tu en auras besoin.

Rose dormit comme une souche, contente d'avoir un moment de battement à Fairbanks pour se dérouiller les jambes, se restaurer et définir une stratégie.

Avec deux cents hectares en flammes, et le vent attisant le brasier, ils auraient besoin d'une bonne coordination avec l'équipe alaskienne. Rose parvint à se faire offrir un soda frais, ce qui lui permit de garder ses deux Coca, avant une dernière inspection et l'embarquement à destination du lieu de l'incendie.

— Tu avais raison, lui dit Gull tandis que l'avion s'éloignait au sud-ouest de Fairbanks. C'est grandiose. Il n'est pas loin de minuit, heure locale, et il fait clair comme en plein après-midi.

— Ne te laisse pas envoûter, tu vas te déconcentrer et le feu te bouffera tout cru.

Il changea de place afin d'avoir un premier aperçu de l'incendie. Il entrevit les pics enneigés à travers les panaches de fumée. Denali, la montagne sacrée, le plus haut sommet des États-Unis. Au nord du massif, les étendues sauvages. À l'est, la dévastation.

Il continua à regarder le paysage. Rose se déplaça vers l'arrière de la carlingue pour s'entretenir avec Yangtree, puis avec Cards, qui assurerait le rôle de largueur. Les autres avaient eux aussi le nez collé aux hublots, jaugeant l'ennemi qu'ils auraient à combattre.

— On va essayer de sauter dans la clairière où l'équipe alaskienne a atterri. Cards va jeter les sikis.

— Punaise, vous avez vu ça ! s'écria quelqu'un.

— Une flambée explosive, dit Gull.

— Elle est largement à l'ouest de la zone de largage, précisa Rose. Pas de panique. Préparez-vous. Concentrez-vous.

Cards ouvrit la porte. Gull regarda les banderoles s'envoler. L'avion s'emplit de fumée, un avant-goût de ce qui les attendait.

Rose se mit en position et lui adressa un dernier sourire. Puis elle plongea dans le vide, suivie à quelques secondes par Stovic.

Lorsque vint son tour, Gull stabilisa sa respiration tout en écoutant les consignes de Cards, les yeux rivés sur la clairière, et au signal sur son épaule il s'envola.

Superbe… Malgré les bourrasques qui lui cinglaient le visage, il admira les sommets blancs, le bleu incroyable des cours d'eau, le vert éclatant de l'été, en contraste avec les sinistres lueurs de l'incendie. Sa voile se déploya. La chute se mua en une descente plus douce. Il adressa un signe du pouce à Gibbons, son partenaire de saut.

Un violent courant le déporta vers le sud. Il parvint à rétablir sa trajectoire. Une rafale l'entraîna de nouveau dans la fumée, à travers laquelle il entrevit un lac d'un bleu de rêve. Non ! Rose l'avait mis en garde. Il était hors de question qu'il atterrisse dans l'eau. Il pesa de tout son poids sur les commandes. Il allait louper la zone de saut, il devait se faire une raison. Il réussit cependant à rectifier quelque peu sa trajectoire.

En lâchant une bordée de jurons, il rasa les bouleaux. Il ne tomba pas dans l'eau de justesse.

Rose et Yangtree accoururent auprès de lui. Penaud, il rassembla son parachute.

– J'ai bien cru que tu allais prendre le bouillon.

– J'ai chopé un mauvais courant.

– Moi aussi, j'ai failli boire la tasse. Sois content de ne pas être trempé jusqu'aux os ou de ne pas avoir une patte cassée.

– J'ai déchiré ma voile, marmonna Gull.

– Ce n'est pas grave. C'était chouette, hein ?

Quand tout le monde fut au sol, Yangtree fit le point.

– Les gars de l'Alaska sont sur place depuis deux jours. Ils étaient quarante, au départ. Ils pensaient maîtriser l'incendie mais il y a eu une série de violentes reprises, des problèmes d'équipement, des blessés.

– Le merdier, quoi, résuma Gibbons.

– T'as tout pigé. J'assurerai la coordination avec le chef de la division alaskienne, l'administration des Domaines et le service des Forêts. Je vais faire un tour en hélico, histoire d'avoir une meilleure vue d'ensemble de la situation. Mais pour l'instant…

Yangtree ramassa un bâton et traça une carte grossière dans la terre.

– Gibbons, formez un groupe et commencez à travailler sur le flanc gauche. Ils ont creusé une tranchée au bulldozer, ici. C'est là que vous rejoindrez les Alaskiens. Vous avez un point d'eau ici pour les pompes. Rose, tu traites le flanc droit. Tu allumes un contre-feu et tu le noies.

– On l'attaque par la queue, acquiesça-t-elle en suivant ses indications sur la carte, et on affame le ventre.

– Puis on remonte jusqu'à la tête et on l'achève, conclut Yangtree, qui consulta sa montre. On devrait atteindre la tête d'ici à quinze, seize heures, si on se magne le train.

Accroupis dans le bosquet de bouleaux, les Zulies parlèrent stratégie, organisation et méthode, pendant que sur le site de largage le reste de la troupe déballait tronçonneuses, caisses de fusées, pompes et tuyaux.

Gibbons se redressa et brandit son pulaski vers le ciel.

– Allons-y ! cria-t-il.

Yangtree frappa dans ses mains, tel un capitaine d'équipe avant un match décisif.

– Prenez dix hommes chacun, dit-il. Allez, les Zulies, au boulot !

Comme convenu, Rose et son groupe utilisèrent les fusées pour allumer des contre-feux, sciant les arbres calcinés à mesure qu'ils progressaient vers le nord. Si le dragon tentait une avancée vers l'est, au-delà des routes, vers les fermes et les bungalows, il s'épuiserait avant de parvenir à la zone habitée, faute de trouver de quoi s'alimenter.

Ils s'activèrent tout le restant de la nuit, et le jour était déjà levé depuis quelques heures lorsque Rose annonça :

– Pause casse-croûte ! Je vais voir où en est l'équipe de Gibbons.

Dobie sortit un sandwich tout écrasé de son sac et leva les yeux vers les colonnes de flammes et de fumée vomissant des tisons que le vent propulsait dans la toundra asséchée.

– Jamais vu un incendie pareil…

– C'est vrai qu'il est de taille, opina Rose, mais tu sais ce qu'on dit : tout est plus grand en Alaska. Prends des forces. On n'est pas encore au bout de nos peines.

Elle ne pouvait pas leur accorder un répit trop long, pensa-t-elle en s'éloignant. Timing et rapidité étaient aussi essentiels que le pulaski et la tronçonneuse, car Dobie avait raison : cet incendie était intense, plus intense et plus étendu que prévu.

Une forte odeur de résine et de poix se mêlait à celle de la fumée, âcre et suffocante, qui s'élevait en panaches du sol de tourbe d'une forêt sans nul doute autrefois magnifique. À travers le ronflement du feu, Rose n'entendait aucun son, ni bruit de scie ni voix humaine. Gibbons n'était pas aussi près qu'elle l'espérait, et elle ne pouvait pas se permettre de s'aventurer plus loin.

En redescendant vers ses hommes d'un pas alerte, elle mangea une banane et une barre énergétique. Gull vint à sa rencontre.

– Quoi de neuf, patronne ?

– La queue est fichtrement longue. Il faut qu'on se grouille si on veut être dans les temps fixés par Yangtree. Il y a une source à une centaine de mètres. On va monter les pompes et attaquer à la lance.

Elle lui prit sa canette des mains et en but une rasade.

– C'est violent, Gull. Quelqu'un a attendu trop longtemps avant de nous appeler en renfort, et maintenant le feu se propage à la vitesse grand V, avec ce vent. Si ça continue, on risque d'être dépassés. Il faut vraiment qu'on se grouille de l'arroser.

Ils eurent beau se hâter, le feu les narguait, jetant partout des brandons incandescents tel un garnement jetant des pierres pour le plaisir de mal faire, les empêchant d'accéder aussi vite qu'ils l'auraient voulu au torrent de montagne.

– Dobie, Tronçonneur fou, éteignez les foyers ! Libby, Trigger, Southern, dégagez les chablis et les broussailles. Les autres, montez l'établissement.

Rose s'empara elle-même d'une pompe, y raccorda la conduite d'aspiration et la purgea. À toute allure, en sueur, elle fixa la crépine, vérifia le joint d'étanchéité et serra le raccord au moyen d'une tricoise tirée de son sac.

Ils devaient absolument faire reculer le feu, sinon, ils seraient obligés de battre en retraite et perdraient des centaines de mètres de terrain, au risque que l'incendie les poursuive et les force à s'éloigner encore davantage de la tête, de Gibbons. De la victoire.

Elle monta la division sur le tuyau de refoulement et commença à la serrer à la main. Le raccord tournait dans le vide.

Se maudissant d'aller trop vite, elle recommença l'opération. Obtenant le même résultat, elle démonta la division pour l'examiner.

– Oh, punaise ! le clapet est cassé.

Gull se tourna vers elle.

– J'ai le même problème.

– C'est bon, ici ! lança Janis, penchée sur la troisième pompe. Ça marche.

– Fais-la démarrer.

Une seule pompe ne suffirait pas, toutefois. Autant pisser sur le feu.

– On est dans la merde ! fulmina Rose en frappant sa pompe du poing.

Gull croisa son regard.

– Deux pompes défectueuses… Ce n'est pas un hasard.

– On se posera des questions plus tard. On va se débrouiller avec celle qu'on a. On retourne sur nos pas et on trace vers l'est. Purée ! Perdre tout ce terrain… On n'a pas le temps de faire venir d'autres pompes ou d'autres gars. Si seulement on avait du ruban adhésif, on arriverait peut-être à réparer les clapets.

– On en a. Ne bouge pas.

Gull se redressa et fonça vers Dobie, qui recouvrait de terre un foyer agonisant. Ébahie, Rose le vit revenir avec un rouleau de ruban adhésif.

– C'est comme le Tabasco, il en a toujours sur lui.

– Ça fera peut-être l'affaire.

Ensemble, avec les moyens du bord, ils rafistolèrent le clapet défectueux.

– Croisons les doigts, dit Rose en mettant le moteur en marche.

La pompe s'amorça normalement.

– C'est bon, ça a l'air de fonctionner. Trigger, à la lance ! Dépêchons-nous de réparer l'autre, Gull.

– Deux clapets cassés, ça ne peut pas être un hasard, répéta-t-il.

– Non, concéda-t-elle. Quelqu'un n'a vraiment pas assuré.

– Et si c'était voulu… ?

Elle leva les yeux vers lui et rencontra son regard.

– Ce n'est pas le moment de se perdre en conjectures. Remettons la pompe en état. On verra plus tard.

Avec les lances, ils parvinrent à enrayer la progression du flanc. Une rage bouillonnante gâchait toutefois la satisfaction de Rose. Accident ou acte délibéré, négligence ou sabotage, elle avait mis son équipe en danger parce qu'elle avait eu confiance dans l'équipement.

Après quatorze heures de labeur sans relâche, ils étaient encore à plus de cinq cents mètres au sud de la tête. Rose déploya le gros de ses effectifs vers le nord, envoya deux gars surveiller le contre-feu, et repartit à travers le brasier.

Avant de communiquer un rapport au centre des opérations, elle prit le temps de se calmer. Cette fois, en traversant la zone ravagée, elle entendait le vrombissement des tronçonneuses.

Encouragée, elle hâta le pas jusqu'à la ligne de Gibbons. En la voyant arriver, il s'arrêta et s'épongea le front de l'avant-bras.

– Est-ce que j'ai dit que c'était le merdier ?

– Je ne sais pas ce que tu as dit, mais tout va de travers. Je me suis retrouvée avec deux pompes défectueuses.

– Et moi avec trois tronçonneuses HS. Deux avec les bougies mortes, une avec le câble du démarreur qui a pété. Il a fallu qu'on…

Gibbons s'interrompit, les sourcils froncés.

– Mince ! Rose, c'est quoi, ce délire ?

– On en reparlera. Pour l'instant, je dois rejoindre mon équipe. On arrivera peut-être à circonscrire l'incendie d'ici ce soir, mais on ne l'éteindra pas complètement.

– Les gars ont besoin de se reposer. On verra comment la situation évolue. Reviens me voir… disons, vers 22 heures.

– Entendu.

Elle rejoignit ses hommes, en se repérant, comme dans le sens inverse, au bruit des moteurs. Ils sciaient une ligne d'arrêt entre les épicéas noirs.

Ils travaillaient non-stop depuis près de dix-huit heures. L'épuisement se lisait dans leurs yeux cernés et leurs traits tirés.

Rose posa une main sur le bras de Libby et attendit que celle-ci retire ses écouteurs de ses oreilles.

– Une heure de pause pour tout le monde, fais passer le mot.

– Doux Jésus, merci ! Je te jure qu'après avoir fait une sieste, on l'aura, ce feu.

Rose fit signe à Gull.

– Je pars en reconnaissance à la tête. Tu peux venir avec moi, si tu veux, mais tu louperas une heure de break.

– Je préfère aller me balader dans la forêt avec ma belle.

– Alors, allons-y.

Autour d'eux, les pompiers lâchèrent leurs outils et se laissèrent tomber sur le sol.

– Gibbons avait trois tronçonneuses en panne : deux bougies mortes, un câble de démarrage foutu, expliqua Rose.

– On peut donc officiellement parler de sabotage.

– Pas tant que le matériel n'a pas été inspecté, mais ça me semble évident.

– En tant que largueur, Cards était responsable du chargement du matos.

– Du chargement, oui, mais pas de sa vérification. Ce n'était pas à lui de contrôler les clapets et les bougies.

– Je ne l'accuse pas, mais c'est forcément l'un d'entre nous.

Rose ne pouvait pas concevoir une chose pareille.

– Beaucoup de personnes ont accès à l'équipement : les mécanos, les pilotes, les agents d'entretien… La question n'est pas tant de savoir qui a fait ça que pourquoi.

– Aussi.

Déroutée, la jeune femme décapsula l'un de ses précieux Coca et engloutit une barre énergétique.

– La situation aurait pu être différente. Si on avait eu un besoin urgent des lances, certains d'entre nous auraient pu être blessés, ou pire.

– La réponse au « pourquoi ? » peut donc être : petit 1, pour causer du tort à l'équipe ; petit 2, pour donner l'avantage au feu ; petit 3, pour que quelqu'un se blesse, ou pire. Toutes ces éventualités me rendent malade, mais vu tout ce qui s'est déjà passé cette saison, je pencherais pour le petit 3.

Rose ôta ses gants avant de frotter ses yeux fatigués.

– Je n'ai pas envie de gaspiller de l'énergie à me prendre la tête, ajouta-t-elle, pas avant qu'on soit démobilisés. Purée ! Gull, regarde ce feu d'enfer…

Ils s'arrêtèrent un instant pour observer le mur de flammes.

Rose avait déjà combattu le feu sur plus d'un front. Elle connaissait son métier. Mais jamais encore elle n'avait affronté deux ennemis sur le même champ de bataille.

26

Emma observait Lucas par-dessus la table du petit déjeuner qu'elle avait dressée sur la terrasse. Elle avait mis les petits plats dans les grands : crêpes et œufs cocotte servis dans sa plus belle porcelaine, salade de fruits rouges dans de jolies coupelles en verre, cocktail à base de champagne et de jus d'orange dans des flûtes en cristal, et un hortensia bleu dans un vase carré au centre de la table.

Elle aimait préparer des petits déjeuners raffinés de temps à autre, et Lucas semblait apprécier. D'ailleurs, même pour un bol de céréales et un mug de café, il ne manquait jamais de la remercier pour tout le mal qu'elle se donnait.

Ce matin-là, toutefois, il était peu disert et ne mangeait que du bout des lèvres. Emma se demandait s'il ne regrettait pas d'avoir pris un jour de congé pour l'accompagner chiner chez les antiquaires de Missoula. C'est elle qui avait émis cette idée et, franchement, quel homme aurait été enchanté par la perspective d'une journée à courir les magasins ?

– Tu as peut-être envie de faire autre chose…, dit-elle.

– Pardon ? questionna-t-il en levant les yeux de son assiette. Excuse-moi, j'étais distrait.

– Si tu pouvais faire ce que tu voulais, qu'aimerais-tu faire aujourd'hui ?

– Honnêtement ? Être en Alaska avec Rose.

Emma lui prit la main.

– Tu te fais du souci. Je sais que tu t'en fais chaque fois qu'elle part en intervention, mais aujourd'hui plus que d'habitude, non ? Je me trompe ?

309

– J'ai passé un coup de fil à Michael pendant que tu préparais le petit déjeuner. Il m'a dit… Tout se passe bien, mais l'incendie est plus intense qu'ils ne le pensaient. Et… ce qui m'inquiète, c'est qu'ils sont partis avec plusieurs outils défectueux.

– Le matériel n'est-il pas entretenu et contrôlé ? Comment une chose pareille a-t-elle pu se produire ?

– Ils pensent que c'est un sabotage.

– Oh, mon Dieu ! Que vont-ils faire ?

– Michael a ordonné une inspection complète de tout l'équipement de la base.

– Ça n'aidera pas Rose et les pompiers qui sont sur le terrain.

– Au feu, tu comptes sur toi-même, sur tes collègues et, évidemment, sur ton matériel. Ça aurait pu mal tourner.

– Mais Rose va bien ? Tu en es sûr ?

– Oui, oui. Ils ont travaillé pendant presque vingt-quatre heures avant de monter le camp. Elle doit dormir à l'heure qu'il est. On leur a parachuté des outils supplémentaires et on va leur envoyer une autre équipe de paras et de forestiers. Un bombardier devrait… Enfin, bref, parlons d'autre chose.

Emma secoua la tête.

– Non. Explique-moi tout. Je vois que ça te travaille. Tu sais que tu peux tout me dire.

– En fait, ils ont eu tous les ennuis possibles et imaginables. Pour commencer, on a trop tardé à les appeler. Le vent est mauvais, il n'arrête pas de tourner, l'incendie est violent sur tous les flancs. Il y a eu une tempête de feu, les flammes atteignaient plus de trente mètres de hauteur à la tête. Un beau défi.

– Seigneur !

Lucas découpa un morceau de sa crêpe, pour le plus grand plaisir d'Emma. Parler lui faisait du bien, il commençait à se détendre. Il esquissa même un sourire.

– Je comprends, maintenant, ajouta Emma, pourquoi tu aimerais être avec ta fille… Pas seulement parce que tu te fais du mauvais sang pour elle. Ton ancien métier te manque, n'est-ce pas ?

– C'est vrai, j'avoue. Enfin, bon, l'essentiel, c'est qu'ils aient bien progressé. Ils ont encore une rude journée devant eux, mais d'ici ce soir ils pourront crier victoire.

– Tu sais ce que tu devrais faire, à défaut de te parachuter en Alaska ? Tu devrais aller à la base.

– Ils n'ont pas besoin de moi.

– Tu as peut-être pris ta retraite, mais tu es toujours Iron Man Tripp. Je suis certaine que tu peux leur être utile. Et comme ça, tu te sentiras plus près de Rose et de l'action.

– On avait prévu autre chose.

– Lucas, tu ne me connais pas encore suffisamment pour savoir que je peux comprendre ?

– Si, acquiesça-t-il en lui embrassant le bout des doigts. Et je crois que tu commences à bien me connaître, toi aussi. Je me demandais… Je voulais te demander… Et si je venais habiter ici avec toi ?

Il fallut à Emma quelques secondes pour saisir la portée de ces paroles.

– Tu… tu voudrais qu'on vive ensemble ?

– C'est peut-être un peu précipité… Si tu as besoin…

– Je suis d'accord.

– C'est vrai ?

– Je serai la femme la plus heureuse du monde. Quand apportes-tu tes affaires ?

Lucas poussa un profond soupir et but une longue gorgée de son cocktail.

– Je pensais que tu dirais non, ou que tu voudrais attendre encore un peu.

– Alors il ne fallait pas me demander. Maintenant, tu es coincé, s'amusa Emma.

– Coincé avec une femme superbe, qui me connaît, et qui a envie malgré ça de partager son quotidien avec moi. Franchement, je ne sais pas ce que j'ai fait pour mériter cette chance. Par contre, j'ai procédé à l'envers. J'aurais d'abord dû te dire que je t'aime. Emma, je t'aime.

– Moi aussi, je t'aime, Lucas, dit-elle en se levant et en allant s'asseoir sur ses genoux. Mon fils a vraiment eu une idée formidable en m'offrant ce saut en parachute. Je suis tellement heureuse.

Lucas parti, Emma modifia son programme de la journée. Elle devait faire de la place pour les affaires de Lucas. Dans les placards, dans les tiroirs. Cette maison qu'elle avait entièrement arrangée à sa convenance refléterait bientôt une présence masculine. La présence du nouvel homme de sa vie.

Elle en était ravie, et elle avait hâte qu'il vienne s'installer.

Elle devait noter tous les changements qui s'imposaient, décida-t-elle en cherchant de quoi écrire. Lucas aurait besoin d'un bureau.

Elle tapota la table de son stylo en réfléchissant à l'endroit où elle pourrait l'aménager.

– Oh, qui l'aurait cru !

En riant toute seule, elle jeta son crayon et dansa dans la cuisine.

Elle devait annoncer la nouvelle à ses enfants. Pas tout de suite, elle était trop excitée, ils se moqueraient d'elle. Elle se sentait aussi fébrile qu'une adolescente à l'approche du bal du lycée.

Quand le téléphone sonna, elle se dirigea vers l'appareil en exécutant un pas de boogie. Puis elle se rembrunit en reconnaissant le numéro de l'appelant, Irene.

– Allô ?

– Allô, Emma ? Tu peux venir, s'il te plaît ? Leo vient de m'appeler.

Irene parlait à toute allure, d'une voix affolée.

– Calme-toi, lui dit Emma. Leo t'a appelée ?

– Oui, du poste de police. Il s'est rendu. Ils l'ont autorisé à me téléphoner. Il veut me voir. Il dit qu'il ne dira rien à la police tant qu'il ne m'aura pas parlé d'abord. Je ne sais pas quoi faire.

– Ne bouge pas, j'arrive.

Emma débrancha son téléphone portable du chargeur, attrapa son sac à main et, tout en verrouillant la porte, elle appela Lucas.

– Je vais chez Irene. Leo est revenu.

– Où est-il ? Fais attention, il peut avoir des réactions violentes.

– Il l'a appelée du poste de police : il s'est rendu. Il refuse de parler tant qu'il n'aura pas vu Irene. Je l'accompagne.

– Ne t'approche pas de lui, Emma.

– Ne t'inquiète pas, dit-elle en montant dans sa voiture. Je serai prudente, mais je ne peux pas la laisser y aller seule. Je te rappellerai dès que je serai de retour.

Là-dessus, elle coupa la communication, jeta son portable dans son sac, mit le contact et démarra.

Se réveiller face à la chaîne d'Alaska et du mont McKinley vous remontait le moral. Rose sentait que les montagnes étaient de son côté.

Les pompiers s'étaient donnés à fond. En témoignaient cloques et ecchymoses, courbatures et contractures. Ils n'avaient pas terrassé le dragon, pas encore, mais l'avaient considérablement affaibli. Aujourd'hui, ils lui plongeraient le poignard en plein cœur, Rose en avait l'intime conviction.

Tout le monde était fourbu, moulu, mais après quatre heures de sommeil et une copieuse collation, avec du matériel supplémentaire, des bras supplémentaires, une nouvelle pompe et deux bulldozers, elle avait bon espoir qu'ils regagnent la base avant la nuit. L'équipe alaskienne se chargerait de finir d'éteindre le feu et de nettoyer le terrain.

Sa radio émit un bip.

– Rose au camp de base, à vous.

– Michael, centre des opérations. J'ai quelqu'un, ici, qui souhaite te parler.

– Comment vas-tu, ma fille ? s'enquit Lucas.

– Eh, papa, salut ! Ça va bien. Le paysage est superbe. Dommage que tu ne sois pas là. Terminé.

– Reçu. Content d'entendre ta voix. Il paraît que vous avez eu des problèmes, hier ? Terminé.

Elle regarda le nuage de fumée qui dérivait au-dessus du parc national, les volutes qui s'effilochaient sur les îlots de verdure.

– Rien de grave, on a réparé les dégâts avec du ruban adhésif. Le feu baisse en intensité. On va le maîtriser, aujourd'hui. Terminé.

– J'ai une nouvelle à t'annoncer, Rose.

Et il lui dit que Leo s'était rendu.

L'appel terminé, Rose alla s'asseoir près de Gull.

– Sacrée vue, commenta-t-il. Libby est sous le charme. Elle parle de venir s'installer ici et de nous abandonner pour s'engager dans l'unité d'Alaska.

– Leo s'est rendu, Gull. Il est en garde à vue.

Tout en buvant son café, il se tourna vers elle.

– Eh bien, voilà une journée qui commence plutôt bien.

– On dirait, oui. Éteignons le feu et elle sera parfaite.

– C'est comme si c'était fait, répondit-il en se penchant vers elle pour l'embrasser.

Sous le choc, Irene s'avança dans la pièce où Leo était menotté à une table. Son mari avait maigri. Ses cheveux, moins fournis, mal peignés, descendaient jusque dans le col de sa combinaison orange de prisonnier. Dieu seul savait depuis combien de temps il ne s'était pas rasé. Une barbe grise mangeait son visage émacié.

Il avait l'air sauvage. L'air d'un criminel.

Elle avait l'impression de se retrouver face à un étranger. N'y avait-il qu'un mois qu'elle ne l'avait pas vu ?

– Irene…, dit-il d'une voix brisée.

Lorsqu'il tenta de se lever, ses menottes produisirent un cliquetis obscène. Elle détourna le regard et entrevit son reflet dans le miroir sans tain. Une vision qui la fit frissonner. Qui était cette femme, cette vieille femme aux traits creusés et aux yeux hagards ?

Moi aussi je suis devenue une étrangère, se dit-elle. *Nous ne sommes plus ceux que nous étions. Nous ne sommes plus ce que nous sommes censés être.*

Les observait-on derrière le miroir ? Bien sûr. On les observait, on les jugeait, on les condamnait.

Rassemblant le peu de fierté qui lui restait, Irene redressa les épaules et, la tête haute, regarda son mari droit dans les yeux. Puis elle s'assit en face de lui mais refusa les mains qu'il lui tendait.

– Tu m'as quittée.

– Pardonne-moi. J'ai pensé que ce serait mieux pour toi. Ils m'auraient arrêté pour meurtre, Irene. J'ai pensé qu'il valait mieux pour toi que je m'en aille en attendant qu'ils retrouvent l'assassin.

– Où étais-tu ?

– Dans la montagne. J'avais la radio, je l'écoutais tout le temps dans l'espoir d'apprendre qu'ils avaient arrêté le meurtrier. Mais non. J'ai été victime d'un coup monté, Irene.

– Toi, victime ? J'ai hypothéqué la maison pour que tu sois libéré. Et tu t'es enfui. Je vais me retrouver à la rue. J'ai pris un autre emploi, mais je n'arriverai jamais à payer les traites.

Une affliction qu'elle jugea sincère se peignit sur les traits de Leo.

– Je n'avais pas pensé à ça. Quand j'y ai pensé, il était trop tard, j'étais déjà parti. J'avais l'esprit confus, j'ai juste pensé que vous seriez mieux, toi et la petite, si je partais. Je n'ai pas pensé…

– Tu n'as pas pensé que je me retrouverais toute seule, sans la moindre idée de l'endroit où était mon mari, sans même savoir s'il était mort ou vivant ? Tu n'as pas pensé que je me retrouverais avec un bébé sur les bras, des factures à payer, des questions sans réponses, tout ça alors que je venais d'enterrer ma fille ?

– Notre fille, Irene. Ils pensent que j'ai tué ma propre fille. Que je lui ai brisé le cou et que je l'ai brûlée. C'est ce que tu penses, toi aussi ? Hein, c'est ce que tu penses ?

Sous sa barbe, ses joues s'enflammèrent. Il frappa la table du poing.

– J'ai arrêté de penser, Leo. Je me contente de traîner ma pauvre carcasse de jour en jour, de corvée en corvée, de facture en facture. J'ai perdu mon enfant, mon mari, ma foi. Je vais perdre ma maison, et ma petite-fille.

– Qu'est-ce que tu dis ? Ils ne peuvent pas nous prendre Shiloh !

– Je ne peux pas l'élever toute seule. Les Brayner vont l'emmener dans le Nebraska. Ils arrivent demain.

– Non ! s'écria Leo, furieux. Non, Irene, écoute-moi !

– Ne me parle pas sur ce ton, répliqua-t-elle sèchement. J'ai pris ma décision, dans l'intérêt de la petite. Tu n'as rien à dire, tu nous as abandonnées.

– Tu fais ça pour me punir.

Irene se renversa contre le dossier de sa chaise. Curieusement, elle se sentait soudain moins fatiguée, moins abattue, moins triste. Elle se sentait même plus forte, plus sûre d'elle, l'esprit plus clair que depuis qu'on lui avait annoncé la mort de Dolly.

– Pour te punir ? Regarde-toi, Leo. Même si j'avais voulu te punir, et loin de moi cette idée, tu t'es déjà sévèrement puni toi-même. Tu viens de dire que tu avais vécu comme une bête… Personne ne t'y a obligé, c'était ton choix.

– Je l'ai fait pour toi !

– Si c'est ce que tu as besoin de croire… Peu m'importe. L'avenir d'une fillette innocente est en jeu, et c'est à elle que je pense en premier. Ensuite, pour la première fois de ma vie, je penserai à moi. Avant de penser à toi, Leo, ou à n'importe qui d'autre.

Quelque chose en elle se réveillait. Peut-être, peut-être était-ce la foi qui lui revenait.

– Pour une fois, poursuivit-elle, je vais m'écouter. Je dois encore y réfléchir, mais je vais partir, sans doute pour me rapprocher de Shiloh. Je prendrai la moitié de ce qui nous restera quand cette affaire sera réglée. Tu te débrouilleras avec la tienne.

Leo eut un mouvement de recul, comme si elle l'avait giflé.

– Tu vas me quitter ? Au moment où j'ai le plus besoin de toi ?

– Tu as du culot, Leo… J'ai toujours été fidèle à mon devoir d'épouse. Mais j'en ai fini de me sacrifier pour un homme qui a prouvé qu'il se moquait de moi comme de sa première chemise.

– Écoute-moi, Irene, écoute-moi, je t'en prie… Quelqu'un m'a volé cette carabine et ce fusil. Quelqu'un qui souhaite ma perte.

– J'aimerais que ce soit vrai, pour le salut de ton âme. De toute façon, vous aviez transformé la maison en champ de bataille, toi comme Dolly. Elle est partie sans se soucier le moins du monde de nous… Et quand nous l'avons reprise sous notre toit, parce que c'était notre devoir de parents, elle a recommencé à mentir et à se disputer avec toi exactement comme avant. Et moi, j'étais au milieu, comme avant.

Que Dieu lui vienne en aide ! pria Irene. Elle pleurerait Dolly jusqu'à son dernier jour, mais elle ne regrettait pas l'ambiance détestable qui plombait le foyer familial. Elle se leva.

– Tu devrais appeler ton avocat, ajouta-t-elle. Il n'y a que lui qui puisse t'aider.

– Je comprends que tu m'en veuilles, mais s'il te plaît, Irene, ne me laisse pas tomber, je t'en supplie.

Elle essaya, une dernière fois, de puiser un peu d'amour au fond de son cœur, tout au moins un peu de pitié. Elle ne trouva rien.

– Je reviendrai quand je pourrai, et je t'apporterai ce qu'ils m'autoriseront à t'apporter. Maintenant, il faut que j'aille travailler. J'ai déjà suffisamment perdu de temps aujourd'hui. Si je retrouve la force de prier, je prierai pour toi.

Michael héla Matt, qui revenait de la piste de course.

– Bonne séance ? lui demanda-t-il.

– Plutôt. J'allais prendre ma douche et mon petit déjeuner. Tu as besoin de moi ?

– Oui, pour ranger le matériel qu'on est en train d'inspecter. L'équipe qui était dans le Wyoming vient juste de rentrer.

– J'ai vu leur avion se poser. Ils ont eu des problèmes, eux aussi ?

– Une pompe défectueuse.

– Mince, alors !

– Les mécanos les contrôlent toutes. On déplie aussi toutes les voiles. Iron Man est venu nous donner un coup de main.

– Tu penses que les parachutes aussi ont pu être endommagés ?

– Mieux vaut prévenir que guérir.

Matt ôta sa casquette et se passa une main dans les cheveux.

– C'est sûr. À ton avis, qui a pu faire une chose pareille ?

– J'espère qu'on le saura bientôt. Iron Man nous a apporté des nouvelles fraîches. Leo Brakeman s'est rendu ce matin.

– Il est revenu ? Les flics l'ont arrêté ?

– Il est en garde à vue. Je me demande depuis combien de temps il était dans les parages.

– Si ça se trouve, c'est lui qui a fait ça. Je ne comprends pas… Qu'est-ce qu'on lui a fait pour qu'il nous en veuille à ce point ?

– Dans l'immédiat, nous devons nous assurer que l'équipement est en bon état. Va vite te laver et manger un morceau, puis rejoins-nous dans la salle d'embarquement.

– OK. Tu sais, si tu veux me remettre sur la liste de garde…

– Pour l'instant, tes congés sont maintenus.

– Merci, c'est sympa. Mes parents arrivent en fin d'après-midi. Je les préviendrai que je risque d'être obligé de partir en intervention. Je ne voudrais pas que tu aies à chercher quelqu'un pour me remplacer, tu as d'autres chats à fouetter. Surtout, n'hésite pas à me téléphoner si tu as besoin de moi.

– Entendu, asquiesça Michael.

Puis il regagna le centre des opérations. Vingt et un de ses hommes étaient en Alaska, qu'il ne s'attendait pas à voir revenir avant le lendemain au plus tôt. Une autre équipe venait à peine de rentrer et un incendie faisait rage en Californie, où les Zulies étaient à tout instant susceptibles d'être appelés en renfort. Pour ne rien arranger, la météo prévoyait des conditions sèches pour les deux semaines à venir.

En aucun cas, il n'autoriserait la prochaine équipe à décoller tant qu'il ne serait pas certain, absolument certain, que chaque sangle, chaque boucle, chaque fermeture Éclair, chaque bouton n'aurait pas été soumis à l'inspection la plus rigoureuse.

Michael pensa à Jim, avec ce sentiment de malaise qui lui était familier. Les accidents ne pouvaient pas toujours être évités. En revanche, il avait le pouvoir, et le devoir, de déjouer des actes malveillants.

À la fin d'une très longue journée, le lieutenant Quinniock roulait vers la base. Il rêvait de rentrer chez lui, de retrouver sa femme et ses enfants et de mettre les pieds sous la table, comme n'importe quel père de famille qui ne travaille pas dans la police.

Mais, surtout, il rêvait d'en finir avec Leo Brakeman.

Cet homme était un roc, il ne cédait pas d'un pouce.

Quinniock et DiCicco l'avaient interrogé à plusieurs reprises, ensemble ou séparément, sur tous les tons. En vain. Leo se bornait à les dévisager d'un regard dur, les bras croisés, la mâchoire contractée sous sa barbe hirsute. Il avait perdu cinq kilos, pris dix ans, et ne démordait pas de sa version des faits : il avait été victime d'un coup monté.

À présent – par l'intermédiaire de son avocat, car il s'était muré dans le silence –, Leo réclamait le détecteur de mensonge. Quinniock le soupçonnait d'être capable de soutenir que même le polygraphe lui en voulait.

Ils avaient contre lui des preuves circonstancielles en pagaille. Tout indiquait que Brakeman était coupable : il avait un mobile et aucun alibi pour l'heure des crimes, les armes lui appartenaient et, circonstance aggravante, il avait commis un délit de fuite. Il ne leur manquait qu'une confession, car le procureur refusait de l'incriminer pour le meurtre de sa propre fille sans aveux.

Quinniock avait grand besoin de repos avant de se heurter de nouveau aux objections du procureur. Mais d'abord il devait aller voir ce que diable lui voulait Michael Little Bear.

Arrivé à la caserne, il se rendit directement à son bureau.

– Vous cherchez le chef ?

Il s'arrêta et se tourna vers le jeune homme qui l'avait interpellé.

– Oui.

– Il est à l'atelier. Vous savez où il se trouve ?

– Oui, je vous remercie.

En traversant la base, Quinniock fut frappé par le calme qui y régnait : personne sur le terrain d'entraînement, pas d'allées et venues entre les bâtiments. Les lieux semblaient déserts. En passant devant la salle d'embarquement, il comprit pourquoi.

Ici, l'effervescence était à son comble. Plusieurs hommes et quelques femmes démontaient ou remontaient des outils, délogeaient ou rangeaient du matériel sur les étagères.

Inspection de routine ? se demanda-t-il en pénétrant dans l'atelier, où, là aussi, tout le monde s'affairait dans un remue-ménage organisé, à déplier ou à replier des parachutes sur les comptoirs, à inspecter et à marquer des voiles suspendues à la tour.

Il repéra Michael aux côtés de Lucas Tripp, devant une table de travail. Avec un plaisir non dissimulé, le policier serra la main d'Iron Man.

– Vous avez repris du service ?

– Je suis juste venu donner un coup de main. Comment allez-vous, lieutenant ?

– On fait aller. Vous vouliez me voir ? demanda-t-il à Michael.

– Oui. Vous n'êtes pas avec votre consœur du FBI ?

– Elle est occupée. Vous souhaitiez la voir, elle aussi ?

– Pas spécialement. J'ai des équipes en Alaska, et une qui revient juste du Wyoming.

– J'ai appris que des incendies menaçaient le parc naturel de Denali. Où en est-on ?

– Le feu devrait être maîtrisé dans les prochaines heures. Mes hommes mènent un rude combat, et ils sont partis avec du matériel défectueux.

– C'est donc la raison de cette grande inspection ?

– Des pompes et des tronçonneuses ont été sabotées.

– Vous en êtes sûr ? Il ne peut pas s'agir d'usure, ou d'une négligence ?

Le visage de Michael se durcit.

– La négligence n'existe pas, chez nous. Au retour de chaque intervention, tout le matériel est méticuleusement contrôlé avant d'être remis en rotation. Du reste, trois pompes, dont deux de celles qui ont été emportées à Denali et une qui est partie dans le Wyoming, présentaient la même avarie, un clapet détérioré. Trois tronçonneuses se sont elles aussi révélées en panne sur le terrain : bougies défectueuses sur deux, câble de démarrage cassé sur l'autre.

– Effectivement, ça fait beaucoup, reconnut le policier.

– Nous sommes en train de tout vérifier et nous avons encore trouvé deux tronçonneuses abîmées ainsi que quatre lances bouchées par du mastic. Ça ne peut pas être de la négligence.

– J'en conviens.

– Nous devons inspecter chaque parachute, y compris les parachutes stabilisateurs et ceux de réserve. Dieu merci ! jusque-là, tous ceux que nous avons dépliés sont intacts. Savez-vous combien il faut de temps pour replier un parachute ?

– Environ quarante-cinq minutes, répondit Quinniock en sortant son calepin, j'ai fait la visite guidée de la base. Avez-vous une liste des personnes qui ont contrôlé l'équipement ?

– Bien sûr, je vous donnerai leurs noms, et ceux des mécaniciens qui ont effectué des réparations ou des opérations d'entretien.

– Avez-vous sanctionné quelqu'un récemment ?

– Non. Vous pensez que ces actes ont été commis par un membre de l'unité ? Mes hommes ne savent pas à quel moment ils vont sauter, ni où, ni dans quelles conditions. Pourquoi feraient-ils une chose pareille, alors qu'ils pourraient être les premiers à en pâtir ?

– Les mécaniciens et les pilotes ne sautent pas.

– Leo Brakeman est reparu ce matin. Il a déjà montré de quoi il était capable, il me semble. Et il faut un minimum de connaissances en mécanique pour saboter du matériel de pompier.

– Il possède ces connaissances, en effet, reconnut Quinniock. Nous orienterons les interrogatoires en ce sens. Si c'est lui, je vous promets qu'il n'est pas près de retrouver la liberté.

– Sa femme le quitte, intervint Lucas. Elle va confier le bébé aux Brayner, les parents du père. Ils doivent arriver aujourd'hui du Nebraska. Mme Brakeman fait le nécessaire pour se séparer de la maison et vendre ce qu'elle peut vendre. Elle souhaite s'installer près de chez les Brayner, pour pouvoir leur donner un coup de main et voir sa petite-fille grandir.

– Vous êtes bien informé.

– Ma… ma compagne est une amie d'Irene.

– Emma Frazier. Moi aussi, je suis bien informé, déclara Quinniock. Je l'ai rencontrée aux funérailles.

– Elle a accompagné Irene au poste de police, ce matin.

Quinniock se passa une main lasse sur le visage.

– Sa femme le quitte… Voilà pourquoi il s'est fermé comme une huître.

– Il n'a plus rien à perdre.

– Il demande à être soumis au détecteur de mensonge. À mon avis, cette idée lui a été soufflée par son avocat. Il maintient qu'il a été victime d'un coup monté. Peut-être qu'il finira par craquer si nous le cuisinons à propos du sabotage. Monsieur Little Bear, j'aimerais que vous me remettiez les fiches de contrôle de chaque outil détérioré. Mais d'abord, si vous permettez, je dois passer un coup de fil.

Sur ces mots, il sortit son téléphone et appela le sergent de garde afin de lui demander qu'on place Leo Brakeman sous surveillance accrue, un comportement suicidaire n'étant pas à exclure.

27

L'avion se posa à la base peu après 10 heures. Au-dessus du Canada, ils avaient traversé une tempête de grêle et de violentes turbulences, si bien que la moitié de l'équipe débarqua nauséeuse, voire carrément malade.

Rose avait dormi pendant presque toute la durée du vol. Elle se sentait à peu près en forme. Suffisamment dans son assiette, en tout cas, pour rêver d'une longue douche et d'un repas gargantuesque.

Alors qu'elle se dirigeait avec Gull vers le bâtiment des chambres, elle vit que Michael supervisait le déchargement du matériel avec Cards. Pendant qu'ils luttaient contre le feu, sans doute avait-il livré sa propre bataille. Pour l'instant, toutefois, elle ne voulait penser ni à l'une ni à l'autre de ces batailles.

Dans sa chambre, elle se laissa tomber sur son lit et enleva ses bottes.

– J'ai une énoooorme envie de toi, déclara-t-elle au jeune homme.

– Tu es vraiment la femme de mes rêves !

– Pour commencer, décrassage. Ensuite, on fera l'amour sous la douche. Après, on ira manger.

Elle dégrafa sa ceinture et ôta son pantalon. Cet homme la rendait folle de désir, même avec le visage noir de suie et les cheveux collés par la saleté.

– Ensuite, je rédigerai mes rapports, poursuivit-elle. Il faudra aussi que je trouve un moment pour parler à Michael, et que je fasse un peu de gym. Quand j'aurai fait tout ça, je suppose que ce sera de nouveau l'heure de passer à table.

– Sûrement, acquiesça Gull.

– Et après le déjeuner, nous aurons bien mérité une petite sieste coquine.

Nue, elle entra dans la salle de bains.

– Allez, viens, ajouta-t-elle, que la fête commence !

La première partie du programme fut tout simplement renversante. Se sentant à présent en pleine forme, Rose enfila des vêtements propres et constata que quelqu'un avait glissé un mot sous la porte : « Réunion de toute l'équipe à 13 heures au centre des opérations. »

– Le deuxième round devra être reporté, dit-elle à Gull en lui montrant la note. On ferait mieux de se dépêcher si on veut manger.

– Marg sait peut-être quelque chose.

– C'est exactement ce que je me disais.

Se sachant dans les petits papiers de la cuisinière, Gull se rendit aux cuisines avec Rose. Le moment était toutefois mal choisi, comprit-il dès l'instant où il y mit les pieds. Marg, Lynn et leur nouvelle collègue – Shelley, se rappela-t-il – s'affairaient en tous sens entre les fourneaux et les plans de travail, jonglant avec louches et couteaux, tournoyant entre marmites et plateaux, dans un ballet qui évoqua à Gull un cirque du Soleil culinaire.

Lynn remplit une gigantesque casserole de pâtes et lança à Shelley :

– S'il te plaît, apporte du pain au buffet. Je te suis avec la salade de poulet, je crois qu'il n'en reste presque plus.

– Tout de suite !

– Au retour, rapportez le plateau de viande, leur dit Marg en s'essuyant le visage avec un torchon. Je les connais, ils ont déjà dû tout avaler. Réunion à 13 heures, bougonna-t-elle en agitant une cuillère en direction de Rose. Du coup, tout le monde est venu manger avant midi.

– Tu veux que je t'aide à faire quelque chose ?

– C'est bon, merci, ne reste pas dans mes jambes.

Marg sortit deux assiettes, y déposa des petits pains coupés qu'elle garnit de viande. Puis elle ajouta à côté des sandwichs une portion de pâtes et une copieuse cuillerée de purée.

– Rose, sors trois bières du frigo, s'il te plaît. Allez-y, mangez tant que c'est chaud.

Gull mordit dans son sandwich. Le pain croustillait sous la dent, le porc était fondant à souhait et la sauce, absolument délicieuse, épicée juste ce qu'il fallait.

– Si je te demandais de venir vivre avec moi, Marg, que me demanderais-tu en échange ?

– Des trucs cochons.

– Je suis très doué pour ce genre de chose, répliqua-t-il en croquant une deuxième bouchée. Pas vrai, Rose ?

– Tout le monde a un point fort, opina-t-elle. Alors, Marg, quoi de neuf ?

– Michael est fou furieux. Heureusement, ça ne lui arrive pas souvent, c'est pour ça que c'est un bon chef, mais là, depuis deux jours, c'est le branle-bas de combat à la base. Il a fait inspecter tous les parachutes, tous les sacs, toutes les combinaisons de saut. Il les aurait fait examiner au microscope s'il avait pu. Chaque pièce de matériel, chaque outil, chaque vis, chaque boulon. Et là il fait contrôler les Jeeps, les camions et les avions.

Marg but une longue goulée de bière, posa sa canette et surprit Gull en s'abaissant avec souplesse dans la posture de yoga du chien, tête en bas.

– Ouf, ça fait du bien ! dit-elle. Il a aussi appelé Quinniock.

– Il veut une enquête dc police ? demanda Rose.

– Il est persuadé que c'est Leo qui a saboté le matériel. Il a peut-être raison, répondit Marg en se redressant. Irene le quitte. Elle boucle ses valises. Les Brayner repartent demain avec le bébé. À mon avis, elle ne va pas tarder à les suivre. Elle va s'installer chez ton père pour une semaine ou deux, le temps de régler toutes ses affaires.

– Papa l'a invitée à la maison ? s'étonna Rose.

– Il ira chez Emma.

– Ah bon…

– Ne me regarde pas avec cet air effaré. Il t'en parlera. Quant à Leo, la police a pris toutes les mesures nécessaires pour qu'il ne tente pas de se suicider… Il ne décroche plus un mot. Il a réclamé le détecteur de mensonge. Je crois qu'on doit l'y soumettre aujourd'hui ou demain.

– Je parie que la seule chose à laquelle tu penses, dans tout ça, c'est que ton père va s'installer chez la jolie rouquine, intervint Gull.

– Il doit faire un sacrifice monstrueux, le pauvre. Tu sais ce que je me dis, moi ? répliqua Rose.

– Moi aussi, je vais m'installer avec toi, déclara Gull. Ton papa chéri va bientôt te laisser la maison pour toi toute seule et moi je pourrai me faire inviter par Marg à un barbecue tous les week-ends.

– Ce n'est pas un sujet de plaisanterie.

– Je ne plaisante jamais avec le barbecue, mon amour, rétorqua Gull en se léchant les doigts.

– Mince, Gull, chaque fois que je devrais me mettre en colère contre toi, tu arrives à noyer le poisson !

Avec un haussement d'épaules, il quitta la cuisine et lui rapporta une part de gâteau au chocolat qu'ils dégustèrent tout en se rendant au centre des opérations.

Tous les pompiers convergeaient vers le même point. En voyant Cards, la mine sombre, les épaules voûtées, les mains enfoncées dans les poches, Rose donna un petit coup de coude à Gull, et ils le rattrapèrent.

– Tu tires une de ces tronches, lui dit Rose. On dirait qu'on t'a piqué ton jeu de cartes.

– Vous pensez que je n'ai pas fait mon boulot correctement ?

– Sûrement pas.

– Le matos que j'ai chargé avait été testé. En tout cas, les fiches de contrôle sont en règle.

– Quelqu'un t'a fait des reproches ? demanda Rose.

– Je suis le dernier maillon de la chaîne. Alors, forcément, c'est sur moi que ça retombe. On ne peut tout de même pas revérifier tout l'équipement avant de le charger, alors que c'est censé avoir déjà été fait, non ? Fait chier, merde... J'en ai ras-le-bol de ce boulot...

Là-dessus, Cards accéléra le pas, laissant Rose le regarder s'éloigner, les doigts pleins de miettes et de sucre glace.

– Ce n'est pas juste qu'on lui fasse porter le chapeau. Ce n'est la faute de personne, à part de l'ordure qui a saboté le matériel.

– Il a raison quand il dit que les responsabilités retombent sur le dernier maillon de la chaîne. Même si c'est Brakeman qui a fait ça, ou quelqu'un d'autre, Cards risque de prendre un blâme.

– Michael le défendra, affirma Rose en regardant ses doigts poisseux. Mince, j'ai les mains collantes...

Gull sortit des lingettes humides de sa poche.

– Tiens. Ça, au moins, c'est un problème facile à résoudre.

– Cards est un excellent parachutiste, affirma Rose en s'essuyant les mains, et il n'y a pas de largueur plus compétent. Il nous casse parfois les pieds avec ses tours de cartes, mais il s'investit à fond dans son boulot. Beaucoup plus que la plupart d'entre nous.

Gull s'abstint de souligner qu'en tant que largueur Cards avait accès à l'équipement quand il le voulait, et qu'il n'avait pas sauté en Alaska. Inutile. Rose avait trop de considération pour lui.

– J'espère qu'il n'aura pas d'ennuis, dit-il simplement.

Ils entrèrent dans le centre des opérations, où presque tout le monde était déjà rassemblé. Assis sur une chaise, Yangtree se massait le genou. Adossé contre un mur, les yeux fermés, Dobie faisait une sieste éclair. Libby pianotait sur son iPhone.

Les autres buvaient du café, discutaient incendies, sport ou femmes – les trois sujets de conversation favoris – ou spéculaient sur ce que le chef allait annoncer.

Tous avaient maigri depuis le début de l'été et la plupart, comme Yangtree, souffraient de problèmes de genou, le talon d'Achille des parachutistes du feu. Épaules luxées, tendinites et brûlures ne se comptaient même plus, à ce stade de la saison. Plusieurs des hommes avaient cessé de se raser et portaient la barbe, chacun selon son style.

Tous connaissaient intimement l'épuisement, la faim, la peur. Et tous sauteraient dare-dare dans leurs combinaisons si la sirène sonnait. Certains iraient combattre blessés et se battraient néanmoins comme les autres.

Gull n'avait jamais connu personne d'aussi endurant que les pompiers de l'air. Dévoués au service de la lutte contre le feu, ils se tenaient prêts, chaque jour, à risquer leur vie pour ce métier dont ils étaient tombés amoureux.

– Ça n'a pas commencé ? lui demanda Matt en se frayant un passage jusqu'à lui. J'ai cru que j'étais en retard.

– Non, Michael n'est pas encore là. Tu n'étais pas en congé ?

– Si. Je suis juste revenu pour la réunion. Le chef tenait à ce qu'on soit tous présents. Il y a du nouveau ?

– Pour autant que je sache, l'inspection est toujours en cours.

– Tes parents sont bien arrivés ? demanda Rose.

– Oui, ils sont avec Shiloh. On va l'emmener en promenade cet après-midi pour qu'elle s'habitue à nous. Elle a déjà adopté ma mère.

– Comment va Mme Brakeman ?

– Elle a beaucoup pleuré... ma mère aussi, du reste... mais elle se comporte très dignement, ce qui montre à quel point elle aime la petite, répondit Matt en se tournant vers la porte. Ah, voilà Michael...

– Silence, s'il vous plaît ! réclama le chef. J'ai des choses importantes à vous dire, je vous prie d'être attentifs. Vous êtes tous au courant que les équipes qui sont parties en Alaska et dans le Wyoming ont rencontré des problèmes de matériel défectueux. L'inspection générale se poursuit. J'ai fait appel à des plieurs de l'extérieur certifiés qui supervisent le contrôle de chacun des parachutes de la base.

Je veux que vous sachiez que vous n'avez aucune crainte à avoir quant à la fiabilité de votre équipement.

Il parcourut l'assemblée des yeux avant de continuer :

– Nous avons une procédure de contrôle infaillible, que tout le monde respecte au pied de la lettre. Chacun, ici, a conscience qu'il est non seulement important, mais essentiel d'avoir une confiance absolue dans le matériel. J'ignore comment des pompes et des tronçonneuses non conformes aux normes de sécurité ont pu être emportées en intervention, mais j'en assume l'entière responsabilité.

Des protestations s'élevèrent. Michael les fit taire d'un regard sévère.

– La Sécurité civile a été informée de la situation, de même que la police locale et le service des Forêts. Des enquêtes ont été diligentées.

– Tout le monde sait très bien que c'est Leo Brakeman ! cria quelqu'un, et l'assemblée se dissipa de nouveau.

– Il n'aurait pas dû pouvoir s'introduire dans la base, rugit Michael, et le brouhaha se tut instantanément. Par conséquent, bien qu'il soit désormais sous les verrous, nous allons renforcer les mesures de sécurité. Tous nos locaux seront désormais surveillés jour et nuit et nous effectuerons régulièrement des rondes de garde. Tant que nous ne saurons pas qui a commis ces actes de sabotage, et comment, nous devons faire preuve d'une vigilance sans faille.

Michael s'interrompit, reprit son souffle.

– Pour terminer, je recommande à chacun de vous d'emporter dorénavant un rouleau de ruban adhésif dans son sac à outils.

Un éclat de rire général lui répondit et détendit l'atmosphère.

– Enfin, j'ai affiché une nouvelle liste de garde et un planning des tours de garde. Inutile de venir me voir dans mon bureau, je n'y apporterai aucune modification. Si vous avez des questions ou des remarques, c'est le moment, je vous écoute.

– Est-ce que les Feds pourraient financer le ruban adhésif ? demanda Dobie, ce qui lui valut des sifflements et des applaudissements.

Gull adressa un clin d'œil à son ami. *Voilà l'attitude qu'il faut adopter*, se dit-il. Ne pas se départir de sa bonne humeur et maintenir la cohésion au sein du groupe. Que le sabotage ait été commis de l'intérieur ou de l'extérieur, l'union faisait la force. Des questions, il en avait lui-même en pagaille. Ce n'était pas toutefois le lieu où les poser.

– J'ai des trucs à faire, dit-il à Rose dans la cacophonie ambiante. On se retrouve plus tard.

Et, malgré son froncement de sourcils interrogateur, il s'éclipsa sans plus de précisions. Dans sa chambre, il alluma son ordinateur et se mit aussitôt au travail.

Lorsque la sirène retentit, il verrouilla son fichier par un mot de passe. Il n'était pas du premier départ ni du deuxième. Néanmoins, il courut à la salle d'embarquement apporter son assistance à ceux qui l'étaient pour charger les caisses de matériel sur les tapis roulants et les chariots électriques, tout en écoutant et observant.

Puis, avec Rose et Dobie, il regarda l'avion s'élever dans le ciel bleu.

– C'est bien que Michael ait pu faire cette réunion avant l'alerte, dit Rose, une main en visière devant les yeux. Oh, le ciel est menaçant, à l'est…

– On risque de décoller bientôt, nous aussi, remarqua Dobie avec envie.

Rose lui décocha une bourrade amicale dans les côtes.

– Tu as attrapé la fièvre du chuteur. Conseil d'amie : va te coucher et attends que ça passe.

– Je ne peux pas, répondit-il, je dois monter la garde dans la réserve, cet après-midi. Toi aussi, d'ailleurs, Gull. Swede, tu es à l'atelier.

– Ouais, j'ai vu ça, acquiesça Gull. Mais tous ceux qui étaient en Alaska ont d'abord droit à deux heures de repos. C'est bon, on pourra suivre le programme prévu, ajouta-t-il en déposant un baiser sur les lèvres de Rose.

– Sacré Gull, va…

Son tour de garde terminé, ne trouvant pas Rose dans sa chambre, Gull se rendit dans la sienne et se remit au travail, en laissant délibérément la porte ouverte.

Des silhouettes passaient de temps à autre dans le couloir. De la fenêtre entrebâillée lui parvenaient des bribes de conversation : un petit groupe qui n'était pas de garde projetant d'aller faire un tour en ville, quelqu'un qui marmonnait tout seul à propos d'un lapin qu'une fille lui avait posé.

L'après-midi touchait à sa fin, le ciel s'était couvert. Rose avait vu juste : une tempête se préparait. Gull envisagea un instant d'aller courir avant la pluie, puis décida d'attendre Rose.

Elle arriva en même temps que le premier coup de tonnerre.

– Il y a de ces éclairs, dit-elle en se laissant tomber sur le lit. Je suis allée jeter un coup d'œil au radar : des tornades soufflent sur le Dakota du Sud.

Elle se passa une main derrière le cou et se massa l'omoplate gauche.

— Avec ce temps, on va être obligés de courir sur le tapis, ajouta-t-elle. Je déteste ça.

Gull exerça une pression des doigts sur son épaule.

— Punaise, c'est du béton que tu as là !

— Je sais, je n'ai pas eu le temps de faire mes étirements, aujourd'hui.

Elle soupira de bien-être lorsqu'il pétrit des pouces ses muscles noués.

— On ira courir sur la piste quand l'orage sera passé, dit-il.

Un éclair zébra le ciel et le vent fit claquer les volets, mais il ne pleuvait toujours pas.

— Et dès que ce sera possible, ajouta-t-il, on demandera une nuit de permission et on prendra une suite dans un bel hôtel. Avec une baignoire à remous dans laquelle on se prélassera la moitié de la soirée.

— Mmm…, fit-elle. Et on se fera monter des entrecôtes saignantes par le room-service. Tu écrivais à ta famille ?

— Non…

— À ta femme enceinte pour lui demander des nouvelles de tes deux gosses et de ton chien ? insista Rose en se penchant vers l'ordinateur.

— Ma femme n'est pas enceinte et nous avons un chat, rétorqua Gull en se levant pour fermer la porte. Non, j'essaie de comprendre qui a pu saboter le matériel. Plus j'y réfléchis, plus ça m'étonnerait que ce soit Brakeman.

— Pourquoi ? Il connaît les alentours de la base comme sa poche, il a été mécanicien et il a une dent contre nous.

— Mais il ignore comment se déroulent les interventions. Pour nous désorganiser, il faut savoir comment nous travaillons.

— Sa fille a bossé trois saisons à la base.

— Bien sûr, il a pu se débrouiller pour savoir où est entreposé notre équipement, concéda Gull, et pour y accéder. Avec tout le boulot qu'on a eu ces temps-ci, on dort tous comme des souches. On entend la sirène, comme une mère qui se réveille aux moindres pleurs de son enfant, même si elle est épuisée, mais à part ça une bombe pourrait exploser sous nos fenêtres, on ne bougerait pas un cil.

Il a raison, pensa Rose.

— Tu veux dire que c'est l'un d'entre nous qui a détérioré le matériel ?

— Je veux dire que l'un d'entre nous aurait pu le faire, parce que nous savons comment mettre les outils hors d'usage, et comment handicaper une équipe en intervention.

– Ce serait idiot, vu qu'il pourrait être le premier à en subir les conséquences.

– Certains d'entre nous n'ont sauté ni en Alaska ni dans le Wyoming.

Gull afficha le document qu'il avait réalisé.

– Qui n'a été mobilisé sur aucun de ces incendies ? poursuivit-il.

– OK, allons-y, si ça t'amuse… Yangtree était avec nous.

– Il a passé tout son temps à coordonner les opérations et à se balader en hélicoptère.

– Arrête ton char, ça ne peut pas être lui. Ni Michael.

– Le chef n'a pas sauté. Cards était largueur, il n'a pas sauté non plus. Ni aucun de ces vingt gars, continua Gull en faisant défiler son fichier, dont six n'étaient pas de garde parce qu'ils étaient absents ou blessés.

– Yangtree travaille à la base depuis trente ans, Cards depuis dix, et Michael depuis plus de douze.

– Je sais que ce sont tes amis, que tu les considères comme ta famille. Moi aussi, du reste.

– Ça ne se fait pas de dresser des listes de suspects parmi ses amis et sa famille, rétorqua Rose.

– Ça ne se fait pas de saboter du matériel, riposta Gull en lui posant une main apaisante sur le genou. Je comprends que ce soit plus dur pour toi, parce que tu les connais tous depuis longtemps. Moi aussi, j'ai eu le temps de tisser des liens avec la plupart des gars de cette liste.

– Je ne sais même pas pourquoi tu fais ça.

– Parce que si ce n'est pas Brakeman qui a saboté le matériel, on peut monter la garde et faire des rondes autant qu'on veut, ça n'empêchera pas… Mince, Rose ! si tu voulais t'introduire dans la salle d'embarquement, ce soir, dans la réserve, ou dans n'importe lequel des locaux de la caserne et saccager quelque chose, tu pourrais ?

Elle garda un instant le silence.

– Oui, je pourrais. Mais pour quelle raison ferais-je une chose pareille ? Pour quelle raison l'un d'entre nous ferait-il une chose pareille ?

– Nous sommes perpétuellement sous tension, dans notre métier. Il y a des pompiers qui craquent, qui deviennent fous, qui allument des feux et risquent leur vie pour les éteindre. Ça s'est déjà vu.

– Je sais.

Gull afficha un autre document.

– J'ai divisé les équipes, comme nous étions répartis ce jour-là.

– Il manque des noms.

– Je crois qu'on peut éliminer les nôtres.

– Je ne vois nulle part celui de Dobie.

– Il nous a fourni le ruban adhésif.

– Dieu merci !

– Si je le mets sur la liste, je suis obligé de nous y mettre aussi.

Ça lui faisait mal au ventre et lui pesait sur la conscience, néanmoins, Gull entra le nom de Dobie dans son tableau.

– Quel est le mobile ?

– Peut-être que je voulais te faire passer l'envie d'exercer ce métier pour que tu deviennes une bonne petite femme au foyer et que tu me prépares à dîner tous les soirs.

– Ben, voyons ! Je voulais dire : quel est le mobile du saboteur ?

– Prenons Yangtree, par exemple. Il parle de prendre sa retraite. Il a les genoux bousillés. Trente ans de carrière, tu disais. Il a consacré plus de la moitié de sa vie à la lutte contre le feu, et maintenant il sait qu'il est trop vieux, qu'il doit laisser la place aux plus jeunes. Il y a de quoi en avoir gros sur la patate.

– OK, dit-elle, c'est tiré par les cheveux, mais vas-y, continue, je t'écoute.

– Cards a eu la poisse cette saison. Il a été malade, il s'est blessé, la femme qu'il voulait épouser l'a quitté. L'été dernier, quand il était largueur, Jim Brayner s'est tué.

– Ce n'était pas…

– … sa faute, d'accord, concéda Gull. Ce n'était pas non plus la tienne, mais tu fais des cauchemars.

– OK, OK. À ce compte-là, on pourrait trouver un mobile à tout le monde. Mais ce ne sont que des suppositions. Si ta théorie tenait la route, les flics y auraient pensé.

– Qui te dit que ce n'est pas le cas ?

La remarque lui cloua le bec.

– C'est une idée vraiment horrible, qu'ils puissent fouiller dans nos vies privées, à la recherche de nos faiblesses et de nos secrets. En gros, qu'ils puissent faire ce qu'on est en train de faire, en plus poussé.

– Je te l'accorde, mais je préfère en passer par là plutôt que d'ignorer la menace qui rôde peut-être parmi nous.

– Cela dit, nous pouvons d'emblée éliminer Michael, estima Rose. Il s'est donné beaucoup de mal pour devenir chef et il est très fier de son statut. Il adore l'unité, et il adore aussi la réputation dont elle jouit. Tout ce qui ternit l'image de la base rejaillit sur lui. Il aurait pu étouffer l'affaire. Au contraire, il l'a rendue publique, alors qu'il sait qu'il risque d'en payer les conséquences.

Bon argument, pensa Gull.

– C'est vrai, opina-t-il.

– Ce n'est pas non plus Dobie, continua Rose. Il est trop franc, il aime ce qu'il fait, et il te voue une amitié sans bornes. Il ne ferait jamais rien qui puisse te mettre en danger.

– Merci.

– Je ne disais pas ça pour te faire plaisir.

– Je sais. Merci quand même.

Elle venait de lui ôter un poids.

Un éclair creva le ciel et le tonnerre gronda. Ils se tournèrent tous deux vers la fenêtre.

– Le vent pousse la pluie vers le sud, dit Rose. Je crois qu'on peut faire une croix sur notre séance de course.

– On peut aller s'entraîner à la salle, si tu veux.

– Non, finissons-en avec ta liste. Je vais te dire pourquoi ça ne peut pas être Janis.

– D'accord, acquiesça Gull en lui prenant la main et en lui embrassant le bout des doigts. Je t'écoute.

28

Rose étant plongée dans ses rapports sur l'incendie en Alaska, Gull estimait disposer d'au moins une bonne heure. En s'élançant au pas de course sur l'une des routes de service, il consulta sa montre.

Personne, et surtout pas Rose, ne soupçonnerait un pompier faisant un peu d'exercice d'avoir arrangé un rendez-vous en catimini.

Après s'être acquitté de son tour de garde à l'atelier, il appréciait en tout cas de s'aérer, de se dégourdir les jambes et de pouvoir réfléchir tranquillement. L'orage de la veille au soir n'avait donné que quelques gouttes, mais le temps s'était rafraîchi. Il ne voulait donc pas trop s'éloigner, au cas où la sirène retentirait.

Au bout d'à peine un kilomètre, il aperçut Lucas, en pantalon de survêtement et T-shirt, en conversation sur son téléphone portable.

– Merci d'être venu, lui dit Gull quand il eut coupé la communication.

– Il n'y a pas de quoi. Ma présence ici n'étonnera personne, je viens souvent courir sur la piste de la base. Mais pourquoi tant de mystère ? Tu as quelque chose à me dire à propos de Rose ?

– Je mène ma petite enquête, Lucas. Je ne tiens pas à ce que ça se sache, mais je vous fais confiance et je crois que vous pouvez m'aider. Vous connaissez bien les Zulies et le personnel de la caserne, les Brakeman, les policiers. Peut-être pas autant les bleus que les anciens, mais je mettrais ma main à couper que vous vous êtes renseigné un minimum sur leur compte, puisqu'ils sautent avec votre fille.

Lucas arqua les sourcils.

– Même de toi, je ne sais pas grand-chose, répondit-il, si ce n'est que tu cours vite, que tu ne recules pas devant la bagarre, que tu aimes les voitures puissantes, que tu tiens une arcade de jeux et que tu as bon goût pour les femmes.

— Nous avons ce dernier point en commun… Je n'irai pas par quatre chemins, Lucas, je voudrais vous poser une question : Leo Brakeman est-il capable d'avoir fait tout ce dont on l'accuse ? Oubliez les mobiles, les opportunités et tous ces trucs de flics. J'aimerais juste connaître votre opinion personnelle. À votre avis, est-il suffisamment intelligent, suffisamment malin pour ne pas s'être encore trahi ?

Lucas garda un instant le silence, hochant seulement la tête comme en approbation à ses propres pensées.

— Il n'est pas idiot et c'est un bon mécanicien, dit-il enfin. Pour ce qui est du sabotage, oui, il aurait pu détériorer le matériel sans que personne ne s'en aperçoive avant qu'il soit trop tard. Quant à tuer Latterly…

Il enfonça les mains dans ses poches et regarda au loin vers les montagnes.

— Je le verrais bien le coincer dans un coin et lui flanquer une bonne trempe, s'il savait qu'il avait une aventure avec sa fille. J'ai plus de mal à le voir lui tirer une balle entre les deux yeux, bien que ce ne soit pas tout à fait inconcevable. Sur un coup de nerfs, il aurait pu aussi lui prendre l'idée de vouloir flinguer Rose, mais il ne l'aurait pas ratée. Il s'emporte facilement, ce n'est pas un secret, et tout le monde sait très bien que Dolly lui causait beaucoup de honte et de déception.

— Mais ?

— Mais s'il a tué sa fille, à mon avis, c'était un accident. En gros, donc, oui, je pense qu'il a pu commettre toutes ces monstruosités, mais seulement dans une espèce d'état de folie.

— Le meurtre de Latterly et le sabotage sont des actes froids et calculés, souffla Gull.

— Tu crois qu'il s'agit de quelqu'un qui travaille à la base ?

— J'espère que non, mais je ne peux pas m'empêcher de me poser la question.

— Je me suis la posée aussi, tu sais, depuis le sabotage. Et je suis sûr que Michael se la pose aussi.

— Pensez-vous à quelqu'un en particulier ?

— Certains de tes collègues ont été les miens. Tu sais comme moi que les pompiers partagent beaucoup plus qu'un bureau ou un distributeur d'eau fraîche. Je connais bien tous ces gars avec qui j'ai travaillé et je n'arrive tout simplement pas à les imaginer en criminels. Le problème, c'est que je ne suis pas sûr d'être objectif…

Lucas s'interrompit un instant et observa le visage de Gull avant de lui demander :

– Tu as dit à Rose que tu pensais que c'était peut-être l'un d'entre vous ?

– Oui.

Un petit sourire incurva les lèvres d'Iron Man.

– Tu as du courage.

– Je ne lui cache rien, affirma Gull, se rappelant toutefois qu'en ce moment même il agissait dans son dos. Enfin, presque rien, ajouta-t-il avec un clin d'œil. Bref, au début, elle a été choquée, mais elle m'a écouté.

– Si elle n'a pas refusé de t'entendre, c'est que ça doit être sérieux entre vous.

– Je suis amoureux d'elle, elle est amoureuse de moi, il faut juste qu'elle en prenne conscience.

Lucas scruta Gull un instant.

– Elle a une vision du couple assez négative, dit-il en soupirant. C'est de ma faute.

– Non, vous n'y êtes pour rien. Ce sont seulement les circonstances. Quoi qu'il en soit, même si elle a peur de s'engager, elle n'a pas l'esprit obtus. Elle est trop intelligente, elle finira par s'apercevoir qu'elle ne peut plus se passer de moi.

– Tu ne manques pas d'aplomb. Tu me plais ! ne put s'empêcher de dire Lucas.

Gull jeta un coup d'œil à sa montre.

– Bon, il va falloir que je retourne à la base.

– Je t'accompagne. Rose ne se doutera de rien, ne t'inquiète pas, elle sait que je viens parfois courir ici. Et j'ai quelque chose à lui dire, en tête à tête.

– Que vous vous installez chez Emma ? Elle est au courant.

– Flûte ! lâcha Lucas en se massant la nuque. Je ne pensais pas que la nouvelle s'ébruiterait aussi vite. Avec tout ce qui se passe en ce moment, je me disais que les commères avaient d'autres ragots à colporter. Comment l'a-t-elle pris ?

– Ça lui en a bouché un coin. Mais elle s'y fera, parce qu'elle vous aime, qu'elle a du respect pour Emma, et qu'elle n'est pas idiote. Bon… Si jamais elle nous pose la question, on dit qu'on s'est rencontrés par hasard, OK ?

– Oui, oui, bien sûr, ne t'en fais pas pour ça.

– Une dernière chose : j'ai fait un tableau… J'adore les tableaux, ajouta Gull devant l'air stupéfait de Lucas, ils m'aident à y voir plus clair. J'y ai entré les noms de tout le personnel de la base, par catégories, avec des données générales, mon avis sur chacun, celui de Rose. Le vôtre m'aiderait à rétrécir le champ. Je pourrais vous l'envoyer ?

– Envoie-le-moi toujours, opina Lucas, et il donna son adresse mail. De toute façon, tant que Brakeman est derrière les barreaux, il ne devrait rien se passer. On ne peut pas lui faire porter le chapeau d'un nouveau méfait alors que la police a l'œil sur lui vingt-quatre heures sur vingt-quatre. La question, je crois, est de savoir qui peut lui en vouloir à ce point.

Gull ne répondit pas. Lucas haussa les sourcils.

– Tu ne crois pas à la théorie du coup monté ?

– Avec son tempérament, les relations qu'il avait avec Dolly, il fait un bouc émissaire tout trouvé. Mais le sinistre individu qui profite de cette situation est un malade mental, et un malade mental n'agit pas intelligemment.

– J'en ai bien peur, en effet, moi aussi. Si seulement je pouvais convaincre Rose de prendre des congés et de partir loin d'ici…

– Tant que je suis avec elle, il ne lui arrivera rien, affirma Gull en regardant Lucas droit dans les yeux.

– Je te fais confiance, répliqua celui-ci tandis qu'ils approchaient de la base. Maintenant, s'il te plaît, laisse-moi parler seul à seule avec elle. Ensuite, tu iras la retrouver, elle aura sûrement besoin de s'épancher.

Rose termina ses rapports, revérifia la liste du matériel qu'elle avait demandé le deuxième jour de l'intervention. Il ne lui restait plus qu'à remettre le tout au chef, elle pourrait ensuite sortir prendre l'air et…

– C'est ouvert ! lança-t-elle en réponse aux deux coups frappés à sa porte. Eh, salut, papa… Tu tombes bien, je viens juste de finir mes rapports. Tu es venu courir ?

– Et te voir, par la même occasion.

– Tu veux boire quelque chose ?

– Un 7Up, si tu en as.

– Toujours la boisson préférée de mon papa chéri en stock. On va s'installer au salon ? Ou à la cuisine ? Marg aura sûrement un bout de gâteau à nous offrir.

– Je n'ai pas le temps. Emma vient me chercher dans une dizaine de minutes.

– Ah…

– Je voulais te parler de certaines choses.

– J'ai appris qu'Irene Brakeman allait sûrement partir dans le Nebraska, et qu'elle logerait chez nous le temps de régler ses affaires. C'est sympa de ta part. Ça devait être dur pour elle de rester seule chez elle, avec tous ces souvenirs. D'autant plus que sa maison ne lui appartient plus vraiment.

– Elle vient s'installer demain. Emma l'aide à faire ses cartons.

– Irene franchit un grand pas en quittant Missoula, son mari, ses amis, son boulot.

– Je crois qu'elle a besoin de changer d'air. Il paraît qu'elle commence à aller mieux depuis qu'elle a pris cette décision.

Lucas décapsula sa canette et en but une gorgée.

– À propos de décisions…, ajouta-t-il, je ne retournerai pas à la maison. Je vais vivre avec Emma.

– Vous allez vous marier ?

Lucas avala de travers.

– Chaque chose en son temps, mais ce n'est pas exclu.

– Je commençais tout juste à me faire à l'idée que tu avais une copine et voilà qu'elle devient ta compagne.

– Je l'aime, nous nous aimons.

Rose s'assit au bord du lit.

– Vous allez habiter où ? Chez elle ?

– Elle a une belle maison, à laquelle elle tient beaucoup. La moitié de l'année, la nôtre n'est pour moi qu'un endroit où dormir.

Rose éprouvait tellement d'émotions qu'elle n'aurait su dire ce qu'elle ressentait exactement.

– Bien… Si j'avais su que c'était notre dernier dîner ensemble à la maison, l'autre jour, j'aurais préparé quelque chose de plus exceptionnel que des escalopes de poulet.

Lucas s'assit à côté d'elle et lui posa une main sur le genou.

– Je ne vends pas la maison, Rose. Je me suis dit que tu pourrais y rester. On engagerait quelqu'un pour tondre les pelouses, et tout ça, pendant la saison.

– Je vais y réfléchir.

– Prends tout le temps qu'il te faudra.

– Tu sais que j'ai besoin de temps pour m'adapter aux changements, dit-elle d'une petite voix.

– Chaque fois que tu étais malade, quand tu étais enfant, il fallait que je te mette le même pyjama.

– Celui avec des chiens.

— Oui, le bleu avec des chiens. Le jour où il est devenu vraiment trop petit, ç'a été une catastrophe.

— Tu l'as donné à une couturière pour qu'elle me fabrique une taie d'oreiller, se souvint Rose, les larmes aux yeux. Tu as l'air si heureux, papa. Je ne m'étais même pas aperçue que tu ne l'étais pas, avant.

— Je n'étais pas malheureux, ma chérie.

Rose déposa une bise sur la joue de son père.

— Tu es plus épanoui, maintenant. Considère que j'ai mon oreiller avec des petits chiens, ne t'en fais pas pour moi.

— J'espère que tu prendras le temps de faire connaissance avec Emma.

— Oui. Gull la trouve canon…

Lucas leva les sourcils.

— Qu'il ne s'avise pas de la draguer !

— Ne t'inquiète pas, il est mordu de moi.

— Toi aussi, tu as changé, depuis que tu le connais.

— Quelle drôle de saison… Gull pense que le coupable est peut-être quelqu'un de la base, et non pas Brakeman.

— Ah bon ?

— Oui. Il a mis par écrit les raisons que chacun pourrait avoir. Je ne sais pas quoi penser. Mais j'ai du mal à accepter que ça puisse être l'un d'entre nous.

— Fais-moi plaisir : dans la mesure du possible, ne t'éloigne pas trop de Gull. Fais-le pour moi, s'il te plaît. Je sais que tu as l'habitude du danger et que tu es capable de te défendre toute seule, mais je serais plus tranquille sachant que quelqu'un te protège.

— De toute façon, Gull est toujours accroché à mes basques.

— Ce n'est pas plus mal. Tu m'accompagnes dans la cour ?

Elle se leva avec lui, en pensant à tout ce dont ils venaient de parler.

— Papa, je peux te poser une question ? Est-ce que tu aimes plus Emma que tu n'aimais ma mère ? Je peux entendre n'importe quelle réponse. Je veux juste savoir.

Lucas ne répondit pas tout de suite.

— Quand j'ai rencontré ta mère, dit-il après un moment, j'ai eu le coup de foudre et tout est ensuite allé très vite. J'étais fou d'elle, mais avec le recul je me demande si je n'étais pas davantage amoureux, inconsciemment, du petit être que nous avions conçu ensemble sans le savoir. Je crois qu'elle le sentait, et qu'elle en a souffert. Je tenais à elle et j'ai fait tout ce que j'ai pu pour la rendre heureuse. Il n'empêche qu'au fond je crois c'est toi que j'aimais à travers elle. Je ne peux pas la comparer avec Emma : les circonstances sont différentes, j'ai mûri… En tout cas, pour répondre à ta question, je ne sais pas si j'aime Emma plus que j'ai aimé ta mère, mais j'éprouve pour elle des sentiments différents de ceux que j'éprouvais pour ta mère.

– Quels sentiments ? Je n'ai jamais réussi à savoir ce que signifie vraiment « être amoureux ».

Lucas se racla la gorge, se dandina nerveusement d'un pied sur l'autre. Lui, l'homme grand et fort, lui, Iron Man, ressemblait soudain à un petit garçon.

– Aïe ! Tu me mets dans une position pas très confortable… Je ne rentrerai pas dans les détails de ma vie sexuelle, la fois où je t'ai expliqué comment on faisait les bébés, j'étais encore plus terrifié que face à une tornade de feu.

– Et la discussion a été très gênante pour nous deux. Je ne parlais pas de sexe, papa, je sais tout ce qu'il y a à savoir sur le sujet. Tu me dis que tu es amoureux d'Emma, et ça se voit comme le nez au milieu de la figure. Explique-moi ce que tu ressens pour elle.

– Des milliers de choses. De la confiance, du respect. De l'attirance. Un feu s'est allumé en moi. Tantôt les flammes me dévorent, tantôt elles me réchauffent à la manière d'un feu de joie. C'est de ce feu que se nourrit mon amour. Le feu n'est pas seulement destructeur, Rose, il peut aussi être porteur d'espoir, de force, de lumière. Quand l'amour est une flamme, il te rend meilleur.

Lucas s'interrompit, le rouge aux joues.

– Je ne sais pas comment t'expliquer, ajouta-t-il.

– J'ai compris, papa, affirma Rose en lui prenant les mains et en plongeant son regard dans le sien. Personne ne m'avait jamais donné d'explication aussi claire. Je suis vraiment heureuse pour toi, sincèrement.

Il la serra contre lui. La voiture d'Emma apparut.

– Tu me combles de bonheur, ma chérie, lui chuchota-t-il à l'oreille. Tu étais mon premier amour, tu le resteras toujours.

Elle le savait, mais elle était dorénavant capable d'accepter qu'il aime aussi une autre femme.

– Bonjour ! lança-t-elle à Emma, qui s'avançait vers eux.

– Bonjour. Je suis en retard ? demanda Emma à Lucas en l'embrassant.

– Pile à l'heure, répondit-il, sa main toujours dans celle de Rose. Comment ça s'est passé avec Irene ?

– Ce n'est pas facile de vider une maison dans laquelle tu as vécu pendant vingt-cinq ans, mais je crois que c'est ce qu'elle avait de mieux à faire. Elle commence à reprendre le dessus.

– Est-ce que les parents de Jim…, commença Rose.

– Ils repartent cet après-midi. Je les ai rencontrés, ce sont des gens charmants. Kate a proposé à Irene de la loger quand elle arrivera dans le Nebraska, le temps qu'elle trouve un appartement. Je ne pense pas qu'Irene acceptera, mais elle a été touchée par le geste.

Les yeux d'Emma se voilèrent.

– Ne sois pas triste, lui dit Lucas en lui passant un bras autour des épaules.

– Heureusement que tu es là, murmura-t-elle en refoulant ses larmes. Mon fils est passé me voir, tout à l'heure, avec ses enfants. Heureusement que je les ai, eux aussi. Ils m'épuisent, mais ils m'apportent toujours de la gaieté.

Emma est grand-mère, se souvint Rose. Cela faisait-il de son père un grand-père par procuration ? Comment vivait-il ce nouveau statut ? Comment…

– Oh, zut ! s'exclama Lucas. J'ai failli oublier que je devais apporter quelque chose à Michael. J'en ai pour deux minutes.

Là-dessus, il s'éloigna en courant.

– Il vous a annoncé la nouvelle ? demanda Emma à Rose.

– Oui, ça fait bizarre… Vos enfants sont au courant ?

– Oui, ma fille a pleuré de joie. Les hormones, je suppose, elle attend un bébé.

Un petit-enfant de plus, pensa Rose.

– Félicitations…

– Merci. Mon fils est un peu gêné vis-à-vis de Lucas. Je crois que ça le dérange de savoir que nous ne nous limitons pas à faire des puzzles et à regarder la télé ensemble. Il s'y fera… J'aimerais vous inviter à dîner avec mes enfants quand vous serez libre. En toute simplicité, juste pour que vous fassiez tous connaissance.

– Volontiers, acquiesça Rose, pouvant difficilement refuser. Mais autant que vous le sachiez tout de suite, je n'ai pas besoin d'une maman.

– Tout le monde a besoin d'une femme qui vous écoute, qui prenne votre défense, qui vous dise la vérité… ou qui la maquille quand vous n'avez pas envie de l'entendre. D'une femme sur qui compter, quoi qu'il advienne, et qui vous aime, aussi désagréable que vous puissiez être. Mais comme vous avez déjà Marg, je me contenterai d'être votre amie.

– Ça marche.

La sirène retentit.

– Sur ce, je vous laisse, ajouta Rose.

– Vous partez en intervention ? Je peux assister au départ ? Lucas m'a raconté comment ça se passait, mais j'aimerais voir par moi-même.

– Personnellement, je n'y vois pas d'objection. Mais dépêchez-vous.

Et, sans attendre, Rose fonça vers la salle d'embarquement. Sur le chemin, elle doubla Cards, qui accéléra afin de la rattraper.

– Ça flambe où ? lui demanda-t-elle.

– Dans le canyon de Flathead.

– Tu es largueur ?

– Non, je saute avec vous.

Dans l'effervescence de la salle d'embarquement, ils sortirent leurs équipements des casiers. Rose enfila sa combinaison de saut, vérifia chacune de ses poches, fermetures Éclair, boutons-pression, ses gants, sa corde de descente. Elle enfilait ses bottes lorsqu'elle vit Matt qui laçait les siennes.

– Tu n'es pas en congé ?

– Si, je passais juste chercher un truc à la base, répondit-il en prenant sa voile et son parachute de réserve sur le tapis roulant. À croire que le dieu du Feu a décidé que j'avais eu assez de vacances.

– À tout' dans l'avion, lui dit Rose, son casque sous le bras.

Gull était déjà sur la piste, en tenue, aux côtés de Lucas et d'Emma.

– Tu as fait vite, dis donc !

– J'étais dans la réserve quand la sirène a sonné. Tu es prête ?

– Toujours. À plus, papa.

– À plus, ma chérie.

– Bonne chance, ajouta Emma.

– Merci, répondit Rose. Allez, le bleu, on y va.

– Tu m'avais dit que c'était rapide, dit Emma à Lucas tandis que Rose et Gull montaient à bord de l'avion, mais je ne me rendais pas compte à quel point. Tu n'as pas le temps de réfléchir. Tu entends la sirène, et en deux temps, trois mouvements, ça y est, tu es parti au feu.

– C'est une routine, comme de s'habiller le matin, en accéléré. Et, si, détrompe-toi, les pompiers réfléchissent. Bon courage ! lança Lucas à Yangtree.

– À la prochaine, vieille branche !

Lucas adressa quelques paroles de sympathie à chacun des para-chutistes, à ses anciens collègues comme aux nouveaux Zulies, qui lui semblaient n'être encore que des gamins. Puis lorsque la porte de l'appareil se ferma, il glissa sa main dans celle d'Emma.

L'un d'entre eux était peut-être un assassin.

– Tout se passera bien, lui assura-t-elle. Ils seront bientôt de retour.

– J'espère…, murmura-t-il en regardant l'avion décoller.

Après le briefing en vol, Rose s'installa entre Yangtree et Trigger devant les cartes qu'ils avaient étalées.

Gull alluma son iPod et chaussa ses lunettes de soleil. La musique couvrait le bruit des moteurs et le détendait. Derrière ses verres fumés, il observait toutefois le visage, le langage corporel de chacun de ses collègues. Il en avait gros sur le cœur, de les soupçonner, mais il préférait souffrir de remords que des conséquences d'un nouvel acte de sabotage.

Quand Trigger annonça que le moment était venu de procéder à l'ultime vérification, Gull effectua le rituel avec Rose.

– Yangtree nous quitte, lui dit-elle.

– À partir du 1er janvier, expliqua l'intéressé, je vais travailler pour Iron Man. Je me laisse l'automne pour chercher une maison, me faire opérer l'autre genou et aller à la pêche, même si j'aurai tous mes étés pour pêcher, dorénavant.

– Tu devrais te mettre au tricot, tant que tu y es, suggéra Trigger.

– Je te tricoterai un bonnet, promis ! riposta Yangtree qui se faufila entre les hommes et le matériel afin de consulter le largueur et le pilote.

– Il a à peine cinquante barreaux, chuchota Trigger en dépliant une tablette de chewing-gum. Ce n'est pas un âge pour prendre sa retraite.

– Il est fatigué, répliqua Rose, et son genou le handicape. Ça ne m'étonnerait pas qu'il change d'avis quand il se sera fait opérer.

Le largueur déverrouilla la porte. Une bouffée d'air chaud, empestant la fumée, s'engouffra dans la carlingue. Rose se pencha vers un hublot. De l'épaisse forêt de pins et de sapins en feu jaillissaient des boules de gaz enflammées qui fusaient dans le ciel tels des missiles antiaériens.

– Il est violent, dit-elle, et le vent est déchaîné.

La première série de sikis confirma son jugement.

– Tu vois la zone d'atterrissage ? demanda-t-elle à Gull. Là, cette trouée, à huit heures. Il faudra manœuvrer par le sud, éviter la falaise. Tu es le deuxième largué du troisième passage, tu…

– Non, le premier du deuxième passage.

Il se garda de préciser que Lucas avait demandé à Michael de les faire sauter ensemble.

– OK, donc, je te suivrai, acquiesça-t-elle en observant la série suivante de banderoles. Il y a à peu près trois cents mètres de dérive.

Gull se concentra lui aussi sur les sikis, les tours de fumée et le brasier d'où elles s'élevaient.

Trigger attacha son casque, abaissa son masque, accrocha sa sangle au câble et se mit en position à la porte, suivi de Matt, son partenaire de saut.

Rose étudia attentivement la chute de ses amis. L'avion effectua une deuxième ronde au-dessus du site de parachutage.

– On est prêts, répondit Gull à l'appel du largueur.

Rose derrière lui, il s'assit à la porte, le bruissement de l'air et le grondement du feu résonnant à ses oreilles. La main du largueur s'abattit sur son épaule, Gull s'élança dans le vide.

Lorsque son parachute s'ouvrit et ralentit sa chute, il aperçut Rose sous sa voile déployée. À travers la fumée, un rayon de soleil illumina furtivement son visage. Puis il dut lutter contre les vents contraires menaçant de le faire vriller. Une bourrasque le poussa dangereusement vers la paroi du canyon. Il parvint à rétablir sa trajectoire. Une rafale le déporta au-delà de la zone de saut. Il réussit néanmoins à revenir de nouveau dans sa trajectoire et se laissa porter par le vent, si bien qu'il atterrit en douceur au bord de la trouée.

Tandis qu'il roulait-boulait, Rose se posa quelques mètres plus loin. Ils rassemblèrent leurs parachutes puis rejoignirent Matt et Trigger de l'autre côté du site d'atterrissage.

– Voici le troisième binôme, dit Trigger. Merde… Cards va se prendre les arbres. Il n'a vraiment pas de bol, cette saison.

Rose entendit clairement la bordée de jurons que lâcha Cards en disparaissant entre les pins.

– Viens avec moi, Matt. Allons voir s'il n'a rien de cassé.

Cards continuait de tempêter. Au moins, il était conscient. Rassurée, Rose leva les yeux vers le ciel, laissant Matt partir seul à la rescousse de leur camarade.

L'avion effectua un nouveau passage.

– Quand tout le monde sera au sol, tu superviseras la réception du matos, dit-elle à Gull.

Les mains sur les hanches, Rose regarda la silhouette suivante se propulser hors de l'avion. Yangtree. Il donnerait des cours, il continuerait de sauter, mais avec des amateurs, ce ne serait pas…

– Son ralentisseur ! Son ralentisseur ne s'est pas ouvert ! Ouvre ta voile de réserve, je t'en supplie ! Vite, Yangtree, par pitié !

Le ventre de Gull se noua, son cœur tambourinait dans sa poitrine. Des cris affolés retentissaient de toutes parts parmi les parachutistes déjà au sol. Trigger hurlait dans sa radio. Et Yangtree tombait comme un fétu de paille dans le ciel et la fumée.

Son parachute de réserve s'ouvrit enfin et se gonfla d'air. *Trop tard*, ne put que constater Gull. Sa chute à peine ralentie, Yangtree s'écrasa dans les arbres.

29

Rose s'élança dans le sous-bois, sautant par-dessus les troncs renversés, les rochers, tout ce qui se trouvait sur son passage. Gull la doubla à toute vitesse, porté par la panique. Il fallait garder la tête froide, agir au plus vite. Le parachute de réserve s'était déployé à la dernière minute. Tous les espoirs n'étaient pas perdus.

Rose ralentit en apercevant Cards, le visage en sang, descendant d'un pin ponderosa au moyen de sa corde de descente.

– Tu es blessé ?

– Non, non ! Rien de grave. Ne t'occupe pas de moi !

Matt les rattrapa, le visage blême, les yeux hagards.

– Reste avec Cards, lui dit Rose. On ne sait jamais…

Et, sans attendre de réponse, elle reprit sa course.

En entendant Gull crier, elle bifurqua vers le son de sa voix. Les aiguilles de pin sèches craquaient sous ses pas, tels de minuscules os broyés.

Elle vit d'abord le parachute de réserve, lambeaux de toile blanche accrochés dans les arbres. Puis le sang qui gouttait sur le sol de la forêt.

Le corps inerte de Yangtree se balançait entre les branches, à une vingtaine de mètres de hauteur, transpercé par un éperon de bois, tel un papillon de nuit piqué sur une épingle, bras et jambes désarticulés, un pantin cassé. Mais cela ne signifiait pas qu'il était mort.

Gull avait déjà commencé à escalader le tronc.

– Tu arriveras à monter jusque là-haut ? Il est vivant ?

– Je vais y arriver, oui.

Rose posa son matériel, chaussa ses crampons et grimpa derrière lui. À l'aide de sa corde, Gull se hissa jusqu'à la branche, en prenant soin de vérifier qu'elle supporterait son poids. Puis il détacha le casque de Yangtree et lui palpa le cou.

– Le pouls est faible, irrégulier, mais il bat. Fractures multiples. Profonde entaille à la cuisse droite, mais la fémorale n'est pas touchée. La perforation... (Gull étouffa un juron en s'approchant un peu plus près.) Il s'est carrément empalé. De là, je ne peux pas le stabiliser.

Rose se pencha en arrière autant qu'elle le pouvait, afin de jauger elle-même la situation.

– On va l'attacher avec les cordes, couper la branche et le descendre avec.

– Elle ne supportera pas mon poids plus celui d'une tronçonneuse, répondit Gull en reculant. Même toi, je ne suis pas sûr que tu ne sois pas trop lourde.

– On va trouver une solution.

– Dobie ou Libby. Ce sont eux les plus légers.

– Pas le temps. Il perd beaucoup de sang. Je vais voir ce que je peux faire. Va me chercher de la corde, une scie et un kit de premier secours.

– Alors ? demanda Trigger anxieusement depuis le pied de l'arbre.

– Il respire.

– Merci, mon Dieu ! J'ai appelé une équipe d'évacuation médicale. Il est conscient ?

– Non. Nous avons besoin de corde, d'une trousse de premiers soins et d'une tronçonneuse.

Rose se renversa en arrière dans son harnais, enleva son T-shirt et le découpa en bandes à l'aide de son canif. Puis elle se détacha et s'avança sur la branche, en priant pour qu'elle résiste.

– Yangtree, tu m'entends ? demanda-t-elle en lui garrottant la cuisse. Tiens bon, pour l'amour de Dieu ! On va te tirer de là.

Elle lui enroula la longueur de corde dont elle disposait autour de la taille puis recula pour l'attacher. Gull était là, qui lui tendait davantage de corde.

– Je vais l'attacher à la branche juste en dessous. Passe-lui une autre corde sous les bras.

Trigger et Matt escaladaient l'arbre voisin. Elle approuva de la tête en comprenant leur plan.

– Jette-leur une corde, dit-elle à Gull. On le descendra en V quand j'aurai coupé son harnais et scié la branche.

Une sueur d'angoisse lui coulait dans les yeux. Elle déplaça la jambe cassée de Yangtree, en priant pour qu'il ne reprenne pas conscience avant qu'ils aient terminé le sauvetage. Du mieux qu'elle pouvait, elle protégea la plaie autour de la perforation. Puis, à l'aide de sa ceinture, elle attacha son camarade plus solidement à la branche.

Un bref instant, elle fut assaillie par le doute. La manœuvre était hasardeuse… Ne risquait-elle pas de le tuer ? Le pouls était de plus en plus faible. Toutefois, ils n'avaient pas le choix.

– Je vais couper son harnais. Tenez-vous prêts.

Quand elle eut libéré Yangtree du parachute lacéré, elle empoigna la tronçonneuse.

– Ça va marcher, dit-elle à Gull.

– L'équipe médicale sera là dans moins de dix minutes.

Rose cala ses pieds et tira sur le câble du démarreur. La vibration du moteur lui parcourut tout le corps. Trigger et Matt se préparèrent à retenir le poids. Derrière elle, Gull et Dobie devaient aussi être parés.

Prudemment, elle s'avança sur la branche et planta la lame dans l'écorce, aussi près qu'elle l'osait du corps de Yangtree.

– Tenez-le bien ! cria-t-elle. Ne le lâchez pas.

Elle enfonça la lame, la branche céda. Yangtree bascula, la branche en T fichée dans la jambe. Lentement, en retenant les cordes main après main, ils le firent descendre jusqu'au pied de l'arbre où Libby et Stovic attendaient pour le réceptionner.

– C'est bon ! C'est bon ! Oh, mon Dieu, il est dans un sale état, articula Stovic d'une voix blanche.

Au moins, il respirait encore, vérifia Rose. Un vrombissement de pales se rapprochait. Pourvu qu'il continue à respirer…

Une boule dans la gorge, la jeune femme regarda l'hélicoptère emporter son ami : dans le coma, bras et jambes cassés, et Dieu seul savait de quels autres traumatismes il souffrait encore – et il n'y avait rien qu'elle puisse faire pour lui.

Elle communiqua un rapport à la base puis refit le point sur la stratégie d'extinction avec Cards, qui se tenait la tête entre les mains, assis par terre. Lorsque l'hélicoptère eut disparu, Trigger les rejoignit. Tout ce qu'elle ressentait – le choc, le chagrin, la rage – se reflétait sur son visage.

– Qui s'occupe du matériel parachuté ? demanda-t-elle d'une voix morne.

Gull exerça une pression sur son bras.

– J'y vais. Dobie, Matt, venez avec moi.

Ressaisis-toi, s'intima Rose.

– Allez, Trig, au boulot ! dit-elle en ramassant un bâton et en commençant à tracer une carte dans la terre. L'incendie se propage rapidement vers le nord-est.

Il la dévisageait d'un air absent.

– Trig, j'ai besoin de toi !

– Laisse-moi une seconde, d'accord ? Juste une seconde, merde…

Accroupie, elle posa une main sur sa botte.

– Il faut qu'on se batte. Plus vite on en aura terminé, plus vite on sera aux côtés de Yangtree. On a pris du retard…

Elle dut s'interrompre pour maîtriser sa voix.

– Le feu a pris l'avantage, poursuivit-elle. Il est violent, Trig. Ils ont largué du retardant sur la tête, mais avec ce vent il s'est réactivé. Il a sauté par-dessus la crête, là-bas, et progresse rapidement.

– OK, murmura-t-il en s'essuyant le nez du revers de la main et en s'accroupissant à côté d'elle. Il me faut cinq gars pour construire un pare-feu sur le flanc gauche.

Trigger lui tendit la main, elle noua ses doigts aux siens.

– Terrassons le dragon, dit-elle. Ensuite, on essaiera de comprendre ce qui s'est passé.

– On le saura, crois-moi !

Ils discutèrent lignes d'arrêt, zones de repli, lieux de campement.

Lorsque Trigger eut rassemblé ses hommes et son matériel, Rose se tourna vers les autres.

– Cards, tu restes là et tu…

– Hors de question, Swede, riposta-t-il farouchement. Je ne reste pas en arrière.

Du sang coulait de sa lèvre fendue.

– Je ne te demande pas de rester en arrière, mais d'attendre l'avion, de prendre la moitié des gars qui sauteront et de les emmener traiter le flanc gauche avec Trigger. Tu m'enverras l'autre moitié. J'ai besoin de Gibbons dans mon équipe, et de Janis. OK ?

Il acquiesça de la tête.

– Gull, Dobie, Libby, Stovic, prenez vos outils, ordonna Rose.

Ils n'avaient pas de temps à perdre. Pas le temps de penser à autre chose qu'à la lutte. Tout le reste devait rester verrouillé à l'extérieur.

Ils creusèrent et scièrent. Chaque coup de pulaski, chaque vrombissement de tronçonneuse résonnait aux oreilles de Rose comme des cris de vengeance. Le feu, néanmoins, refusait de faiblir.

– En attendant Gibbons, je veux que tu diriges les opérations, dit-elle à Gull. Je vais aller voir comment la tête se comporte. Si tu rejoins la ligne du bulldozer avant mon retour, fais-le-moi savoir.

– OK.

– Tu as un point d'eau à cinq cents mètres en montant par là. Gibbons ne devrait pas tarder, mais si vous y arrivez avant qu'il vous ait rejoints, tu mettras Stovic et Libby aux lances. Au cas où le vent tournerait…

– Tu peux compter sur moi, Rose. Fais ce que tu as à faire. On va se débrouiller, ne t'inquiète pas. Reste en contact avec moi.

– Ne les laisse pas penser à l'accident. Il faut qu'ils restent concentrés. Je me dépêche.

Là-dessus, elle avança entre les arbres, gravissant le terrain pentu d'un pas alerte, et disparut dans la fumée. Elle n'entendait que le grondement du feu, le crépitement des troncs secs qui s'embrasaient, les grésillements de la résine en fusion, le souffle des feuilles et des branchages qui s'enflammaient. Elle évita de justesse un tison ardent, étouffa à la hâte le foyer qu'il avait allumé.

Des images de squelettes carbonisés lui revenaient sans cesse en mémoire. Au sommet de la crête, elle s'arrêta afin de se repérer. De l'autre côté, le dragon s'en donnait à cœur joie, dévorant tout sur son passage. L'horizon n'était qu'un mur de flammes.

Par radio, Rose demanda des largages de retardant, et reçut de brèves nouvelles de Yangtree. On était en train de l'opérer.

Elle sentit le vent changer, et vit l'incendie se précipiter vers l'est, se rapprochant de l'équipe de Trigger.

Elle l'appela et le prévint.

– On est derrière une tranchée assez large, lui dit-il. Je ne pense pas que le feu puisse la sauter. Au cas où, itinéraire de repli par le sud.

– Le bombardier ne va pas tarder à balancer la sauce sur le flanc ouest. Vous ferez gaffe.

– Reçu. Cards vient de nous rejoindre avec des renforts. On va pouvoir progresser.

– Après les largages de retardant, je me ferai transmettre un rapport aérien. Je prendrai quatre gars de ton équipe, quatre de la mienne, et on montera attaquer la tête.

– Entendu. Fais attention à toi.

Elle appela ensuite Gibbons, tout en guettant les bombardiers, Une branche enflammée, grosse comme une jambe d'homme, s'écrasa au sol devant elle. Rose bondit en arrière. Le tapis d'humus s'embrasa. Une langue de feu lui lécha les bottes.

– J'ai eu chaud aux fesses ! cria-t-elle à Gibbons. Tout va bien, mais je vais être occupée cinq minutes.

Elle entreprit aussitôt de battre les flammes fraîches et de les recouvrir de terre. En entendant le ronflement de l'avion-citerne, elle lâcha une bordée de jurons tout en continuant à livrer sa bataille personnelle.

– Je me sauve ! signala-t-elle à Gibbons, puis au pilote du bombardier.

La pluie rose s'abattit sur la forêt, étouffant les flammes, soulevant un épais nuage de fumée, éclaboussant les arbres, son casque, sa veste. Une volée de tisons l'obligea à zigzaguer dans sa course.

Un grondement qu'elle ne connaissait que trop bien rugit derrière elle et la terre trembla sous ses pieds. Instinctivement, elle se jeta sous le rideau de feu et l'entendit se refermer sur elle avant le souffle de l'explosion. Malgré les blocs de pierre qui roulaient sous ses pieds, elle gravit à toute vitesse un escarpement en surplomb du brasier meurtrier. Des voix affolées résonnaient dans sa radio.

– Je suis en sécurité ! haleta-t-elle. J'ai juste fait un petit détour. (Elle relâcha son souffle.) Une minute, je m'oriente.

Un mur de flammes lui barrait le chemin jusqu'à son équipe. Elle sortit sa boussole. Sa main tremblait comme une feuille.

Retourner jusqu'à la ligne de Trigger, décida-t-elle, *puis contourner le nouveau départ de feu.*

Elle suivit son plan puis prit le temps de s'hydrater et de se calmer.

– Elle est blessée ? demanda Gull à Gibbons en le regardant droit dans les yeux.

– Elle dit que non. Elle ne veut pas nous affoler, mais je crois qu'elle a eu une belle frayeur. Elle va rebrousser chemin jusqu'à Trig et passer par l'autre côté pour revenir ici. Le retardant a affaibli le flanc gauche. Ils l'arrosent en ce moment en remontant vers la tête. Ils tiennent le bon bout.

Gibbons essuya la sueur qui lui ruisselait sur le visage et secoua la tête avant d'ajouter :

– On ne peut pas en dire autant pour nous. Le vent pousse le feu dans notre direction. Elfe, Gull, Stovic et Dobie, prenez les pompes et apportez-les là-haut. Suivez la ligne du bull. Commencez à attaquer à la lance. Je vous envoie quatre gars de plus dès que possible.

— Foyer ! cria Libby, et deux de ses camarades se mirent aussitôt à l'étouffer.

— Trig, on est débordés ! hurla Gibbons dans sa radio. Tu peux nous envoyer un de tes hommes ?

— Deux. Avec Swede, ça fera trois.

— Dis-leur de se grouiller !

La lance à bout de bras, Gull aurait juré que la force de l'eau n'avait pour seul effet que de faire danser le feu. Le vent avait choisi son camp, attisant les flammes qui se dressaient en murs massifs.

— Michael envoie une autre équipe, lui dit Janis, et il a alerté les paras de l'Idaho.

— Rose a rejoint Trigger ?

— Je n'en sais rien…

Janis sortit sa radio qui grésillait.

— Gibbons ? On a besoin d'aide.

— J'attends Matt et Cards. Plus Swede. Des renforts vont arriver. Ils devraient être là à la demie, en principe.

— Ce sera trop tard. On a besoin de bras tout de suite, sinon, on sera obligés de battre en retraite.

— Je vois ce que je peux faire et je te rappelle. Si vous devez décamper, décampez.

Par-dessus le jet d'eau, Janis cria à Gull :

— On ne tiendra pas une demi-heure sans renfort !

— Appelle Rose, demande-lui où elle est. J'ai comme un mauvais pressentiment. Depuis le début.

Il écouta Janis essayer de joindre Rose une fois, deux fois, trois fois. À chacune des tentatives, son sang se glaçait un peu plus. Matt et Cards ne répondaient pas non plus. Janis reçut un nouvel appel de Gibbons.

— Je n'arrive à joindre aucun des trois, dit-il. J'envoie quelqu'un à leur recherche.

— Négatif. Gull va y aller. De nous tous, c'est lui qui court le plus vite. Envoie-moi quelqu'un pour le remplacer.

— Libby part vers vous à l'instant même. Je vais demander un nouveau largage de retardant et un bulldozer supplémentaire. Si vous devez battre en retraite, prenez par le sud-ouest.

— Reçu.

Janis coupa la communication.

— Retrouve-la, dit-elle à Gull.

– Compte sur moi, assura-t-il, et il tendit sa lance à Dobie.

Boussole en main, il partit en courant. Rose avait été contrainte de prendre par l'ouest, puis par le sud, avant d'obliquer vers le flanc gauche. Il essaya d'évaluer sa vitesse, le chemin par lequel elle avait pu passer pour retourner ensuite sur le flanc droit, à l'est.

Un foyer se déclara à sa gauche, les flammes s'enroulèrent autour d'un arbre. Ignorant l'instinct qui lui commandait de l'éteindre, Gull continua à courir. Rose ferait tout pour enrayer un nouveau départ de feu, pensa-t-il. Elle avait donc pu changer de direction à tout instant. Et si elle avait croisé un autre ennemi, elle n'aurait pas vu le danger. Elle aurait vu l'un de ses frères d'armes, quelqu'un en qui elle pouvait avoir confiance, quelqu'un qu'elle aimait, même.

Il bondit par-dessus un ruisseau, s'élança à travers la chaleur et la fumée, en proie à une frayeur grandissante. Elle était intelligente, forte, courageuse. Elle se battrait, sans doute plus farouchement encore que l'ennemi déguisé en ami.

Il se força à s'arrêter, à consulter sa boussole et à se réorienter.

Nord-est, décida-t-il, en priant pour ne pas se tromper. Un arbre s'écroula, vomissant un tourbillon d'étincelles qui brûlèrent sa peau à nu comme un essaim d'abeilles.

Une détonation retentit, nette et sonore. Il se précipita dans la direction de l'écho du coup de feu, le cœur battant à se rompre.

30

Dès qu'elle le put, Rose recommença à courir en foulées régulières. Elle s'était fait mal à la hanche en évitant la branche enflammée mais ne sentait qu'à peine la douleur, sourde et lointaine.

Ils allaient perdre la bataille. Elle était de toute façon perdue d'avance depuis la chute de Yangtree.

Le mauvais sort s'acharnait sur eux.

Le vent soufflait de plus en plus violemment, sans cesse changeant, augmentant l'intensité et la vitesse de propagation de l'incendie. Par endroits, des petits tourbillons de poussière dansaient sournoisement sur les flammes. L'air restait aussi sec qu'un coup de trique.

Elle ignorait si Trigger et son équipe avaient progressé, comment se comportait le flanc qu'ils traitaient. Elle avait renoncé à les rejoindre. Gibbons avait un ton si alarmé qu'elle ne s'était senti d'autre choix que de rebrousser chemin.

Afin de raccourcir la distance, elle avait coupé vers le nord, à travers le feu, espérant croiser Matt et Cards.

Sans cesser de courir, elle but quelques gorgées d'eau et s'aspergea le visage, résistant à l'envie qui la tiraillait de rappeler la base pour prendre des nouvelles de Yangtree. Une terrible crainte la hantait cependant : et si ce n'était pas un accident, mais encore un acte de sabotage ?

Combien de ses camarades se posaient-ils la même question ? Rongés par cette angoisse, comment faisaient-ils pour se concentrer sur leur travail ? Elle-même ne pouvait s'empêcher de se repasser chaque minute, chaque mouvement des préparatifs de départ dans la salle d'embarquement, du vol en avion, de la séquence de saut.

Plus tard, se raisonna-t-elle.

Elle aurait tout le temps d'y repenser plus tard. Dans l'immédiat, l'essentiel était de rester en vie. Se sentant proche de l'hypoglycémie, elle sortit une barre énergétique de son sac et en déchira l'emballage. En entendant un cri, elle la lâcha et repartit à toutes jambes.

La fumée l'aveuglait, la désorientait. Elle se força à s'arrêter, ferma les yeux, réfléchit.

Droit vers le nord. Oui, plein nord, décida-t-elle, et elle reprit sa course.

Une radio à moitié fondue gisait dans une flaque de sang, au pied d'un arbre qui flambait comme une torche. Une branche tombée au sol s'embrasa.

Elle mit ses mains en porte-voix et appela ses amis. Une traînée de sang partait vers l'est. La peur au ventre, elle décida de la suivre et décrocha sa radio de sa ceinture.

Le loup était donc bel et bien dans la bergerie. Force lui était à présent de se rendre à l'évidence. Par loyauté, elle s'était interdit de franchir la ligne.

Le cœur lourd, elle se prépara à franchir cette ligne.

Il surgit de nulle part avant qu'elle puisse allumer sa radio. Il se tenait là, devant elle, une fusée allumée à la main, le regard misérable. En la voyant, il lança son projectile. Un épicéa noir s'enflamma dans une gerbe d'étincelles.

– Je ne te veux pas de mal. Pas à toi.

Elle soutint son regard triste.

– Pourquoi m'en voudrais-tu ? Nous sommes amis.

Matt dégaina un revolver de sa ceinture.

– Malheureusement, je n'ai pas le choix. Lâche ta radio.

– Matt…

Elle tressaillit lorsque la voix de Gibbons grésilla dans l'émetteur.

– Si tu lui réponds, je tire. J'aimerais mieux pas, mais je serai obligé.

– Où est Cards ?

– Jette ta radio, Rose ! Jette-la ou je te loge une balle dans la jambe et le feu se chargera du reste.

– OK. D'accord.

Elle ouvrit la main. La radio tomba à ses pieds. Matt secoua la tête.

– Donne un coup de pied dedans. Ne me teste pas.

Elle s'exécuta, alors que la voix de Janis résonnait dans l'émetteur.

– Il faut qu'on bouge de là, Matt. On n'est pas en sécurité, ici.

Elle s'efforçait de le regarder dans les yeux, mais elle avait vu le pulaski accroché à sa ceinture, le pic luisant de sang.

Cards.

– Je ne t'en veux pas, Rose. Ce n'était pas ta faute. Tu es venue aux funérailles. Tu t'es assise à côté de ma mère.

– Personne n'est responsable de ce qui est arrivé à Jim.

– Si. Dolly. Elle l'avait poussé à bout, il était dans tous ses états. Moi aussi, elle m'avait monté la tête. À cause d'elle, nous nous sommes dit des choses horribles la dernière fois que nous nous sommes parlé. Et Cards… il était largueur ce jour-là. Il aurait dû voir que Jim n'était pas en condition pour sauter. Tu le sais comme moi.

– Où est Cards ?

– Je n'en sais rien. Brûlé vif, peut-être, si tel était son destin. J'aurais pu le tuer, j'ai préféré laisser le feu décider de son sort. Ou la chance. Dolly est tombée. Je ne l'ai pas tuée. Elle est tombée.

– Je te crois, Matt. Il faut qu'on se sauve. On discutera…

– Je lui avais donné de l'argent, tu sais, pour le bébé. Elle m'en réclamait encore. Il fallait qu'on s'explique, je suis allé chez elle. Et quand je suis arrivé, elle sortait sans la petite. C'était une mauvaise mère.

– Je sais, acquiesça Rose d'un ton calme, conciliant, compréhensif. Je sais comment elle était.

– Une traînée… Je l'ai suivie, jusqu'à un motel. J'ai vu le pasteur qui l'attendait à la porte d'une chambre. Mon frère était mort et elle se payait du bon temps. J'ai failli entrer dans la chambre, mais j'ai eu peur de ce que j'aurais été capable de faire. J'ai attendu qu'elle ressorte.

Un autre arbre s'embrasa, tout près.

– Matt…

– Dolly avait un pneu crevé. Pas de chance, hein ? Elle a été étonnée de me voir quand je me suis arrêté derrière sa voiture. Elle n'était pas fière d'elle. Je lui ai dit d'aller se garer sur la piste forestière. Je voulais juste qu'on règle nos comptes. Elle n'aurait pas dû me dire les choses qu'elle m'a dites… Si elle n'avait pas été aussi garce, je ne l'aurais pas poussée. Elle voulait abandonner Shiloh. Tu le savais, ça ? Comment une mère peut-elle faire une chose pareille ?

– Il ne faut pas qu'on reste là, Matt, répéta Rose d'une voix ferme et posée. Je veux que tu me racontes tout, je t'écouterai, je te le promets, mais dépêchons-nous de partir d'ici.

– Shiloh est peut-être… ma fille. J'ai couché avec Dolly, une fois. Annie me manquait, je me sentais seul, on avait bu… Une fois seulement, une fois de trop.

– Je comprends, acquiesça Rose, terriblement peinée par tout ce gâchis. Moi aussi, ça m'arrive de me sentir seule.

– Non, tu ne peux pas comprendre ! Dolly m'a dit que l'enfant était de moi, et elle a dit à Jim qu'elle attendait un bébé de lui, pour lui dire après que non, que c'était moi le père, parce que moi j'assumerais mes responsabilités et quitterais Annie. Jim et moi, on s'est engueulés à cause de ça, juste avant qu'il parte en intervention. Il est mort. Je suis toujours là.

– Ce n'est pas ta faute.

– Qu'est-ce que tu en sais ? Je lui ai dit d'aller au diable. Depuis, je vis un enfer. Je voulais punir Cards, qu'il ne puisse plus sauter en parachute, ce qu'il aime le plus au monde… comme j'aimais mon frère. Mettre quelque chose dans sa nourriture, provoquer une mauvaise chute. J'aurais pris Shiloh à Dolly, je l'aurais confiée à ma mère. Manque de bol, elle est tombée. Il fallait bien que je fasse quelque chose, non ?

– Si.

– Je l'ai envoyée en enfer. Et c'est là que j'ai compris que j'avais un devoir à accomplir. Je devais confier le bébé à ma mère. Alors, il fallait que je trouve un moyen d'empêcher Leo Brakeman de me mettre des bâtons dans les roues. Et que je le fasse payer, aussi. Il était odieux avec Jim, il lui disait sans cesse des choses blessantes.

– Alors tu lui as piqué une carabine et tu m'as tiré dessus.

– Je ne voulais pas te faire de mal, Rose, je te le jure. Dolly avait donné la combinaison du coffre de son père à Jim et il me l'avait donnée. En quelque sorte, c'est lui qui m'a indiqué la voie à suivre. Leo devait payer. La petite est avec ma mère, maintenant. C'est ce que Jim aurait souhaité.

Des tisons fusaient de toutes parts.

– OK. Tu as rendu justice à Jim, et tu as fait ce que tu pouvais pour ta famille, acquiesça Rose. Je t'écouterai, Matt, je ferai tout ce que tu me demanderas, mais pas ici. Le vent a tourné. Matt, je t'en supplie, on va se retrouver piégés si on reste là.

– Au destin de décider, répliqua-t-il tristement. Comme il a décidé de celui qui subirait les conséquences d'une pompe défectueuse, d'une tronçonneuse défectueuse, d'un parachute défectueux…

– Tu as joué à la roulette russe avec nos équipements ?

Rose regretta aussitôt ses paroles, mais elle était trop furieuse pour se contenir.

— Yangtree ne t'a jamais rien fait, ajouta-t-elle. Il risque de mourir.

— J'aurais tout aussi bien pu me retrouver à sa place. Les règles du jeu étaient équitables. Au bout du compte, Rose, nous sommes tous responsables de la mort de Jim. Et nous courions tous le même risque de tomber sur le mauvais parachute. Heureusement, ce n'est pas tombé sur toi. Je n'aurais pas voulu qu'il t'arrive quelque chose, même si j'ai bien vu comment tu m'as regardé quand j'ai dit qu'on allait prendre un avocat pour que ma mère obtienne la garde de Shiloh. Je voyais bien, aussi, comment tout le monde me regardait parce que j'étais vivant alors que Jim était mort.

Elle ne courrait pas plus vite qu'une balle, pensa Rose, le cœur tambourinant dans sa poitrine. D'ici peu, elle ne courrait pas non plus plus vite que le feu. Le grondement se faisait de plus en plus menaçant, de plus en plus proche.

— Dépêchons-nous de filer, Matt. Shiloh a besoin d'un père, tenta-t-elle.

— Elle a mes parents. Ils veilleront à ce qu'elle ne manque de rien.

Les flammes projetaient des lueurs rougeoyantes sur le visage luisant de sueur de Matt. Dans son regard, la tristesse avait fait place à l'égarement.

— J'ai rompu avec Annie, hier soir, poursuivit-il. Je n'ai rien à lui offrir. Tout à l'heure, quand j'ai sauté, je savais que c'était la dernière fois. D'une façon ou d'une autre. Je pensais finir comme Jim. Maintenant, il ne me reste plus que le feu.

— Tu as Shiloh, répéta Rose, à court d'arguments.

— Jim est mort. Quand je regarde Shiloh, je vois mon frère mort. Dévoré par les flammes. Le feu est maintenant mon seul salut. J'y ai pris du plaisir. Pas à tuer, mais à allumer des incendies, à les regarder brûler, à voir ce qu'ils pouvaient causer. J'ai pris davantage de plaisir à provoquer des incendies qu'à en éteindre. J'aimerai peut-être l'enfer.

— Personnellement, je ne suis pas encore prête à y aller.

Rose détala sans demander son reste. Un coup de feu claqua dans son dos. Suivi d'un gémissement prolongé qui se mua à ses oreilles en un bourdonnement d'insecte furieux. Un brandon explosa devant elle, l'obligeant à dévier sa course. Autant mourir par le feu. Tel un papillon de nuit, elle s'élança vers les flammes.

L'espace d'un instant, elles l'enveloppèrent dans une étreinte brûlante qui lui coupa le souffle. Elle poussa un hurlement de terreur qui se mua en cri de triomphe lorsqu'elle fit irruption hors du brasier. Dans son élan, elle tomba sur les mains et les genoux. Son sac pesait aussi lourd que du plomb. Elle se releva en chassant la fumée à grands gestes. Tout autour d'elle, la forêt flambait avec des rugissements enragés. Et un homme pris de folie la pourchassait.

Un autre coup de feu éclata. Terrorisée, Rose s'enfonça plus profond dans le ventre du dragon.

Dans le tumulte, le bruit de pas se rapprochait. Elle scruta la fumée et le flamboiement. Elle allait devoir se battre, elle n'avait plus le choix. Matt ne la mènerait pas comme un agneau à l'abattoir. Entre les tours de flammes, elle se redressa et saisit son pulaski à deux mains, solidement campée sur ses pieds, prête à frapper. Matt ne s'en tirerait pas indemne. Ne fût-ce que pour Yangtree, ou même pour cette pauvre, pathétique Dolly, elle ne rendrait pas son dernier souffle sans lutter sauvagement.

– Tu vas saigner, proféra-t-elle.

Elle entrevit la veste jaune à travers l'écran de fumée, puis la silhouette qui courait à longues foulées.

Elle se força à respirer à un rythme court et saccadé, afin de faire monter l'adrénaline. Elle disposait de quelques secondes pour décider de jeter son arme, en espérant qu'elle touche au but, ou de charger en la faisant tournoyer.

Charger. Mieux valait garder la hache entre les mains plutôt que de risquer un coup manqué.

Elle inspira profondément – une bouffée d'air vicié –, éleva le pulaski au-dessus de son épaule et, les dents serrées, se prépara à frapper.

Il arrivait vite. Très vite.

– Gull ! s'écria-t-elle, les bras tremblants.

Elle s'élança vers lui. Il referma ses bras autour d'elle. Jamais aucune étreinte, aucune caresse, aucun baiser ne lui avait procuré de sensation aussi merveilleuse.

– Matt…, haleta-t-elle.

– Je sais.

– Il a un revolver.

– Oui, je sais. Tu es blessée ?

Elle secoua la tête. Gull scruta son visage, comme s'il tenait à vérifier par lui-même.

– Tu peux courir ? lui demanda-t-il.

– Évidemment.

– Alors, courons. Matt n'est pas le seul danger.

Elle opina, puis se raidit.

– Il arrive, par là, dit-elle en tendant le bras. On dirait qu'il pleure.

– Pauvre gars ! On fonce vers le sud. Courons, maintenant. On discutera plus tard.

Sur ces mots, Gull prit la main de Rose et l'entraîna dans une course effrénée. Elle avait les jambes flageolantes, les poumons en feu, et une sueur acide lui coulait dans les yeux. Néanmoins, elle n'avait jamais couru aussi vite. Dans un déchaînement de violence, un kaléidoscope de lueurs rouges, orange, bleues, dans la fumée fétide, ils bondissaient par-dessus les branches enflammées, esquivaient les brandons et les foyers éclosant sous leurs pas comme autant de pièges mortels.

Sans ralentir, Rose tourna la tête vers Gull. La sueur ruisselait sur son visage taché de suie. Il avait perdu son casque, ses cheveux étaient gris de cendre. Il lui jeta un bref coup d'œil. Son regard restait clair, résolu, déterminé. Un homme qui ne ment pas, pensa-t-elle. Un homme auquel elle pouvait se fier. Un homme en qui elle avait toute confiance.

Une déflagration retentit derrière eux.

Pantelante, Rose se retourna et vit une colonne de fumée orange s'élever vers le ciel.

– Gull…

Il hocha la tête. Il avait vu, lui aussi.

Pas le temps de parler, de se concerter, pas même de réfléchir. La terre trembla, le vent redoubla de fureur. Le feu crachait des tisons, des braises incandescentes, des pommes de pin embrasées qui explosaient telles des grenades.

Des langues de feu bleu orangé leur léchaient les pieds avec des sifflements de serpents. Une branche éclata et produisit une pluie de charbons ardents. Des milliers d'étincelles tourbillonnaient dans la fumée aussi épaisse que du coton.

Une fontaine de flammes jaunes jaillit sur leur passage, dégageant une chaleur infernale. Ils bondirent en arrière. Une branche s'abattit sur le dos de Gull, il poussa un hurlement de douleur, sans pour autant ralentir.

Le terrain escarpé s'effritait sous leurs bottes. Une tornade de feu surgit de la fumée et s'élança à leur poursuite. Ils étaient assaillis de toutes parts.

– Les abris ! cria Gull en remontant devant la bouche de Rose le bandana qu'elle portait autour du cou, puis le sien.

Elle déchira la poche de sa tente de survie et la déploya. Elle aurait juré entendre des cris. Des cris de guerre. Matt ou le grondement de l'incendie ? De toute façon, un fou armé d'un revolver était devenu le cadet de leurs soucis.

Elle coinça les rabats de son abri sous ses pieds et le ramena par-dessus son dos. Avant de disparaître dans le sien, Gull lui lança un dernier regard et un sourire qui lui allèrent droit au cœur.

– À tout à l'heure, lui dit-il.

– À tout à l'heure.

Et ils s'enfermèrent dans leurs cocons protecteurs.

Rose se coucha sur le ventre, le nez au sol, afin de respirer de l'air « frais ». Les yeux fermés, elle se concentra sur son souffle, inspirant à toutes petites bouffées à travers son bandana. La moindre inhalation de gaz de combustion surchauffés pouvait lui brûler les poumons et l'intoxiquer.

Le vent secouait l'abri et tentait de le soulever, dans un raz de marée de chaleur et un fracas assourdissant. Rose garda les yeux fermés. Et vit son père faisant griller du poisson sur un feu de camp, le reflet des flammes dans ses yeux rieurs. Elle se vit, elle, les bras étendus sous ceux de son père lors de son premier saut en tandem. Se jetant au cou de son père revenant d'une intervention.

Le visage de Lucas éclairé par une flamme intérieure quand il parlait d'Emma.

À tout à l'heure, pensa-t-elle.

La chaleur devenait de plus en plus difficile à supporter.

Elle vit le sourire charmeur de Gull lui renversant son casque plein d'eau sur la tête. Gull sirotant une bière fraîche. Gull se battant comme un lion contre une bande de goujats. Gull la serrant contre lui, la réconfortant après son mauvais rêve. Luttant à ses côtés contre le feu. Volant à son secours dans la forêt en flammes quand elle avait cru voir sa dernière heure arriver.

La peur lui étreignait le ventre. Elle avait déjà connu de grosses frayeurs, bien sûr, mais jamais de semblable. À maintes reprises, elle avait redouté de perdre la vie. Aujourd'hui, elle avait peur pour Gull.

Il était là, tout près, et pourtant si loin. Ils ne pouvaient rien faire l'un pour l'autre, sinon attendre. Attendre.

À tout à l'heure.

Elle pensa à Yangtree, à Jim. À Matt.

À Cards. Cards, Seigneur… Matt l'avait-il tué ?

Elle voulait le revoir. Elle voulait tous les revoir. Elle voulait dire à son père qu'elle l'aimait. Dire à Emma qu'elle était contente que son père ait rencontré quelqu'un qui le rendait heureux.

Elle voulait plaisanter avec Trigger, taquiner Cards, s'asseoir dans la cuisine avec Marg. Juste être avec eux tous, sa famille.

Mais par-dessus tout, comprit-elle, elle voulait plonger son regard dans celui de Gull et voir son sourire enjôleur illuminer son visage.

Elle voulait lui dire… tout.

Pourquoi ne l'avait-elle pas fait plus tôt ? Pourquoi s'était-elle montrée aussi bornée, aussi stupide ? Pourquoi avait-elle eu peur ? Car force lui était de l'admettre, elle avait eu peur.

S'il arrivait quelque chose à Gull, elle ne s'en remettrait jamais.

La tête lui tournait, une nausée lui soulevait le cœur, effet d'une chaleur trop intense. Surtout, ne pas perdre conscience, ne pas s'évanouir. Elle se concentra sur sa respiration. Et se rendit soudain compte que le grondement du feu s'était éloigné, que la terre, sous elle, était redevenue stable.

Elle était vivante.

Elle posa une main contre la paroi de son abri. Encore brûlante. Patience. Elle devait attendre.

Si elle était en vie, Gull avait intérêt à l'être, lui aussi.

– Rose ?

Des larmes lui montèrent aux yeux.

– Je suis là.

– Ça va ?

– Nickel. Et toi ?

– Impec. Ça se calme.

– Ne sors pas encore, le bleu.

– Tu me prends pour un âne ? J'appelle la base. Un message perso ?

– Que Michael dise à mon père que je vais bien. Dis-lui aussi qu'on ne sait pas où est Cards. Que j'ai retrouvé des traces de sang. Qu'ils lancent des recherches. Il faut retrouver Matt, aussi.

Elle referma les yeux et se laissa dériver. Durant l'heure qui suivit, elle s'imagina nager dans un lagon au clair de lune, boire à même un tuyau d'arrosage, se rouler nue dans la neige avec Gull.

– Cards a été évacué par hélicoptère, lui cria Gull. Il a perdu beaucoup de sang.

– Il est vivant…

Seule dans son abri, Rose laissa couler ses larmes.

Puis, quand sa tente eut refroidi, elle lança à Gull :

– Je sors !

Elle passa la tête dans l'air enfumé. Gull émergeait lui aussi de son abri, couvert de sueur, telle une tortue se hasardant prudemment hors de sa carapace.

– Salut, la belle…

– Salut, beau gosse, répondit-elle avec un rire enroué qui lui brûla la gorge.

Ils rampèrent l'un vers l'autre sur le sol noirci, tapissé de cendres. Entre le rire et les larmes, leurs lèvres se rencontrèrent.

– Je t'en aurais terriblement voulu si tu étais mort.

– Dieu merci, on a évité le pire, répondit-il en lui caressant la joue. On a eu chaud…

– C'est le cas de le dire.

Elle appuya son front contre le sien.

– Matt est peut-être toujours vivant, ajouta-t-elle.

– Peut-être. Commençons par nous soucier de savoir où on est, on s'occupera ensuite de savoir où il est.

En consultant sa boussole, Rose but ce qui lui restait d'eau.

– Dirigeons-nous vers l'est, décida-t-elle. On va essayer de regagner le camp. On a besoin d'eau.

– J'appelle les autres.

Les jambes chancelantes, elle se redressa et examina les abris.

– La paroi intérieure a fondu. La température est montée à plus de 850 °C. Il devait faire au moins 80 à l'intérieur.

Gull lui tendit la main.

– Ma tablette de chocolat aussi a fondu, je suis dégoûté. On va se promener dans les bois ?

– Avec plaisir.

Ils traversèrent la zone sinistrée, où les cendres tourbillonnaient encore et où couvaient des foyers qu'ils éteignirent malgré la fatigue.

– Tu m'as sauvée.

– Tu aurais fait la même chose à ma place.

– Bien sûr. J'étais certaine que j'allais mourir. Je me serais battue, mais ça n'aurait rien changé. Heureusement que tu es venu. Je te dois une fière chandelle.

– J'ai marqué combien de points ? J'ai gagné ?

– Gull, dit-elle, la gorge serrée par l'émotion, il faut que je te dise…

Elle s'interrompit, lui saisit le bras.

– J'entends un bruit, dit-elle, les yeux fermés, concentrée. Par là, ajouta-t-elle en tendant le bras.

Ils se dirigèrent vers le bruit.

Matt était recroquevillé derrière un amas de rochers qui l'avait quelque peu protégé, mais insuffisamment.

Défiguré par le feu, les yeux injectés de sang, il les regarda s'approcher. Il tenta de parler, un râle s'échappa de ses lèvres. Un violent tremblement le secoua. Il respirait à grand-peine. Le feu avait brûlé ses vêtements. Tout le côté gauche de son corps était couvert de cloques à vif.

Il aurait pu s'en sortir, se dit Rose en regardant autour d'elle.

Avait-il préféré s'en remettre au destin plutôt que de déployer son abri ?

Gull tendit sa radio à Rose.

– Préviens la base.

Puis il s'accroupit auprès de Matt et, avec mille précautions, prit l'une de ses mains brûlées entre les siennes.

Il a cela en lui, pensa Rose. *De la compassion pour un homme à l'agonie, même si cet homme est un assassin.*

– Allô, la base, ici Rose. On a retrouvé Matt.

Il leva les yeux vers elle lorsqu'elle prononça son prénom. L'espace d'un bref instant, elle lut dans son regard une indicible tristesse, puis ses yeux se figèrent et son souffle laborieux se tut.

– C'est fini, murmura-t-elle en rendant la radio à Gull.

Puis elle s'assit aux côtés de celui qui avait été son ami et le pleura.

S'il n'avait tenu qu'à elle, Rose serait restée combattre le feu. Malgré ses protestations, elle dut toutefois se plier aux ordres et embarquer à bord d'un hélicoptère.

– On n'est pas blessés, bougonna-t-elle.

– Tu as une voix de crapaud, lui fit remarquer Gull en prenant place à côté d'elle. J'ai toujours trouvé les voix rauques très sexy, mais là tu croasses.

– On a bouffé de la fumée, tu parles d'une affaire…

– Tes sourcils sont complètement cramés.

Elle les fronça et y porta la main.

– Merde ! Tu aurais pu me le dire avant.

– Ça te fait un look original.

– Ce n'était pas une raison pour me démobiliser.

– Ne t'en fais pas, ma chérie, lui dit-il en lui tapotant le genou. Il y en aura d'autres, des incendies à éteindre.

– Les flics pouvaient attendre pour nous interroger, maintenant que Matt est mort.

L'hélicoptère s'éleva dans les airs. Elle se tourna vers le hublot.

– Je suppose qu'une partie de lui, la meilleure, était déjà morte depuis l'an dernier, depuis l'accident de Jim, ajouta-t-elle.

– La vie n'a pas été tendre avec lui, mais ça ne justifie pas les actes qu'il a commis.

– Tu lui as tenu la main pour qu'il ne parte pas tout seul. C'était un beau geste de ta part.

Gull garda le silence et renversa la tête en arrière. Sentant son malaise, Rose regarda le soleil qui se couchait derrière les montagnes.

– Il faut que je te dise quelque chose, Gull, annonça-t-elle après un moment. Je ne sais pas comment tu vas le prendre, mais…

Un ronflement s'échappa des lèvres de Gull. Un sourire se forma sur celles de Rose. Inutile de dénuder son âme devant un homme profondément endormi. Il n'y avait pas d'urgence. Elle avait tout le temps.

Elle vit son père se précipiter vers la piste d'atterrissage, suivi de Michael, et reconnut la chevelure rousse d'Emma courant derrière eux. Marg se rua hors des cuisines. Lynn se tenait sur le pas de la porte, le visage enfoui dans son tablier. Les mécaniciens et les pompiers restés à la base surgirent hors des hangars, de la tour de contrôle, du bâtiment des chambres. Le lieutenant de police et l'agent fédéral attendaient côte à côte devant le centre des opérations, tirés à quatre épingles.

Dès l'instant où l'hélicoptère toucha le sol, Rose s'élança sous les pales et se jeta dans les bras de son père.

– Ma chérie, murmura-t-il. Ma petite fille chérie.

Emma s'approcha, les larmes aux yeux, prit la main de Rose et la pressa contre sa joue. Puis elle enveloppa de ses bras père et fille enlacés.

Lucas se dégagea de cette étreinte pour donner à Gull une chaleureuse accolade.

– Tu l'as protégée. Merci.

– Je tiens à elle, moi aussi. Cela dit, elle n'a pas eu besoin de moi pour défendre sa peau.

En entendant Rose pousser un cri de joie, ils se retournèrent tous les deux. S'arrachant des bras de Marg, elle s'élança vers Cards, qui s'approchait de la piste d'une démarche de vieillard.

– Incorrigible, bougonna Lucas. On lui avait pourtant bien dit de rester au lit.

– Comment va Yangtree ? demanda Gull.

– Il devrait s'en sortir. Je t'ai mis une bière au frais.

– Ne la faisons pas attendre.

– Tu veux que je demande à la police de vous laisser le temps de souffler ?

– Terminons-en au plus vite avec les formalités.

– Matt a commencé à me dire des trucs complètement délirants, expliqua Cards à Rose. Que j'avais laissé Jim mourir, que Dolly avait téléphoné à Vicki pour lui dire qu'on couchait ensemble. Que c'était lui, Matt, qui avait demandé à Dolly de faire ça.

– Tu diras toute la vérité à Vicki.

– J'espère qu'elle me croira… Et il m'a donné un coup de pioche, poursuivit Cards en se touchant l'épaule. Je lui ai balancé un coup de poing, il est tombé, je me suis enfui. J'ai couru droit devant moi, je me suis perdu. Et puis j'ai fini par retrouver la ligne pare-feu. Je l'ai suivie.

– Heureusement !

– Je n'arrive pas à comprendre ce qui lui a pris, Rose. On travaillait ensemble, on s'entendait bien. On s'entendait tous bien avec lui. Yangtree…

Les yeux de Cards s'embuèrent.

– Je n'arrive pas à comprendre, répéta-t-il.

– Tu es encore sous le choc, lui dit Rose. Retourne t'allonger. Je viendrai te voir tout à l'heure, promis.

– C'était un bon pote…

– Il était notre ami à tous, murmura Rose en regardant Cards s'éloigner vers le bâtiment des chambres.

– Allons parler aux flics, lui dit Gull. Marg nous prépare des steaks.

– Marg est un ange.

– On répondra à leurs questions en mangeant.

Fourbus, Rose et Gull s'installèrent à l'une des tables de pique-nique.

– Tout d'abord, je tiens à vous dire combien je me réjouis que vous soyez tous deux sains et saufs, déclara Quinniock en croisant ses mains sur la table. L'agent DiCicco a appris aujourd'hui que Matthew Brayner avait récemment rompu ses fiançailles. Il avait également démissionné de son emploi.

– J'ai par ailleurs découvert il y a quelques jours que plusieurs médailles de tir lui avaient été décernées, enchaîna DiCicco. Votre unité compte un certain nombre de tireurs d'élite.

– Vous avez fouiné dans nos vies privées ?

– C'est mon travail. Nous sommes arrivés à la base dans l'intention d'interroger M. Brayner quasiment au moment où il a agressé votre collègue. Nous avons réussi à convaincre M. Little Bear de nous autoriser à fouiller sa chambre. Il tenait un journal intime. Tout y est consigné. Tout ce qu'il a fait, pourquoi, comment.

– Il était malheureux, dit Rose.

– Oui.

– Il s'en voulait pour ce qui est arrivé à Jim, ajouta-t-elle en regardant Quinniock. Il s'en voulait d'avoir couché avec Dolly, de s'être disputé avec son frère juste avant que celui-ci parte en intervention. Il ne pouvait pas vivre avec ce poids sur la conscience, alors il a rejeté la faute sur Cards, sur Dolly, sur nous tous.

– Très certainement.

– Mais il n'y avait pas que ça, poursuivit-elle en se tournant vers Gull. Il était tombé amoureux du feu. Le feu l'avait rendu fou, il était devenu pyromane. Peut-être croyait-il que le feu le délivrerait de sa culpabilité et apaiserait son chagrin. Il est mort rongé par le regret de tout ce qu'il avait perdu.

– Pourriez-vous nous répéter ce qu'il vous a dit exactement ? demanda DiCicco.

– Oui, et je n'en reparlerai plus jamais, parce qu'il a payé pour tout le mal qu'il a fait. Il s'est puni lui-même. Il n'y a plus rien à attendre de lui, et rien ne changera ce qui est arrivé.

Elle relata son dernier face-à-face avec Matt comme elle aurait rédigé un rapport d'intervention, de façon brève et concise, ne s'interrompant dans son récit que pour enlacer affectueusement Marg lorsque celle-ci leur apporta des steaks encore grésillants.

Puis elle mangea tandis que Gull exposait sa version des faits.

– Tu savais que c'était Matt quand tu es venu à mon secours ? l'interrompit-elle.

– C'est le seul qui n'a pas pu regarder Yangtree quand on l'a descendu de l'arbre. Ensuite, en voyant que Janis n'arrivait pas à vous joindre, ni toi, ni Cards, ni Matt, j'ai additionné deux et deux et j'ai eu un mauvais pressentiment. Voilà, conclut-il en se tournant vers DiCicco. Je crois que je vous ai tout dit.

– Je ferai mon possible pour clore ce dossier sans revenir vous importuner, dit DiCicco à Rose. Vous transmettrez à votre ami Yangtree tous mes vœux de rétablissement.

– Je n'y manquerai pas, je vous remercie. Que va-t-il se passer pour Leo Brakeman ?

— Les charges pour meurtre ont été retirées, et comme Brayner a détaillé dans son journal l'incident des coups de feu contre la base, comment il s'est procuré la combinaison du coffre – par son frère Jim, qui la tenait de Dolly –, Brakeman a également été innocenté de cette charge. Reste qu'il n'a pas respecté les conditions de sa libération sous caution, mais, vu le contexte, je pense que la justice sera clémente.

— Matt a détruit sa vie, murmura Rose, pour la seule raison qu'il estimait que le bébé devait être confié à sa mère.

— Si Brakeman a un minimum de bon sens, dit Quinniock en se levant, il ira rejoindra sa femme dans le Nebraska… En dépit des circonstances, je suis ravi de vous avoir rencontrés. Et je vous remercie pour votre collaboration.

— Pareillement.

Tandis que Quinniock et DiCicco s'éloignaient, Rose termina sa dernière bouchée de steak.

— On se serait crus dans un mauvais film, à la fin.

— À la fin seulement ?

— Tu sais ce que je veux dire ! répliqua-t-elle en riant. Bon, ce n'est pas tout, mais il faut que j'aille voir mon père. Ça ne t'ennuie pas de passer la soirée tout seul ?

— On ne devait pas faire l'amour sous la douche ?

— De toute façon, il faut que je me lave avant de partir. Autant joindre l'utile à l'agréable. Mais dans l'immédiat, j'ai besoin de marcher un peu. Tu viens avec moi ? Regarde, la lune est magnifique.

Gull se leva et lui tendit la main.

Il aurait sans doute été plus approprié, se dit-elle, qu'ils commencent par se décrasser, qu'elle attende qu'ils soient seuls, la base endormie. Mais après tout, empestant la fumée et la transpiration, poisseux de suie, n'étaient-ils pas davantage eux-mêmes ?

Main dans la main, ils se dirigèrent d'un pas nonchalant vers le terrain d'entraînement.

— J'ai beaucoup réfléchi dans l'abri, dit-elle.

— Il n'y avait pas grand-chose d'autre à faire.

— J'ai pensé à mon père, à Emma. Tu avais raison, j'étais jalouse d'elle, au début.

— Tu pourras me mettre ça par écrit, pour mes dossiers personnels ?

Elle lui donna un coup de hanche.

— Laisse-moi parler, s'il te plaît. J'ai pensé à Jim et à Matt, à tous nos collègues. À Yangtree.

— Il s'en sortira, j'en suis sûr.

– J'ai pensé à toi, aussi.

– Ah, enfin…

Elle s'immobilisa et se planta devant lui.

– Je veux me marier.

– Avec moi ?

– Non, avec Brad Pitt, mais je me contenterai de toi.

– OK.

– C'est tout ce que tu trouves à dire ?

– Je suis plus beau que Brad Pitt.

Puis il la souleva dans ses bras et l'embrassa fougueusement.

– Je t'aime, Rose. J'aime tout de toi. Ta voix, ton rire, tes sourcils quand tu en as. Ton visage, ton corps, ta tête de pioche et ton cœur prudent. Je veux passer le reste de ma vie à te contempler, t'écouter, travailler avec toi, juste être avec toi.

– Je ne voulais pas tomber amoureuse. Les relations de couple sont tellement compliquées. Mais je suis heureuse de t'avoir rencontré, je suis heureuse de t'aimer, Gull. Heureuse de faire ma vie avec toi, de fonder un foyer, une famille.

Rose pressa ses lèvres contre les siennes.

– La seule chose qui me manque, ajouta-t-elle, c'est un lit un peu plus grand.

– Tu auras un lit aussi grand que tu le désires.

– Où on le mettra ? Après la saison, s'entend.

– J'y ai réfléchi.

Évidemment, pensa-t-elle.

– Alors ?

– Pour commencer, je crois que je vais passer mon brevet de pilote. On va faire pas mal d'allers-retours entre la Californie et le Montana, mais ça ne me dérange pas de vivre ici la plus grande partie de l'année.

– Parce qu'il manque une arcade de jeux à Missoula ? plaisanta Rose.

En souriant, il lui embrassa les doigts.

– J'ai fait une étude de marché.

– Je t'aime vraiment beaucoup, dit-elle. Je ne sais pas pourquoi.

– Parce que je suis un beau parti et que j'ai nettement plus de charme que Brad Pitt. On verra où on habitera, ce n'est qu'un détail.

Elle noua ses bras autour de son cou.

– Tu as raison, approuva-t-elle.

– Eh ! les interpella Michael. L'incendie est maîtrisé !

– Vive les Zulies ! cria Gull.

Composition : Compo-Méca S.A.R.L.
64990 Mouguerre

Marquis imprimeur inc.

Québec, Canada
2012

Imprimé au Canada
Dépôt légal : mai 2012

ISBN : 978-2-7499-1640-8
LAF 1408